ÁNCORA Y DELFÍN. 184

JOSÉ LUIS CASTILLO PUCHE. — EL VENGADOR

JOSÉ LUIS CASTILLO PUCHE

EL VENGADOR

EDICIONES DESTINO

Tallers, 62 - Barcelona

Primera edición: noviembre 1956

Segunda edición: octubre 1960

PRINTED IN SPAIN

DEPÓSITO LEGAL, B. 12.543. - 1960

N.° R.° 5.691-55

© EDICIONES DESTINO, 1960

A Manuel Benítez Sánchez-Cortes

ANDA, sube — dije, y al instante me di cuenta de que a mis compañeros no les había sentado bien. Pero, francamente, la presencia de aquel muchacho me enterneció.

Miraba a nuestro camión con una ansiedad insoportable. Era un miliciano rojo, sí, pero ¿cómo suponer que podía ser culpable de nada? Se acomodó como pudo y repartió unas cuantas sonrisas. Hubiera querido darle una naranja, pero me contuve. El capitán me habría echado una mirada fulminante. No era hora de sentimentalismos.

Debía de ser de la quinta del 41 ó del 42. Por su bigote no había pasado ni siquiera esa cuchilla que va asociada, no sabemos por qué, a los primeros pecados. Era un muchacho pálido, fino, con apariencia de enfermo. Se veía a la legua que deseaba hacerse querer, que ansiaba desahogarse, que no le hubiera costado nada besarnos las manos a todos.

Desde que iba en el camión miraba el paisaje con incontenible nostalgia. Yo me daba cuenta y, como podía, le daba a entender que estaba dispuesto a comprenderle.

Nos paramos en una gasolinera. Unos italianos salieron pidiéndonos la consigna y las hojas de embarque. Al vernos a nosotros hicieron una gran reverencia y se fueron. La gente los miraba como a la tropa de un circo cuando sale por las calles a hacer la propaganda de la función de la noche. Por la calle principal desfilaban unos niños llevando al hombro unas cañas todavía verdes.

Nos adelantaban o adelantábamos a otros camiones.

A veces teníamos que insistir con la bocina. A ambos lados de la carretera serpenteaba una fila oscilante de hombres que ni siquiera osaban ya volver la cabeza. Eran hombres sin fusiles, vestidos como de tierra, soldados que caminaban con las botas en la mano. Cuando nuestro camión los dejaba envueltos entre nubes de polvo era frecuente tropezarse con algunos ojos coléricos y algunos labios que escupían o maldecían Dios sabe qué cosas. Esto no podía evitarse. Viendo aquellas caras y las nuestras uno notaba que cada combatiente era de por sí una guerra aislada y cada ex-combatiente una historia aparte.

Probablemente nada agria tanto las guerras como el que los ex-combatientes no sepan vivir después sino evocando los trances pasados. Dígase lo que se quiera, el hombre sabe muy bien que sólo es muerte honrosa, para darla como para recibirla, aquella que resiste por lo menos una docena de años el peso del recuerdo.

Nos tiraban flores y besos. Nos ponían en la mano duros en plata y frutas recién cogidas del árbol. En algunos pueblos repicaban las campanas y en otros lanzaban al aire docenas de cohetes. En los balcones había colchas recargadas y relucientes, banderas hechas de prisa y corriendo, cuadros de santos y faroles. Mas, para mí, lo más impresionante era que los enemigos nos veíamos de cerca y nos mirábamos insistentemente, nada más. Los que hasta dos días antes habíamos sido enemigos, ahora comenzábamos a confraternizar e, incluso, llegábamos a tutearnos. Aquello particularmente me conmovía.

Unos principios habían triunfado y unas ideas se habían venido abajo. Pero, por encima de todo, lo que se imponía y estaba en el aire era un afán inaudito de franqueza y generosidad.

—Déjeme subir. Por lo menos hasta el pueblo de al lado.

Ahora el que pedía un hueco en el camión era uno

de los que llamábamos guardias nacionales republica-
nos con un mono roto que dejaba al descubierto pren-
das interiores que debieron de ser blancas. Un grano
paliducho le supuraba en el cuello una agüilla sangui-
nolenta.

— Que suba — dijo el capitán.

Por el suelo del camión iban sueltos algunos cartuchos de fusil. El guardia los miró y tragó saliva.

No hablábamos. Simplemente contemplábamos lo
que ocurría en las esquinas. Requetés navarros y milicianos andaluces hablaban estrepitosamente de mujeres,
de novias, de madrinas de guerra. Infantilizaban la conversación con chistes y palmadas en los hombros. A veces llegaban a mostrarse unos a otros las heridas y
concluían dándose pescozones en el cuello. Era como
si la guerra hubiera sido una terrible broma. Nada más
que eso. Los ex-combatientes sacaban pedazos de cartas
y fotografías menudas, se enseñaban escondidos tatua-
jes y se citaban los nombres de los pueblos de cada uno.
De vez en cuando dejaban de charlar y se ponían a reír
y a cantar. Era comprensible que los que habían ganado
la guerra cantaran con más ganas y más fuerte; pero
también cantaban los vencidos, lo cual, indiscutible-
mente, tiene mérito. Es admirable cantar después de haber recibido tantas y en el mismo sitio. Porque pocas
veces se ha ido a la muerte de una manera tan confiada
e insensata como fueron los milicianos rojos.

La rabia contra los dirigentes rojos era evidente. Delante del ejército liberador habían pasado como conejos
siniestros buscando todavía en la huida madrigueras
donde robar y saquear. Muy pocos habían tenido la valentía de enfrentarse con la derrota. Lo único que habían hecho era dejar tiznadas todas las paredes con
aquellos letreros: "Resistir es vencer", "No pasarán".
Frases en las que ni por asomo creían ellos mismos.
Pero en las que habían creído y por las que se habían
dejado matar tantísimos.

Nadie esperaba a nadie. Cada uno metía unas cuantas cosas en su mochila y se ponía en camino. La mayoría de los permisos llevaban una firma irreconocible. Los soldados creían principalmente en el sello del Estado Mayor. El miliciano que viajaba con salvoconducto en toda regla, era mirado por los demás como un ser privilegiado.

A mí el júbilo de los pueblos me dejaba frío, insensible. Me palpaba el cuerpo y lo sentía inanimado, duro como una piedra. Quería a toda costa emocionarme y no podía. Me sentía incapaz de seguir el ritmo de aquella explosión trepidante de la victoria. ¿Por qué todo me parecía vacuo y todo me sonaba como a falso? Si alguien había ganado la guerra, yo era uno de ellos y, sin embargo, me movía de un lado para otro desanimado, vacío, triste, desconcertado.

"¿Por qué se habrá acabado la guerra? ¿Por qué no podrá uno seguir tirando tiros a diestro y siniestro?", me preguntaba yo. Pero me lo preguntaba sin gran entusiasmo.

Al faltarme las armas en las manos me encontraba flojo, absurdo. El caso es que, sin saber por qué, volvía derrotado, decepcionado. Era justo y santo celebrar la victoria y era verdadero aquel revuelo de músicas y cánticos, de pancartas y banderas. Pero yo volvía como neurasténico y una congoja interior me atenazaba los nervios. A veces no tenía más remedio que apartarme del grupo de amigos y llorar a escondidas. ¿Llorar por qué? Pues sí, llorar.

Posiblemente era cosa de los nervios. Mis nervios estaban agotados, consumidos. Había pasado repetidas veces muy bruscamente del terror a la compasión y del aborrecimiento a la piedad. Quería soledad a toda costa. Quería que nadie hablara fuerte. Estaba por pedir a gritos un poco de silencio.

De entonces me ha quedado la idea de que solamente los que han ganado una guerra saben de firme lo que es desencanto y desamparo. Sólo ellos podrán comprenderme y sabrán explicarse aquella extraña flojera y confusión que se fue apoderando de mí al darme cuenta de que las batallas se habían terminado.

Colgaba de mi guerrera la medalla colectiva, pero no me había dado tiempo a pasar de alférez provisional. Y no era, sin embargo, lo que me oprimía algo que se pudiera localizar en el egoísmo, en el amor propio o en la vanidad. Era algo profundo, desconocido, un peso mortificante y superior a mis fuerzas que, en algunos instantes, me sumía en un callejón oscuro y desalentador bastante propicio a la locura. Más de una vez tuve la intención de lanzar una bomba de mano contra un grupo de curiosos. También pensé ametrallar a cualquier partida de milicianos de los que huían cabizbajos por la carretera. Estos pensamientos feroces o absurdos eran como pequeñas explosiones de mi voluntad vencida. Llegué a pensar que lo mejor sería que me arrojara desde lo alto del camión al cruzar alguno de aquellos puentes.

— ¿Sabe por qué la paz es tan bella? — me dijo casi al oído el muchachito de las ojeras azules, como buscando la confidencia. No puse cara de querer saberlo. Él, sonriendo, añadió —: Acaso por ser una palabra tan breve. Si fuera más larga, ya sería más difícil...

El capitán le echó una mirada y el muchachito se quedó petrificado, casi temblando. Era como si hubiera contado un chiste inoportuno.

A la salida del pueblo se estropeó el camión y bajamos un rato a pasear por la carretera. Mientras los demás maldecían yo por dentro me alegraba. Porque yo quería alargar interminablemente la distancia que me separaba de mi pueblo. No sólo no tenía ninguna prisa por llegar, sino que lo que más fuertemente anhelaba era no llegar nunca.

Me parecía que algo muy importante se me había quedado por hacer allá atrás, en los parapetos. Acaso los jefes se habían equivocado, siquiera por una vez. Nos habían dado suelta, al menos accidentalmente, cuando todavía quedaba por resolver una parte muy importante del conflicto. Probablemente es que yo me había imaginado muchos más combates y más sangre antes de llegar a mi pueblo. Ahora todo se había precipitado. Y el final estaba ahí, sin poderlo evitar y había que hacerle frente.

A mí me estaría permitido entrar en mi pueblo con toda violencia, matando si era preciso. Pero ya no era lo mismo. El enemigo no estaba dispuesto a defenderse ni a resistir. El enemigo huía o se escondía. Eran un enemigo y una situación nuevos y desconcertantes. La victoria me tenía atontado. Las victorias realmente son como mazazos en la cabeza.

— O paras, o disparo — oímos gritar. Era un sargento de la legión que había dado el alto al camión y a quien dejábamos tirado en la carretera. Cuando se acomodó entre nosotros lanzó dos o tres miradas furibundas al muchachito lindo y ojeroso y al guardia nacional republicano, y mirando hacia la lejanía comentó:

— ¡Y para esto se ha batido uno el cobre! Para que ahora los hijos de la gran perra vayan montados en nuestros mismos coches.

Nadie dijo una palabra.

Con la mirada puesta todavía en el horizonte, agregó:

— Cualquiera de estos mosquitas muertas nos habrá hecho a nosotros un montón de bajas. ¡Maldita sea la madre que los...!

La tierra se veía muy descuidada. No se veían yuntas ni mulas. Durante la guerra los arados habían descansado. Quizás habían faltado brazos. La gente estaba muy flaca. Algunas veces casi daba risa. Hasta los perros que se ponían a seguir al camión durante unos metros eran unos perros escuálidos, que corrían sin ganas y que al instante se paraban. Parecía que se los pudiera llevar el viento.

El sargento legionario sacó tabaco y ofreció. Ofreció a todos menos al hermoso muchachito triste y al guardia nacional republicano. Yo no tomé.

Llevaba dentro una especie de obsesión monstruosa. ¿Por qué aquellos cabrones, tan borregos ahora, no se habían rendido antes? ¿O por qué no se habían resistido mucho más hasta que hubiera que abrirlos uno a uno en canal? Era estúpido. Por más que cavilaba y le daba vueltas a las cosas, no acababa de entender por qué las guerras finalizan tan bobamente en la paz y no concluyen iniciando otra guerra. Las guerras piden, deberían pedir siempre más guerras. O una paz que no pudiera, que no debiera alterarse por nada del mundo. Las guerras o las paces deberían durar hasta que prácticamente fenecieran todos los que viven con el odio en los corazones. Lo verdaderamente disparatado es que uno que en el frente supo en un momento determinado purificar la intención, diciendo que luchaba y mataba por defender un ideal cristiano, luego, una vez puesto frente al enemigo que se entrega, no tuviera en la cabeza y en la sangre más que ideas de aniquilación, de desprecio. Éste era un punto delicado en la angustia que a mí me iba dominando. Por una parte quería perdonar y por la otra temía, presentía, adivinaba que podía terminar escupiendo sobre todo sentimiento de misericordia y matando en frío como cualquier criminal.

De cien veces, sólo una se le ablandaban las entrañas a los chóferes. Pero en un camión no cabe más que un número determinado de individuos. Para curarse de toda lástima los chóferes iban de prisa, a ciento por hora. Era un modo de evitarse remordimientos. Sin embargo, a mí aquel vértigo no me hacía ninguna gracia. Yo no tenía prisa por llegar a mi pueblo. Sentía dentro, sí, una impaciencia loca y una vehemencia enfermiza, pero una impaciencia inconcreta, de nada fijo.

Retrasar, alargar mi entrada en Hécula era el plan. Tanto que a ratos deseaba ciegamente que los chóferes perdieran la ruta y los camiones se extraviaran por peregrinas carreteras. Hubiera querido que, de golpe, nos encontráramos trasladados a alguna tierra desconocida sobre la que no hubiera galopado el caballo salvaje de la guerra, o también a un terreno abierto sobre el que bailara grotescamente, sangrientamente, el oso rudo y pánfilo de la anarquía. Quería todo menos encararme con mi pueblo. Hubiera querido que aquel viaje, que no había modo de eludir, se prolongara días enteros, semanas, meses.

Había veces en que teníamos que detenernos. En medio de la carretera nos encontrábamos con un camión volcado.

En un momento de aburrimiento al capitán se le ocurrió decir:

— Menos mal que algunos lo podemos contar.

En contra de lo que pueda pensarse, a las guerras se llevan más cosas de las que se traen. Poco a poco, milicianos y soldados iban vaciando por la carretera sus maletas de madera. Algunos hasta tiraban en la cuneta el capote. El sol no era constante, pero los ratos que salía picaba fuerte.

— Los voy contando — dijo el muchachito lánguido.

Al principio no supe a qué se refería. Pero en seguida caí en la cuenta. Se refería a los piloncitos que hay marcando los kilómetros: el 1, el 2, el 3... Al sargento legionario no le gustó nada esta expansión y sin mirarle escupió.

Me tumbé. Quería aislarme. Me puse a hablar conmigo mismo. Y me salían frases sin sentido, frases incongruentes, frases pueriles y desconsoladoras en las que el candor y la malicia se fundían a veces hasta formar algún pensamiento que me parecía poco menos que genial.

Llevaba unas naranjas en los bolsillos y dentro de

la mochila. Las saqué una a una y las fui repartiendo. Al guardia nacional republicano y al muchachito, que llevaba vendado el pie y al que todavía no le había salido el bigote, por supuesto les tocó una.

Cada pueblo tenía su manera especial de celebrar el triunfo. En uno todo eran cohetes, y los muchachos en mangas de camisa saludaban al coche con el brazo en alto. En otro se habían congregado las muchachas en la plaza, con trajes regionales, y nos salían al paso con ramos de flores y agitando pañuelos de seda que también parecían flores. Los hombres maduros, en cualquier caso, siempre estaban un poco a distancia, acompañando al cura y a los guardias civiles. Tanto los curas como los guardias no se sabía de dónde podían haber salido. Estaban vestidos con el hábito y el uniforme, pero se veía que algo les faltaba o les sobraba. Seguramente la falta de costumbre de aparecer en público con sus trajes habituales los tenía algo cohibidos. Algunos hombres y mujeres no se acercaban y desde las puertas de sus casas o desde las ventanas nos miraban entre satisfechos y desengañados. Yo buscaba con los ojos, particularmente, a aquellos seres cuyos labios callados y cuya expresión demostraban que la escena no les complacía. No eran tan sólo rojos interiormente desmoralizados, irritados contra su voluntad, ciudadanos que habían luchado por una causa perdida y se encontraban en ridículo, eran también nacionales acérrimos que en los meses de encierro y persecución, al imaginarse la victoria, la habían soñado más desenfrenada, más violenta, más exaltada. Aquello era algo así como cuando uno era niño y llegaban el obispo o el alcalde al colegio. Siempre resultaba menos emocionante de lo que uno había esperado.

Al entrar a un pueblo nos encontramos una ambulancia con la puerta abierta y rodeada de niños. Dentro había un soldado con barbas como de apóstol. Estaba

muerto. Las cejas las tenía más blancas que los moline-
ros. Los rojos en su huida lo habían dejado para que se
muriera solo. Estaba cubierto de moscas.

Tímidamente fueron apareciendo hombres y mujeres al ver nuestro camión.

La mayoría de las veces pasábamos por los pueblos
levantando nubes de polvo y ni siquiera mirábamos al
gentío que nos estaba aguardando.

También ocurrió que al entrar a algún pueblo veíamos por una de las callejas a un hombre conducido por
una partida de muchachos al mando de un guardia maduro con aire de mariscal. El hombre que llevaban conducido era unas veces un miliciano, al que no le habían
dado tiempo siquiera de quitarse las ropas del frente, y
otras un paisano que protestaba con ademanes que querían ser solemnes.

Lo mismo daba un pueblo que otro; todos eran iguales aunque unos estuvieran más verdes y otros tuvieran
un río que no llevara agua. Lo único que les importaba
a mis compañeros era que el camión no se detuviera.
Por mi parte, hubiera querido poder quedarme en cualquiera de aquellos pueblos. Para nada, sólo deambulan-
do por sus desconocidas callejas.

A los dos lados de la carretera podían verse de vez
en cuando coches arrumbados. Aquellos coches con las
portezuelas abiertas, en los que entraban y salían ju-
gueteando pastores, cabreros y muchachos, eran como
el pregón bullicioso de una romería que hubiera terminado sangrientamente. Eran los coches de los comisarios
y de los jefes de brigada que en el momento crítico habían decidido estropearse. Muchos jefes rojos fueron
apresados por la terquedad de un coche en no querer
moverse de su sitio. Y también hubo coches de seis pla-
zas que llegaron hasta los puertos de mar con catorce
personas más los maletines de las joyas. Por el suelo,
junto a los motores descapotados, podían verse, en algunos casos, papeles y documentos desperdigados. El

viento se llevaba por los ribazos los planos de las ofensivas previstas para un plazo inmediato.

Había que evitar los diálogos con las mujeres, porque ellas, inflexiblemente ingenuas y tercas, absolutamente primarias, seguían preguntándonos si conocíamos a un tal Anselmo que imitaba muy bien el lenguaje de todos los animales, o si habíamos visto en Nules a un cabo de Intendencia llamado Ramón que cojeaba un poco y que sabía tocar el clarinete.

Era enloquecedor ver cómo las mujeres habían dejado pasar hasta su tiempo de amor esperando algo que estaba en el aire. Aquellas muchachas en edad de dejarse impresionar estaban como vacías, y por mucho que se movieran, la guerra las había dejado con un gesto estático y medio transido. Y, sin embargo, esperaban y miraban con enorme ansiedad. Era lastimoso. Habían perdido muchos días de amor.

Salían y entraban en iglesias, cuyas puertas estaban de par en par como si fuese Jueves Santo. De las iglesias iban sacando coches viejos, montones de capotes de soldados, camisetas, calzoncillos y enormes balas de algodón en rama. También en el porche de muchas casas habían improvisado altares colocando sobre una cómoda antigua candelabros de cristal o de cobre, imágenes arcaicas y jarrones de cristal o loza reciente con abundancia de flores. La gente pasaba por la puerta de las iglesias, o de las casas donde había altares, iniciando una estrambótica genuflexión y saludando al instante con el brazo en alto.

Nos dábamos cuenta de que para las madres éramos todos guapos y de que para las hijas estábamos como excelsificados. Ellas ya habían tenido miramientos y pudores cuando había llegado el momento de encerrarse. Ahora podían permitirse el dejar a un lado los prejuicios. Éramos los vencedores, y los vencedores siempre necesitan del mimo femenino. En los surtidores de gasolina, en las puertas de las alcaldías, en las fuentes y en el atrio de las iglesias, las mujeres nos acosaban. Se veía que para ellas éramos mucho más altos, fuertes, morenos y espléndidos que los hombres pequeñajos, pecosos y sinvergüenzas que habían perdido la guerra. Nosotros estábamos hechos para desfilar. Los otros, no.

Nos daban refrescos, miel, higos, castañas, mandarinas, queso. La victoria era para ellas una cosa muy importante. A resultas de la lucha podía llegarles un hombre, un hombre que hubiera sorteado las balas y los obuses. Andaban de un lado para otro, conmovidas, exaltadas, rendidas. No hay criaturas en el mundo mejor dotadas para gustar y celebrar el éxito que las mujeres.

Estábamos parados en una calle larga, toda enlucida de cal. El camión se había acomodado a la sombra de un árbol. El guardia nacional republicano y el muchachito tierno y circunspecto no bajaron.

— Si quiere refrescarse, pase.

La seguí por un patio con el suelo de cemento. Al fondo había un pozo y un parral casi seco. La muchacha agitó la cadena para desenredarla y balanceando el cuerpo dejó caer el pozal hacia dentro. Del pozo subía un frescor que me helaba las sienes. Mientras subía el cubo, el agua chorreaba sobre las paredes lisas de la cisterna.

Si hubiera sido posible le habría dicho a aquella muchacha: "No hay pasado ni porvenir. Todo está en ti. Ahora mismo comenzamos"... Pero ella no me hubiera entendido. Esperaba un beso; ella lo esperaba. Le temblaban un poco los labios, y las aletas de su nariz se movían como las de los peces chicos. Lo que hice fue apretarle el brazo levemente. En la situación de vencedor me parecía que no estaba bien abusar. A los vencedores les entran manías heroicas y sublimes. Es el orgullo. Uno quiere dar a entender que es un hombre duro, no fácil a los halagos y a la seducción.

En los retorcidos troncos de la parra y en las sombras del tejado los pájaros cantaban. El agua estaba demasiado fresca. Los dientes casi me chocaron unos con otros. En las sienes me retumbó un dolor lejano, dolor que en cierto modo me hacía feliz. El vestido de la muchacha llevaba tres botones solamente; partían del escote y morían en el vientre casi. El traje se entreabría.

"¿La besaré?", me preguntaba.

Opté por no besarla. Dentro de unos instantes tendría que dejarla y no volvería a saber nada de ella. Pero más que nada creo que no la besé porque tenía las encías materialmente heladas.

Al verme llegar al camión, mis compañeros hablaron alto. No fueron todos; fue Tarsi, un animal de bellota, con pelos largos y sedosos en las falanges de las manos, en los agujeros de la nariz y en los oídos.

— Te has puesto las botas — dijo.

La muchacha, que estaba a la puerta de su casa, entró.

Al salir del pueblo subieron tres personas más a nuestro camión. Eran labradores que iban al pueblo de al lado, a un entierro, y un carabinero retirado, con fincas, a quien le habían dicho que su coche estaba en un garaje de la capital y quería recogerlo.

— Este coche parece la Inclusa — dijo el legionario.

Cruzábamos viñedos, bosquecillos de pinos y manchas geométricas de olivares. De vez en cuando, después de remontar una colina, aterrizábamos en un llano donde se sucedían sin gran concierto los cañaverales, las paleras y palmeras y algún ciprés que otro.

— ¿Y qué te pasa en el pie? — pregunté al muchachito.

— Un tiro.

— Pero ya está curado, por lo visto.

— El médico me dijo que siempre se me notaría algo al andar, pero yo creo que haciendo mucho ejercicio...

— ¿Fue hace pocos días? — insistí.

— Hace dos semanas justas.

— Sería de los últimos tiros que se tiraron...

— Fue en el mismo hospital. Con el fusil del centinela. Me mandaban otra vez al frente y me dije: "Pues lo que es por mis propios pies, yo no voy."

El capitán puso cara de asombro. El sargento legionario tarareaba. Mis compañeros y yo estábamos ya de parte de aquel muchacho.

Él quería hablar. Se removía dentro del capote como un gusano de seda dentro del capullo. Estaba tierno, a medio hacer. Se veía que todavía estaba creciendo.

Nuestro camión llevaba recién pintado el escudo de la Cuarta División Navarra. Seguíamos encontrando hileras inacabables de milicianos que ni siquiera volvían la cabeza. El polvo les cubría los rostros. Avanzaban como hormigas, uno detrás de otro. A veces, se escuchaban frases sueltas.

— A nosotros, como a chinos.

— Maldita sea la madre que los parió a todos.

— Tú lo has dicho: a todos.

— ¿Y qué me dices del Negrín del diablo? Pues con sus buenos millones. Ya estará en Rusia.

— ¿En Rusia? ¡Qué va! Estará en París, juergueándose.

— Y nosotros siempre a lo mismo: a tapar agujeros. Nosotros encima de cornudos...

— ¡Purgados!...

Estallaron risas. Caminaban llevando entre el grupo a uno que había sido purgado a la entrada de un pueblo por no levantar el brazo. Los demás compañeros habían tenido que esperarle un buen rato. Caminaba el último de la fila, con aire resignado, pero sin haber perdido el humor.

De nosotros apenas hablaban. Hablaban de sus jefes. Nosotros, que éramos los vencedores, habíamos jugado en su drama y en su derrota un papel menos importante de lo que pensábamos.

Traían verdaderamente muy poco equipaje. Algunos no llevaban más que el propio cuerpo, especie de macuto gastado donde no era posible guardar chucherías y cosas raras. Sólo conservaban la piel. Era bastante.

Ya quedaban muchos convertidos en simiente vegetal, en humo, en polvo. Por aquellos días, ya se sabía, en las afueras de los pueblos siempre había algún recodo imprevisto donde habían sido "paseados" los del término municipal. La gente se paraba y recordaba cuántas veces en aquel mismo sitio habían merendado juntos con las víctimas, y en algún caso, hasta se recordaba que también el verdugo había estado en aquel mismo sitio empinando el codo y cantando.

Al entrar en un pueblo vimos una fila de penitentes que ascendía por un caminillo tortuoso a un santuario en cuya cumbre había una pequeña torre y varios cipreses. Desparramado por la ladera estaba el cuadrado del cementerio. Delante de los penitentes iba un Cristo en andas. El sol caía sobre las mugrientas cabezas de los campesinos con poder absoluto. Pero el sol no podía nada contra aquellos cuellos cruzados de arrugas y aquellas calvas ennegrecidas. Un cura con una campanilla en la mano iba entre las filas recitando padrenuestros.

— Es un Vía Crucis *de sagravio* — nos dijo un aperador que daba fuertes martillazos en el eje de un carro.

A la salida del pueblo escuchamos un gran griterío. Era como si en el campo de fútbol se estuviera disputando una copa reñidísima, o como si en la plaza de toros acabara de hacer su aparición un novillero de marca.

El barullo lo armaban varios cientos de milicianos que había encerrados en un antiguo convento. Se les llevaba allí para proporcionarles salvoconductos, pero muchos no los lograban. Se les decía que tenían que esperar a que llegasen los informes. Los vimos en las ventanas en los momentos de descuido de los centinelas. Se les veía extenuados, más muertos que vivos, con una cara enorme de extrañeza, como abrumados por una incomprensión superior a ellos mismos. Aquellos rostros decían bien a las claras que, para ellos, la paz no había llegado. En aquel momento me hubiera parecido menos cruel acribillarlos a balazos que contemplar aquellas expresiones sombrías y temibles. La paz seguramente había venido, pero muchos no estaban dispuestos a recibirla. Muchos, positivamente, la rechazaban. Escupían los detenidos al suelo con desprecio y entre dientes nos llamaban mil palabrotas.

Los centinelas amenazaban con disparar sobre las ventanas.

Proseguimos. Ahora ya llevábamos las cantimploras llenas de coñac. Hasta cantábamos. Pero no terminábamos ninguna de las muchas canciones que iniciábamos.

El sargento legionario parecía haber olvidado ya al pequeño miliciano. Lo que hacía ahora era soltar burradas a las muchachas que paseaban por las calles principales de los pueblos. El capitán dormía. El guardia nacional republicano se hurgaba frenéticamente la nariz. Probablemente era puro nerviosismo. Yo iba en cuclillas. Ya llevaba clavadas las tablas del camión en todo el cuerpo. Sin embargo, seguía deseando que el viaje se prolongara indefinidamente.

Al principio creí que habíamos pinchado. Después llegué a pensar si no habríamos atropellado a alguien. No era nada de esto. Era simplemente que nos habían detenido.

Escuché bien claramente la orden:

— Que vayan bajando uno a uno y con los brazos en alto.

Lo primero que pensé es que habíamos caído en manos de una partida de rojos que no querían someterse. Pero en seguida pude darme cuenta de que eran de los nuestros. Los mandaba un comandante de la guardia civil.

— ¿Qué ocurre? — preguntó nuestro capitán con voz algo ridícula.

Al lado del comandante de la guardia civil había un capitán del ejército con un retén de soldados y varios paisanos con fusil al hombro.

¿Buscaban a alguien especialmente? Yo creo que no. Es que las escenas del final de las guerras se parecen mucho a las del comienzo. Noté que los que estaban más excitados y revueltos eran los paisanos. Los dirigía un tipo rubio, excesivamente alto, con una calva enorme, al cual parecían salírsele los ojos de las órbitas. También su cuello me pareció muy largo. Por la cara, a remolinos, le bailaban unas pecas grandes que parecían motas de café o pulgas dormidas.

— Ése que baje inmediatamente. Tiene aquí unas cuentas pendientes — dijo el comandante con cierto tono de tranquilidad.

Descendió el guardia nacional republicano y lo sujetó del brazo fuertemente.

— A lo mejor creías que te nos ibas a escapar — le decía, añadiéndole casi al oído —: Y acuérdate de lo que te digo: más te valiera haberte ido a Francia con todos los de tu calaña...

Me fijé en la cara del muchachito. Al rebuscar en la cartera su documentación lo vi que no tenía papel alguno al que agarrarse. Todos eran certificados y papeles ya inservibles. En la mano tenía doblada una estampa de la Milagrosa. Era lo que estaba dispuesto a enseñar.

— De éste respondo yo — dije muy resuelto.

Se entabló entonces una extraña discusión. El capitán me apoyaba. El sargento legionario decía que a nosotros nadie nos daba vela en aquel entierro, que lo único que podía hacer cada uno era responder de sí mismo, que ya era bastante. Los demás compañeros fueron poniéndose a mi lado. Los tipos de paisano que había abajo, que eran presos nacionales recién liberados, permanecían un poco alejados, pero entre ellos hablaban. Oí que uno comentaba como diciendo un chiste:

— No, si ahora lo que ocurrirá es que entre ellos vendrán muchos rojos emboscados.

Me había emocionado yo mismo de mi arranque y estaba dispuesto a hacerlo valer. Hice ademán de tirarme del coche. El comandante de la guardia civil le dio al chófer la orden de que siguiera. Nos alejamos de aquel sitio.

Era natural, en cierto modo, que los que habían sufrido tanto durante muchos meses no aceptaran la liberación sin paladear un poco el sabor del desquite. A mí me gustó que mis compañeros se hubieran solidarizado conmigo. Más que nada creo que lo hicieron porque no se esperaban de mí tal cosa. Más bien hubieran presumido en mí alguna violencia. Sabían muy bien hasta qué punto la liquidación de la guerra era para mí un asunto duro y difícil. Pero no sabían que, desde hacía varios días, toda mi conciencia era como un lago donde de vez en cuando caía el pedrusco de algún remordimiento. Todas las ondas que subían desde lo profundo de mi alma a la superficie, eran como pesadillas macabras y achaques de renuncia a todo, hasta a la victoria misma.

— Que pregunten en mi pueblo, si quieren saber quién soy — repetía el muchachito como una cantilena tonta.

Prefería no hablar con él. Por dentro de mí mismo lo único que le respondía eran frases que, de haberlas dicho en voz alta, a mí mismo me habrían dado vergüenza. Le decía: "Eres de los contrarios y has sido perdonado. Pero no olvides que he sido yo quien te ha perdonado. Y porque te he perdonado yo te han perdonado los demás. ¿Y sabes por qué te he perdonado? Pues te he perdonado porque desde el primer momento me fuiste simpático. Porque eres un muchacho amable. Es más, te diría que porque eres guapo." Cuando llegué a este punto creo que hasta debí de ponerme colorado. Porque era muy posible que el guardia nacional republicano fuera tan inocente o más que él y, sin embargo, por él no había estirado ni un dedo. El guardia nacional republicano me había dejado indiferente. Sin embargo, por aquel muchacho, que hasta era posible que hubiera puesto delante de mí el cebo de aquella estampa de la Milagrosa, estaba dispuesto a enfrentarme con el mundo entero.

El guardia nacional republicano ya estaría bajo llave. A lo mejor ya lo estaban sometiendo al primer interrogatorio. Veía al rubio pecoso aquel gritándole: "¿Se quiere callar? Ahora le toca callarse. ¡Y a esperar!"

Lo veía dándole un empujón contra la pared de una celda del convento. Lo veía dándole un bofetón, llamándolo hijo de tal. Lo veía y sabía que no me equivocaba.

Eran cosas de la guerra. Ya veríamos, yo que me había mostrado tan misericordioso, cuando llegara a mi pueblo y se me plantaran delante los verdugos encubiertos o descubiertos de mis hermanos. Veríamos entonces si estaba para echar tierra sobre el asunto. Empezaba a sentir de vez en cuando también un poco de odio contra aquel muchachito blando y estúpido que me había hecho dar un paso atrás en mis convicciones. ¡Qué me importaba a mí su suerte! Y cada vez que me preguntaba esto, sentía dentro de mí un nerviosismo que me hacía cambiar de postura cada dos minutos.

Lo que me irritaba era seguramente ver lo fascinado que había dejado al muchacho. Aunque me halagaba haberlo seducido, me repelía su entrega. Me repelía porque cada vez que lo miraba me parecía más bello. Hubo momentos en que su rostro me pareció el de una muchacha encendida y enamorada. "Que un hombre se enternezca por un ser desgraciado que está reclamando con los ojos un poco de amor, no creo que sea un gran pecado", me decía a mí mismo muy convencido de que todo mi afecto hacia el tierno miliciano era explosión de un súbito sentimiento de caridad.

Iba junto a mí. Si hubiera extendido la mano para

hacerle la más leve caricia, mi conciencia me habría dicho que lo hacía lo mismo que se pone cariñosamente la mano en el lomo de un cordero o en la barriga de un gatito. Pero yo no me atreví a extender la mano.

No se oía más que el chirriar del coche, un trepidar de corazón hiperestesiado. Ahora cruzábamos un túnel frondoso de árboles, y algunas ramas nos azotaban la capota. Íbamos tumbados.

Se adivinaba el mar. El cielo tenía un color lechoso y el aire transpiraba olor de pinos humedecidos por la brisa. Los palmerales lejanos parecían una bandada de pájaros exóticos reunidos a lo largo de una playa refulgente y solitaria. Atravesamos unos kilómetros de tierra reseca y arenosa. Habían desaparecido los huertos y los regueronos. Todo el paisaje vibraba en el rescoldo de un polvillo luminoso y picante. El sol recorría las colinas y los llanos saliendo impetuoso de entre las nubes como salen los toros de encierro de entre la cal y la madera.

Llegamos a un trozo de carretera que estaba medio levantada. El camión aminoró la marcha. Tuvimos que parar.

Al capitán se le ocurrió decir:

— ¿Qué tal si hiciéramos "el alto de la meada"?

Todos dijimos que sí. Las piernas se nos dormían. Había que estirar los músculos.

— Buena idea — añadí, sin saber muy bien lo que decía.

Cada uno tiró discretamente hacia un lado. En un terraplén vimos un grupo de soldados rojos. Comían todos alrededor de una lata. Estaban muy callados. Parecían pacíficos. Hasta se podía mear libremente frente a ellos. Recuerdo que el capitán canturreaba mirando tranquilamente el ancho campo. Veía yo, y en eso estaba distraído, la curva de su chorro.

De momento sonó un disparo. Cuando quisimos volver la cabeza todos notamos que faltaba un cuerpo. Faltaba justamente el del frágil miliciano.

Un hombre corría a campo traviesa con la pistola en la mano y mascullando unas palabrotas. El capitán y yo le seguimos. Era difícil, porque el terreno estaba húmedo y los pies se hundían. Por cada disparo suyo sonaban cuatro nuestros. Fue el capitán el que acertó a darle en una pierna. El miliciano cayó entero sobre una zanja. Corrimos con precaución hasta él. Antes de llegar sonó otro disparo. Se había disparado a sí mismo entre el corazón y el estómago. La sangre salía a borbotones, haciendo raras burbujas.

— ¡Habrá cabrón! — repetía el capitán.

Cogí la pistola y le apunté fijamente a la cabeza. Él me vio y antes de que moviera el dedo, dijo:

— Por lo menos, *ése* no lo contará.

— ¡Será cabrón!... — repitió el capitán.

— Se le hacía la boca agua esperándolos a ustedes...

No terminó la frase. Le apunté a la boca y los dientes se le abrieron como una colosal granada.

Seguían sonando tiros. Cuando llegamos a la carretera, el sargento legionario había liquidado con unas cuantas bombas de mano a los otros cuatro milicianos. Del montón de sus restos se elevaba un humillo pacífico.

Mi buen amigo, al parecer, no sufría. El tiro le había entrado por el hoyito de más abajo del cuello. Estaba húmedo de sudor, como si acabara de cruzar un monte o un río cargado de brumas. La sangre le corría toda hacia abajo. Le salía por las perneras del pantalón.

Estaba frente a él con la pistola en la mano. Me sudaba la mano atrozmente sobre la culata. Me incliné en tierra. Recuerdo también que un gallo cantó en los alrededores. Levanté los ojos a ver si veía alguna granja. Podía ser un aviso providencial para salvarle. Intenté moverlo. Era imposible. Entonces me dio risa aquello de que casi al mediodía hubiera cantado un gallo en la zona recién liberada, donde al parecer no quedaban ni los rabos de las lentejas engusanadas.

Me miraba, pero como sin verme, como miran los niños recién nacidos. Parecía más bien mirar al cielo o más allá. Al convencerse, seguramente por la voz de que era yo, dijo con mucha calma:

— Es que era un comisario que me tenía manía.

— Está muerto. Lo he matado yo mismo.

Estaba mintiendo: se había matado él. Yo no había hecho más que rubricar su muerte, pero le había tirado como si realmente lo matara. Él se reconcentró, marcó una arruga profunda en la frente, que le hizo parecer un hombre ya maduro, y dijo, después de un gran acopio de fuerzas:

— Gracias; gracias por todo.

Y dicho esto se murió. Movió todavía los labios, pero no pudo entenderse nada.

No había nada que hacer. Estábamos en pleno campo.

Otros muertos que se quedaban en tierra prestada y bajo aires extraños. Probablemente los enterrarían allí mismo, lejos de sus propias raíces, en unos agujeros improvisados, como los que se hacen para las bestias. Se quedarían aislados del viento entrañable que los hizo niños, lejos de los lugares queridos, donde moraban aquellas pocas personas que serían capaces de recordarlos. Pienso que no hay tragedia comparable a la del muerto ubicado en un lugar concreto pero extraño, cuyo paradero no es conocido ni sospechado siquiera por los de su casa. Allí está finito, cadáver descompuesto y pulverizado, enterrado en un lugar frío y desabrido, viendo transitar por sus cercanías sólo seres indiferentes. Todo muerto que está ocupando un lugar distante de los suyos parece que no haya acabado de morir. Lo que mejor completa la paz de los muertos es que descansen sobre un sitio conocido, sitio presentido y temido como sepultura propia, sepultura que quizás había empezado a

amarse como resultado y prolongación de uno mismo.
Creo que nada puede hacer más feliz a un muerto que
saberse reposando en terreno amigo y cercano al calor
familiar. Todos los muertos han deseado siempre, antes
de morir, tumbarse a un paso, como quien dice, de los
allegados vivos. Esos muertos metidos en hoyos improvisados, francamente me dan pena.

El capitán recogió lo que pudo de la documentación
de cada uno de ellos y salimos disparados hacia el pueblo vecino.

Así terminó el primer día de viaje. El pueblo más
cercano distaba veintidós kilómetros. Luego el capitán
tuvo que hacer un parte de diligencias, volviendo de
nuevo a aquel lugar.

Yo me quedé en un bar bebiendo. Bebía sin ganas.
Cada nuevo vaso que me ponía en la boca me costaba
seis o siete arcadas que me revolvían el estómago. A la
puerta del bar había infinidad de gente que nos vitorea-
ba y aplaudía.

Yo me acordaré siempre de aquel imberbe miliciano,
muerto cuando regresaba a su casa entre los vencedores,
con los que no se atrevía a hablar apenas. Me parece
ahora mismo que lo estoy viendo caído sobre sus propios orines y diciendo:

— Me tenía manía. Me tuvo siempre manía.

La cabeza se le quedó ladeada hacia un lado. Llevaba algunos botones de la bragueta cosidos con alambre.

No lo olvidaré nunca. Se llamaba Camilo.

CUANDO salimos de aquel pueblo, ya al atardecer, yo estaba trompa. Después me dijeron mis compañeros que al salir insulté a la gente del pueblo llamándoles cafres, bordes, incivilizados, bárbaros, brutos...

La papeleta con que me iba a encontrar al llegar a mi pueblo era seria y nada fácil de sortear. Sabía muy bien lo que me iba a encontrar allí.

Mejor sería decir que sabía lo que no me iba a encontrar. Mi casa era una de esas a las que la guerra había aventado, dejando esparcidos a cada uno de los míos por distinto sitio. ¡Y si por lo menos los hubieran dejado vivos! Pero el caso es que la guerra me los había dejado desparramados y muertos.

Por eso yo regresaba entumecido, aburrido, desesperado. Me empezaban a faltar las fuerzas para enfrentarme con la realidad de mi casa. Me creía obligado a entrar a tiro limpio, sembrando la venganza. Las muertes ignominiosas, las muertes brutales, y también las tontas, la verdad es que envenenan atrozmente la sangre.

No creo que fuera yo entonces un caso excepcional, pero lo cierto es que me crujían los huesos cada vez que sonaba la palabra Hécula. El miedo que me tenía a mí mismo había cambiado de signo y en vez de temer que mi represalia pudiera resultar candorosa, empezaba a sentir pánico por mi propia persona. Tenía como el presentimiento de que a mí mismo me darían muerte tan pronto como apareciera en la estación o por entre los olmos de la carretera.

Seguíamos encontrando partidas de milicianos desarmados. Aquello que veían mis ojos no era un ejército en derrota; era una desbandada de fantasmas y bobos. Eran una especie de héroes puestos en tierra como al revés, héroes que en vez de inspirar admiración inspiraban lástima. Ante aquel ejército de fieras embobadas me había quedado completamente desmoralizado.

Si hubiera tenido que irme hacia Hécula andando, pienso que hubiera llegado un momento en que mis pasos se habrían paralizado. Pero montado encima de un camión, los pulsos me sonaban como cañerías rotas y me sentía a mí mismo como un árbol que en vez de crecer en un hoyo húmedo estuviese plantado en un cajón con serrín y viruta. Algo así de monstruoso y absurdo.

— Ya se me ha dormido otra vez esta pierna — dije.

Esto dije sin que realmente se me hubiera dormido del todo. Lo que quería era enseñarla, verla al aire y al sol, ver la herida, que parecía una de esas pintas negras que les salen a los melones cuando por dentro se ponen amargos. Mi pierna, concretamente aquella pierna mía, estaba no blanda como los melones, pero sí amarga como un melón amargo.

Tumbado en el camión hacía proyectos. En realidad no sé muy bien si los soñaba invitado por el loco traqueteo, o los hacía. Pero no eran ni uno ni dos ni tres proyectos. Eran cientos. Y todos terminaban lo mismo, todos terminaban con que yo huía, desaparecía, me escondía, me perdía por unos mundos donde sorda y confusamente escuchaba el latir pavoroso de un tambor. Plan, rataplán, plan... No cabía darle vueltas. Yo tenía fiebre, o un ruido extraño me zumbaba poderosa y sutilmente en los oídos.

— Es como cuando...

Y lo dije. Es como cuando van a ajusticiar a un tío. Exactamente igual.

Indudablemente hay cosas que uno no debe hacer nunca. Y no había sido yo solo, habíamos sido varios. Y tan campantes. Desde luego, Sergio era imbécil. Y un

imbécil puede salvarse si echa por el lado bueno, pero
Sergio se fue a lo peor. Quizá Sergio se hizo malo precisamente por llamarse Sergio. Nosotros de broma no le
llamábamos más que una cosa: *Sergismundo*.

Y la noche del día cinco de marzo, cuando ya, según parece, los rojos habían entrado en trato con los
nacionales para negociar la rendición, Sergio tuvo la
feliz idea de pasarse al enemigo. Bien mirado aquello no
era ni deserción siquiera. Era una simple majadería. Sergio nunca fue un lince, pero en esta ocasión menos que
en ninguna. Porque, además, Sergio no llegó nunca a
las trincheras rojas, sino que se presentó gritando "¡Viva
la República!" en una posición nuestra. Todo había sido
como un chiste macabro. Una broma muy pesada.

A Sergio se le formó un consejillo rápido y decidió
no hablar. No dijo ni pío. Me parece ahora mismo que
lo estoy viendo en un cuarto que había sido escuela de
párvulos y en cuyo encerado su mano torpona había dejado escrito con letras enormes: "Calculando que una
vaca dé cinco litros de leche al día y cada catorce días
hay uno que da sólo dos litros y hay un día al mes que
no da nada..., ¿qué cantidad de leche...?" En este punto había sido interrumpido su problema. En la pared
había un mapa de las Islas Canarias y por el techo se
movía de un lado para otro un tenue hilillo negro.

Sergio estaba sentado en una butaquita con los mue-
lles rotos y de rato en rato, mientras los de enfrente
leían, tosían y se sonaban, se miraba atentamente la
punta de las botas. Sergio no dijo ni palabra. A Sergio
lo condenaron.

Y ahora viene lo incomprensible. ¿Cómo pude estar
yo — me pregunto aún hoy — para formar parte del pi-
quete? Claro que no fui yo solo. Nos decidimos a ello
todos los que, más o menos, éramos amigos suyos y
siempre nos traíamos la gran juerga con aquello de *Sergismundo*.

Cuando caminaba hacia el sitio donde lo íbamos a

fusilar — yo lo vi venir —, era curioso verlo cómo iba saltando los charcos y evitando el barro. Lo veía también mirarse las uñas y se pasaba la mano izquierda por la nariz nerviosamente.

No dijo nada. No gritó nada. Esperábamos que dijera "¡Viva la República!" o algo por el estilo. Lo único que hizo fue callar. Yo creo sinceramente que Sergio no era rojo ni nada parecido. Lo que ocurría es que nosotros lo tomábamos un poco a broma y él quiso hacer la gran machada. Y la hizo.

Porque aquel día nosotros no pudimos comer ni beber agua siquiera. Hay tipos en la vida que desconciertan y hacen la gran sonada. Sergio fue uno de ellos.

En el cuadro de exenciones del ejército, sobre todo en tiempo de guerra, debería existir un apartado para aquellos que no saben olvidar. Yo mismo, si hubiera otra guerra, debería ser absuelto del compromiso. No es el ir hacia adelante o hacia atrás con las armas en la mano. Es algo más, es otra cosa. Es que en las guerras se hacen como jugando muchas cosas que en unas horas de euforia parecieron hermosas y luego más tarde parecen abominables. Si las guerras se iniciaran cuando se firman las capitulaciones, las guerras no existirían.

No me era posible olvidar a *Sergismundo*.

Los pueblos seguían en su sitio. Las iglesias — o por lo menos las torres —, todavía estaban en pie. Los pueblos no habían sido fusilados ni se habían suicidado. Los pueblos estaban allí, si no indiferentes, sí inmutables.

En las afueras de los pueblos todavía había hombres con el cuerpo encorvado sobre la tierra. Cavaban, plantaban. No creo que recolectaran nada.

Por las calles la gente iba de un lado a otro excitada, bobalicona, insuflada. Los niños aplaudían; las mujeres intentaban cantar y se callaban; los hombres examinaban de cerca nuestros uniformes.

Era un atardecer larguísimo, interminable. El sol pegaba blandamente sobre las derruidas almenas de los castillos. Sobre las tostadas torres de los santuarios, el atardecer destilaba una miel espesa y casi caliente.

El agua seguía corriendo por entre tapias de huertos y filas de cañaverales, con un rumor ajeno a toda tragedia. Las filas de milicianos que se habían escapado del frente, de vez en cuando formaban corrillos. Buscaban con ojos muy abiertos y cuando veían algún camión con moros o italianos, hundían los ojos en tierra y murmuraban entre sí no sabíamos qué horrendas blasfemias. Atravesamos un puente y entramos en un pueblo. De aquel pueblo recordaba yo los "moros y cristianos", espectáculo que de pequeño me había hecho estremecer.

No quería bajar del camión. Las calvas ennegrecidas de los campesinos, sus hinchadas blusas, el cuello de las mujeres: todo me incitaba a clavarles muy dentro el cuchillo y desinflarlos. Allí mismo, en una plazoleta escondida, habían dejado a mi hermano Enrique que se desangrara. Lo habían dejado tirado en el suelo, cosido a pinchazos de leznas y mordido hasta en sus partes por los hocetes.

Y allí estaba yo tan tranquilo, casi dispuesto a sonreír. El capitán me miró y se puso pálido. En seguida gritó:

— ¿Para cuándo esperáis a dar un *viva*? Estáis acojonados.

Salieron algunos vivas, cada uno más entusiasta que el anterior. Algunos hombres se alejaron cautamente.

Por en medio de la calle pasaban unos gitanos vendiendo molinillos. Una mujer enlutada salió de un postigo y vino hacia nosotros enjugándose los ojos con el delantal. Nos ofreció un porrón de vino. Bebimos.

— Este vino resucita a un muerto — dijo el sargento legionario.

— A todos no — contestó la mujer y se fue sollozando casi.

Me metí la mano en el bolsillo, reflexionando para mí mismo: "Si sale cara, me apearé, si sale cruz, continúo en el camión." Salió cara y temblé. Aún ahora soy muy amigo de estos ritos y veo en ellos la fuerza del destino. Pero tenía miedo de bajar. Repetí la prueba.

Ya estaban montando mis compañeros. Instintivamente busqué con los ojos, entre ellos, al miliciano imberbe y delicado. No estaba. Y entonces comprendí de veras que ni estaba ni estaría nunca. Que como no fueran por él ya no era posible que él regresara a su pueblo por sus propios pies. Pensé también en su madre y en su novia.

Me tiré del camión.

— Que estamos saliendo — dijo el capitán.

— Por mi parte pueden seguir. Me quedo aquí — repliqué.

El motor se puso en marcha. Las ruedas se movieron. Cuando quise darme cuenta, estaba en medio de la calle con el equipaje en el suelo. Desde el camión me decían adiós con la mano. Todavía esperaban a que yo les hiciera alguna seña. Pero no la hice.

Los turonenses se acercaban a mí y me curioseaban. Tenían ganas de hablar. Me arrimé a un portal. Las mujeres se peleaban y me interrogaban:

— ¿Quiere que le fría un conejico?

— ¿Tomaría un par de huevos fritos con tocino?

La zona roja parecía reventar de prosperidad.

Es asombrosa la capacidad de estos huertanos para esconder víveres y guardarlos en medio de la mayor necesidad.

Pero a mí cada vez que me preguntaban sobre un plato, me crecían las náuseas. Tercamente pensaba en Camilo. Cualquiera de aquellas mujeres podía ser su madre.

Para salir del apuro, dije:

— Lo que sí me tomaría sería una ensalada con cebolla y aceitunas.

Una mujer salió disparada y se coló en un portal después de dar dos fuertes aldabonazos. Era la que me había resultado más simpática, y ella se había dado cuenta. Al instante se asomó y me hizo una seña con la mano. Me acerqué.

Era una casa hermosa con suelo fino, menos dos hileras de piedrecillas para que pasaran las caballerías. Había muchas mecedoras y un piano con las patas sobre unos enormes soportes de cristal.

Temí mirar hacia las fotos colgadas en la pared. Recordaba muy bien que Camilo había dicho que la carretera pasaba por la calle donde él vivía y que desde su patio se veía el castillo.

— Si quiere, le sirvo en el patio...

— No, no; aquí estoy muy bien — y me balanceé un poco en la mecedora.

La mujer iba y venía. No tardó mucho en aparecer un señor que se arrastraba sobre un bastón. Era muy alto y se inclinaba hacia los dos lados al andar. Tenía una barriga enorme.

— ¿Va muy lejos?

— Soy de Hécula.

Vi que torcía un poco el gesto. Los turonenses y los heculanos nunca se han llevado bien. Los turonenses dicen de los heculanos que en una ocasión quisieron plantar sardinas en los sembrados. Los heculanos a su vez afirman que los turonenses, convencidos de que no podían mudar de sitio la iglesia, trataron de meter dentro el sol a capazos.

Hizo su aparición una señora altísima, vestida de luto, con las mejillas muy rojas y los ojos negrísimos y brillantes, a punto de saltársele. Primero me inspeccionó debidamente agachándose hasta cerca de mi cara. Después hizo varias muecas dirigiéndose a sus familiares.

Los polvos que se había echado o le habían puesto en la cara estaban por algunos sitios amontonados, como si se los hubiesen echado a puñados. Había en su cara cierta nota cómica que la hacía mucho más dramática.

— Y usted — me dijo mirándome muy fija —, ¿a cuántos ha matado?

Estaba por tomarlo a risa y ella, que se dio cuenta, puso un gesto de gran desprecio. Tampoco los familiares suyos sabían muy bien a qué carta quedarse. Aunque sonreían, estaban violentos.

— Pero ¿estáis seguros — les dijo a los suyos — de que este intruso es realmente de los *nuestros*?

Lo dijo muy ofendida. Inmediatamente después desapareció. Los dos familiares se tocaron, levemente la señora y furiosamente el señor, las sienes.

— La pobre está loca — me advirtió la señora.

— Nos tiene ya tarumbas a nosotros también — remató el señor.

Nos quedamos un rato en silencio. A la ensalada le habían añadido tiras de bacalao y pimiento. Le habían puesto, como yo les había dicho, mucho aceite y vinagre. Me puse a mojar tranquilamente con pan en el caldo y a lo último recogí el plato con las dos manos y me lo bebí.

La tarde, si no muerta definitivamente, estaba agónica. Un destello amarillento de luces semifenecidas incendiaba los tejados de enfrente. En el patio había multitud de macetas y enredaderas de madreselva que caían como túnicas desde los tejados. Por algunos sitios la pared parecía haberse hinchado de tanto dar florecillas. El patio estaba cubierto de ellas, unas blancas, otras moradas, algunas amarillas. Sólo nos separaba del patio una cortina de tela cruda historiada con unos bordados muy ingenuos de niños jugando al aro. Los niños de aquellos dibujos parecían viejos gastados.

Otra vez salió la loca. Con una aguja de hacer medias se rascaba frenéticamente en distintas partes de la cabeza. Venía enjugándose los ojos. Había llorado. Arrastraba de la mano a un niño vestido con un baberito de rayas, muy largo, que casi le llegaba a los pies. Llevaba unas alpargatitas blancas, con cintas negras. Hizo como que no me veía. Se dirigió al señor alto, que debía de ser su hermano y muy confidencialmente le susurró:

— ¡Ay, Luisito! He estado rezando un rato y las cosas no me salen bien. ¿Qué es lo que harán contigo *éstos*? — y me señaló de una manera descarada.

— No harán nada, no pueden hacer nada.

— Pues mi rezo dice lo contrario.

— Que hagan lo que quieran — exclamó él con desolación.

— Le dejarán hablar. Él explicará cómo sucedieron las cosas — intervino la mujer joven.

— ¡Y para eso — rompió a gritar desaforadamente la mujer alta — habéis entrado al enemigo en casa!

El niño comenzó a llorar. La loca lo sacudió dos o tres veces y se calló.

— Yo soy el primero que pide que se haga justicia. Pero justicia — dijo el señor con desgana.

— Nadie sabrá nunca que estuviste a la muerte por aquello.

Ahora la que lloraba estruendosamente era la que había salido a la calle y me había invitado. Tenía la ensalada en el mismo garlito. Sin embargo, no podía apenarme. Todo allí tenía cierto aire cómico. Sobre todo, la loca, que desde la habitación de al lado gritaba que se las pelaba:

— No diréis que no os lo he dicho. ¡Y luego metéis al enemigo en casa!

A lo que, sin dejar de balancearse en sus cómodas y antiguas hamacas, replicaban chillonamente el señor y la señora, que parecían más cuerdos:

— ¿Te quieres callar?

— ¿Callarás de una vez?

Había sido mala suerte la mía. Haber entrado dispuesto al descanso y a una especie de convite casero, ilusionado por la idea de la ensalada y allí estaba frente a uno o tres locos, que lo mismo podían arrojarse a mis pies implorando perdón que señalarme como espía peligroso.

"Bueno, yo también estoy un poco loco", pensé. Conque ¡estamos en paz! Y me dispuse a seguir escuchando el rollo que se me venía encima.

Pero de pronto estas ideas campechanas se me disiparon y se me entró por el alma vertiginosamente una malévola sospecha. ¿Y si aquel hombre, medio reumático y gotoso que estaba allí balanceándose suavemente, hubiera sido uno de los asesinos de mi hermano?

—Es que ustedes, los que han estado en la otra zona, no podrán nunca hacerse cargo de lo que ha sido... de lo que tuvimos que pasar...

Esta frase me exasperó. Quizá me irritó más porque la estaba viendo venir y porque sabía la profunda verdad que había en ella. Pero también pensé que en esta frase podía colárseme hacia las venas, insensiblemente, el bálsamo de la compasión. Y no estaba dispuesto a consentirlo.

Para mis adentros me decía: "No se puede ser misericordioso. La piedad es una tontería. Estos tíos han matado y seguirán matando. Sólo piden una tregua. Quizá sólo buscan cogernos en una buena postura para que no nos enteremos del tiro o de las puñaladas."

—¿Quién mató a mi hermano? —grité de pronto con voz ronca.

Apareció la loca con el niño en brazos, meciéndolo. Era un niño demasiado grande para que una mujer lo tuviera en brazos. Pero también ella era desproporcionada. Todos en aquella familia eran un poco desgarbados. La loca, al escuchar mi grito, se tiró al suelo y empezó a mover a compás los pies y las manos. El hombre y la mujer acudieron. El niño comenzó a llorar.

Entonces, sin decir adiós, cogí mi macuto y salí a la calle. Me fui hablando solo. También ellos se quedaron hablando cada uno por su parte y todos juntos. Ya en la calle me imaginé el patio como una pequeña babel.

Turena estaba desierta. Era un momento raro de atardecer. Dentro de algunas casas se habían iluminado las bombillas. Salí a la calle dispuesto a andar.

En cierto modo me disgustaba llegar a mi pueblo en coche. Mejor sería si entraba de noche o a la madrugada, andando. Debía entrar en mi pueblo como un ladrón o un policía, sigiloso, ávido, frío, observador. Pero no estaba muy seguro de que no debiera empezar por Turena.

¿Dónde estaban, Señor, aquellos cientos de mujeres y aquellos hombres que lo llevaron arrastrando dos calles hasta dejarlo cerca de la fuente, traspasado de agujeros y oyendo de cerca el sonido del agua mientras se desangraba? No era posible que todos se hubieran escapado. No era fácil que hubieran muerto tampoco en el frente. Por lo menos las mujeres estaban allí. Habían continuado en el pueblo, teniendo hijos seguramente.

Me encaminé hacia la fuente con gran precaución, contando los pasos. A mi hermano lo habían sacado de la Casa Cuartel de la Guardia Civil para conducirlo a la cárcel. Las turbas amenazaban con quemar el cuartel. Lo habían sacado por el postigo entre dos guardias civiles mientras apedreaban la fachada. Pero tan pronto como se dieron cuenta de que lo conducían a la cárcel, fueron siguiendo a la pareja y fueron saliendo por los callejones insultándolos y apedreándolos. Cuando llegaron frente a la cárcel, situada en una plaza que está en cuesta, medio empedrada, y donde inesperadamente murmura una fuentecilla, ya los dos guardias estaban acorralados. Fueron invitados a entregarlo. Ellos trataron de resistirse. Cada vez era más breve el cerco entre los brazos amenazantes y los fusiles. Fueron intimados a rendirse. No les dio tiempo ni de pensarlo. Los fusiles ya estaban en tierra y ellos sujetos. Entonces, entre unos y otros, cogieron a mi hermano y lo destrozaron. No fue matarlo, fue devorarlo. Se lo pasaban de ellos a ellas como si fuera un manjar en manos de hambrientos. Y dicen que hasta los guardias se desmayaron.

Fui recorriendo poco a poco aquel extraño calvario. De vez en cuando cruzaba la calle un burro con carga de leña u hortalizas. Un hombre con pinta de chófer ayudaba a una moza a sostener su cántaro. Se aprovechaba de la galantería para sentarle una mano en las entradas de los senos. Los pájaros entraban y salían como locos de las cornisas de la cárcel, un viejo edificio de piedra amarillenta.

— ¿Se le ha perdido algo? — me susurró una vieja.

— Nada. No se me ha perdido nada.

Frente a la fuente había un horno y en la puerta grandes gavillas de ramas olorosas. Cogí un tallito y me lo llevé a la nariz. Luego fui bajando de nuevo hacia la carretera.

Por dentro pensaba que no tenía que precipitarme. La resolución del asunto estaba en mis manos, pero tenía que portarme de una manera reflexiva y consciente. No se trataba de vengar una idea o un partido. Se trataba de hacer justicia a un hermano. También por dentro del alma me corrían a veces unas ternuras inexplicables y sentía la necesidad de decir: "Me habéis matado un hermano, pero yo no diré ni palabra." Sentía a veces que el perdonar también podía ser una idea poderosa y sublime. Sin embargo, cada vez que me sorprendía echando tierra al asunto me reprochaba en seguida de cobarde. Si me agarraba a la misericordia era porque no sabía por dónde empezar, porque me encontraba sin fuerzas para cumplir con una obligación y un deber que pesaba sobre mis hombros.

Las radios de los bares y de las casas particulares estaban a todo gas y hasta la calle llegaban proclamas y marchas militares. También contra aquel aire de festejo se sublevó mi corazón. Me molestaban las mismas marchas que me habían llevado al frente y al combate. Me dolían las sienes de escuchar aquellos gritos que en otras horas me habían parecido sacrosantos.

Pero contra quien era mayor mi rebelión era contra

el pueblo entero de Turena. Había hecho razias, había quemado, asesinado, violado y destruido, y allí estaba tan tranquilo, impasible. Los comerciantes iban sacando a los escaparates los géneros que habían tenido escondidos y de debajo de las piedras habían salido insólitas campanas que llamaban a novenarios tradicionales.

Me fui derecho al control. Pararía el primer coche que pasara. Antes de alejarme del pueblo volví a pasar por delante de la casa en que tan extrañamente me habían recibido. Quería meterme dentro de la cabeza la fachada y el número. Toda acción mía en Turena comenzaría por aquella casa. Estaba determinado.

Al llegar a la carretera oí a un hombre que, montado en un burro, hablaba con el del paso a nivel:

— Pues ya está allí el primer fraile.

Y entonces recordé que mi conocimiento de Turena era muy anterior a la guerra. En las cercanías de Turena, más bien ya en las lejanías, hay un monasterio famoso. Está entre montes, picachos y pinos. En aquel monasterio había hecho yo mi primera comunión, cosa de la que apenas me acordaba. Pero a mi madre le gustaba mucho recordar aquellos días que habíamos pasado en La Magdalena.

Los ojos se me llenaron de lágrimas al evocar aquellas romerías en las que nos juntábamos varias familias y mi madre hacía una gran paella. Luego, después de comer, nos tumbábamos a la sombra de los pinos o nos subíamos encima de unas piedras imponentes, y al atardecer, junto al caño de la balsa, poníamos el gramófono y los mayores bailaban.

Insensiblemente iba tomando la senda del monte. Me llenaba de dicha aquello de sentirme solo caminando hacia un objetivo familiar e inesperado.

La noche se había tragado ya las torres del monasterio. Sólo en la cumbre de la montaña reverberaba una luz caliente, como de cirio pascual.

Estaba cansado, pero me hacía muy feliz cansarme

más. Conforme se me dormían los músculos me iba sintiendo más fuerte, más incontenible. Atravesé varios almacenes y bodegas. Hacia el pueblo volvían carros y mulas. Los campesinos me seguían con los ojos durante un rato.

Sin saber cómo la noche se esclareció y vi en el cielo una luna blanquísima, una de esas lunas de primavera que parecen poder helar las piedras y las flores. Un polvillo estremecedor circulaba por el aire parándose principalmente en las ramas de los árboles.

Mis pies se hundían en el polvo. Avanzaba por entre esos resecos canalones que forman las ruedas de los carros. Temía irme hacia los lados por miedo a prenderme en alguna de las alambradas que protegen los parrales o a hundirme en alguna acequia seca. De las ramas de los árboles salían volando pájaros misteriosos que se metían rápidamente en otros árboles. De las matas y el ramaje salían lamentos y arrullos de pájaros que parecían de niños pequeños.

La ciudad había quedado atrás. Parecía una joya falsificada y sin estuche. Las luces de las calles temblaban y se encogían como si fueran gargantas que estuvieran pasando por una angustia mortal. Pasaban las nubes por el filo de la luna como lobos junto al cerco donde se apelotonan los corderos.

Me esforzaba por oír claramente mis propios pasos. Me gustaba oírlos resonar fuertes, seguros, firmes. Era como si anduviera iluminado hacia una cita porfiada y reveladora. Más de una vez perdí el sendero y tuve que saltar entre zanjas poniendo las manos entre cambroneras y zarzas. Pero todos estos contratiempos no hacían más que espolear mi deseo de llegar al monasterio.

Me iban ladrando por turno todos los perros de los caseríos del contorno. Una vez que el primero dio el aviso, cientos de perros me fueron dando el alto. Eran perros que estaban atados a la puertecilla de una covacha de sarmientos o de ladrillos.

Para entretenerme fingía paradas y diálogos: "¿Y dónde va a estas horas por aquí?", me preguntaba un campesino con ojos sarcásticos, unos ojos que yo podía ver por el fulgor que ponía en su rostro el cigarro. "Voy al monasterio", contestaba yo muy secamente. "¿Al monasterio con una pistola y dos peines?", insistía el campesino. "Sí, es que ahora todo va a cambiar de arriba abajo. Y he decidido fundar una orden. Voy a fundar una orden nueva. Una orden en que los frailes lleven pistola..."

Las últimas palabras las pronunciaba a lo mejor en voz alta y yo mismo me reía. Entonces comenzaba a cantar. Luego también me entraban unas ganas tremendas de llorar y lloraba durante un rato, desconsolado, como propenso a una dicha totalmente imprevista y nueva.

Era muy tenso el estado de mis nervios. Todo aquello me lo habría ahorrado si hubieran estado esperándome mi madre y mis hermanos. Pero los tenía a cada uno en un lado, rodeados de tierra indiferente. Sabía lo que me esperaba. No podía comenzar una vida nueva sin hacer frente a mi soledad. Pensaba que, tarde o temprano, tendría que hacer unos cuantos hoyos y escarbar buscando lo que quedara de ellos. El pueblo me lo reclamaría como me lo reclamaba la sangre y el pensamiento.

Más de una vez un ciprés pequeño me hizo pararme en seco echando mano a la pistola. Me parecía un tío que se me plantaba en medio del camino. También alguna vez unas ramas o un tronco me hicieron pensar que estaba frente a un ahorcado.

Para distraerme, me puse a pensar en las escenas del viaje desde que había abandonado la trinchera. Sin ningún género de duda lo más sobresaliente había sido aquello del "alto de la meada". El hijo de la gran perra del comisario rojo se había quitado de en medio a aquel muchacho por el que yo había tomado un afecto casi morboso. Probablemente tuvo que secarse las manos para disparar sobre él. Se había apartado unos pasos del grupo de milicianos en donde casi rítmicamente todos metían la mano en una lata extranjera de carne en conserva. Temblaba de indignación todavía. Sólo hallaba cierta compensación pensando en cómo el comisario se tragó también su propia muerte. Luego, para alejarme de esta escena, me remontaba a la de aquella muchacha que me había dado el vaso de agua en el patio de su casa y que tan manifiestamente había esperado de mí que la besara. Y me entraban unos enormes remordimientos por haberla defraudado. Si la tuviera ahora cerca, tendría todo lo que hubiera podido soñar. Yo, ahora, también soñaba.

En algún momento escuché un silbo característico y un grito muy prolongado. Escuchaba sin moverme, volviendo la cabeza despacio hacia todas partes.

Ya la montaña se iba echando sobre mí. Estaba en la parte baja de un llano donde no había más que viñas y algunos tiernos olivos. Tenía que pasar por entre dos altozanos para subir al monasterio. Opté por el atajo rodeado de pinos, aunque se veía que habían arrancado muchos desde la última vez que yo había subido al monte. Los pájaros salían asustados de las copas de los árboles. Mis pisadas sobre la maleza dejaban en el aire misteriosas resonancias.

No era miedo lo que sentí entonces, sino soledad. La soledad era como una losa que me hubieran puesto encima. Todo el mundo estaba deshabitado. Sobre la tierra no existía más que yo, que tenía que cumplir un destino y que no sabía a ciencia cierta cuál era.

Cuando me quise dar cuenta estaba metido de bruces en un bancal. Entonces me incliné sobre el suelo y comprobé si efectivamente eran lechugas. Cogí una y le fui cortando las hojas muy despacio. La saliva se me pegaba al paladar. Más que una lechuga aquello parecía leche cuajada en nata.

"¿Y si el monasterio estuviera abandonado?", me
pregunté. Lo cual no era tan disparatado como pudiera
parecer. Porque con los rojos había sido cárcel u hospital. La idea de que hubiera sido cárcel me gustaba
más. Hasta era posible que los falangistas de la locali-
dad y la guardia civil tuvieran allí encerrados a los rojos
más significados. En ese caso podían darme las cosas
medio hechas.

Pasó a gran altura un avión. Sólo se veía una luce-
cita que parecía que fuera comprobando de estrella en
estrella si tenían aceite para mucho rato. El corazón
comenzó a darme saltos como si fuera un cabrito recién
destetado.

A veces también, ¿por qué no decirlo?, me entraban
unas ganas absurdas de matarme. Pero no me duraban
mucho; al instante me reía como si se tratara de un
delirio.

De momento, lo que me causaba más ilusión era llegar al monasterio. Con el mismo coraje con que había
deseado entrar en la reconquista de Teruel, deseaba
ahora irresistiblemente llegar a la puerta del monasterio
y dar una vuelta alrededor de sus tapias. No eran muchas cosas las que yo recordaba de aquel lugar. Me
acordaba de un atrio donde había un pozo de piedra
que tenía una cadena y pozal para sacar agua. El agua
salía tan fresca que dejaba los dientes como bañados en
anestésico. También me acordaba de unas ermitas derruidas dentro del jardín de los frailes, cada una en el
cruce de un sendero entechado todo con grandísimos
parrales de los que colgaban uvas gordísimas con los
granos morados como los anillos de los obispos. Había
también una balsa con mucho verdín, repleta de peces
colorados y plateados. Los que iban y venían por la superficie eran pequeños; pero los del fondo, negros, eran
bastante gordos. Los cipreses que había en el atrio no
eran muy altos y de sus ramas colgaban unas bellotitas
que tenían forma de calaveras. La iglesia era oscura

y pequeña, y delante del altar mayor, separando a los frailes de los fieles, había un Cristo con un brazo des-clavado. Mi madre me dijo siempre que el Cristo había soltado la mano del madero para bendecir a la comuni-dad un día en que entraron los frailes del refectorio, en donde habían hecho como que comían, pero sin probar bocado, porque en el monasterio no había nada que comer.

A medida que andaba iba recordando más cosas. Al-rededor de las tapias del monasterio había unas piedras enormes que un día de tormenta se habían desprendido de la cumbre del monte y que se habían detenido jus-tamente al borde de las tapias del monasterio porque el Prior las había detenido milagrosamente con su mano. Decían, además, que en los alrededores del monasterio no había pájaros porque los frailes le habían rogado in-sistentemente al Señor que los mandara con la música de sus gorjeos a otra parte. Antiguamente había habido tal cantidad de ellos que los frailes no podían entender-se en el coro.

Pero lo que le daba fama al monasterio en toda la comarca era la imagen de Santa Ana, *la Abuelica,* como decían por allí. Ante cualquier apuro o peligro, las gen-tes campesinas del contorno cogían la mula y el carro y se plantaban a las puertas del monasterio. *La Abuelica* venía prodigando sobre el pueblo desde muy antiguo los prodigios y las curaciones. Tanto que la comunidad vivía solamente de las limosnas y donativos de las gen-tes del campo. Era costumbre dar a los frailes una vez al año cierta porción de trigo y aceite y, de vez en cuan-do, encargaban misas, que pagaban con toda religiosi-dad. Después de las misas, las familias se salían a la explanada y sacaban los cacharros de cocina. Bajo los pinos, cogiendo cuatro o cinco piedras, cada familia ha-cía su hoguera y freía su conejo, su pollo o sus tajadas de jamón o de cordero.

El día que yo hice la primera comunión, la fiesta fue

mayúscula. En mi casa siempre la recordaban como algo imperecedero. Se habían juntado treinta y tres, que, según dicen, son los años de Cristo, y no faltaba ni sobraba nadie, lo cual ya es milagroso. En la iglesia el prior nos hizo llorar a todos a moco tendido porque se le ocurrió mentar a mi padre, que estaba recién muerto, como quien dice, y aquello fue como un duelo. La misma tarde en que recibí la primera comunión nos reunimos todos en las habitaciones de la Hospedería y allí el prior contó muchos chistes. Y todos se reían a carcajadas, hasta mi pobre madre.

Yo creo que lo que me llevaba al monasterio era el sonido lejano y ya perdido de aquellas limpias carcajadas de mi madre, que a veces le hacían saltar las lágrimas y decía: "Cállese, Padre, que ya no puedo más." Era cierto: casi se ahogaba de tanto reír. Pero reía de un modo limpio y hermoso, como ya no he visto ni volveré a oír seguramente mientras viva. A mi hermana también, de tanto reír, le entraba un hipo atroz e interminable. El padre prior, al verlos reír a todos, se ponía la mano en la barriga, tosía y decía: "Si sigo más, estallo." Los chistes que contó el prior todavía los tenía frescos en la memoria.

Nos contó que, una vez, en el claustro del monasterio se había topado con una tribu de gitanos que daban sin parar vueltas alrededor de los pasos del Vía Crucis. El paterfamilias de aquella cuantiosa y rara progenie, que lo que buscaba era comer caliente aquel día, parado ante las estaciones decía:

— Por *quí pazó e Zeñó* desnudico, descalcico y sin *na* a la cabeza. ¿Lo viste tú? — y se dirigía a cada uno de los de su tropa. Ellos respondían, medio afligidos, medio despistantes, como si estuvieran ante un cabo de la Benemérita:

— Yo no.
— Yo no.
— Yo tampoco.

— Yo igual.

A lo que el jefe añadía, todo lo fúnebre y solemne que podía:

— Pero como lo vio el mesmo *Dió*... Padre Nuestro...

Al contarlo, el prior se echaba sobre el hombro de mi tío Eugenio, que era un maderero riquísimo. También nuestro pariente se desternillaba de risa y estaba rojo como un pimiento.

Los ojos se me inundaban de lágrimas evocando aquellos tiempos que ya no habían de volver y que no había manera de suplir con nada del mundo. El final de la guerra había contribuido a incrementar en mí un sentimiento agudo de nostalgia y desamparo.

Era enrevesada la senda. Las botas resbalaban sobre el esparto y las púas caídas de las copas de los pinos.

Cuando más tranquilo estaba escalando unas piedras resquebrajadas por la torrentera, se me echó encima un grito amenazante:

— ¡Alto! ¿Quién vive?

— Yo soy — respondí.

— Párese, o disparo.

Me paré en seco. De momento no veía más que la brasa de un cigarro. Un perro comenzó a ladrar.

— Eche a tierra lo que lleve.

La mochila cayó al suelo y sonó. Una piedra resbaló por la ladera. Entonces vi que se acercaba hasta mí zigzagueando un hombre bajito con gorra negra y traje de pana pardusco. Le crujía la pana al andar.

Me pareció tan natural entregarme. Ni siquiera se me ocurrió pensar que aquella voz podía ser la de un rojo que hubiera decidido resistir y no rendirse.

Con gran lentitud fue tanteando por debajo de mi capote hasta dar con la pistola, que llevaba más que hundida en la boca del estómago.

— Ha de saber que arriba está la pareja.

— Pues vamos allá.

Mi tono debió de infundirle confianza, o era medio tonto, porque varias veces en medio de la cuesta se puso delante de mí. No me hubiera costado nada derribarlo. Pero estaba visto que no era ningún miliciano huido.

Con la linterna se alumbraba los pasos y de vez en cuando me la ponía en la cara. Poco a poco fue comprendiendo que mi uniforme no era lo que había visto durante tantos meses.

— Pero usted, si se puede saber, ¿de dónde viene?

— ¿No había visto todavía un soldado del ejército nacional?

— Los vi de lejos, al pasar en los camiones. Entonces ¿es que se ha perdido?

— No me he perdido. Venía derecho y exclusivamente al monasterio.

— ¿Y a qué?

— Pues, simplemente, a ver cómo está.

— ¡Oh! Usted no sabe, lo han dejado muy mal. Está todo casi en el suelo.

— ¿Esto fue hospital o cárcel?

— Ninguna de las dos cosas. Esto era un sitio donde se venían a pasar el fin de semana los oficiales rojos.

— Pero ¡los oficiales rojos vivían como rajás!

— No, todos no; los mandamás tan sólo.

Nos costaba mantener el diálogo porque la fatiga nos hacía detenernos y nuestras respiraciones vibraban como moscardones moribundos. Varias veces estuve a punto de caer.

Al darme la mano vi que llevaba cruzada por dentro de la chaqueta una inmensa correa con una chapa. Era el guarda forestal que hacía las veces de guardián del monasterio.

— Ya debemos de estar cerca.

— Ya se ve la luz — contestó.

Otra vez volví los ojos hacia Turena. Parecía, a lo lejos, justamente lo que queda en los palos después de un castillo de fuegos artificiales, unas cuantas chispas que iban muriendo. Por la carretera se veían los faros de algunos coches. Eran las compañías que venían a hacer la ocupación formal y en toda regla. Lo anterior no había sido más que preludios y mensajería.

El guarda hizo sonar un pito y al momento apareció un guardia civil con la pistola montada. Se veía que era de la Benemérita por las botas y los pantalones, pero no llevaba guerrera ni gorro. Llevaba un jersey gris con el cuello enrollado muy alto.

El guardia civil me iluminaba y no podía menos de mostrar su extrañeza.

— ¿No puede uno cumplir ni una promesa? — dije en un tono muy serio y enfurruñado.

Se achantó al instante. Comenzó a andar delante de nosotros y, como disculpándose, dijo:

— Pero es que hay horas para todo, ¡puñeta!

Pisábamos un chinarro gordo que crujía bajo nuestros pasos y nos hacía dar traspiés. Parecía que fuéramos borrachos. Ahora cruzábamos unas cuantas casas medio destruidas, cerradas a cal y canto.

Otra vez miré hacia el pueblo. No se veía ya. Una pequeña colina lo cubría. Se veía tan sólo el resplandor.

Detrás de ellos dos penetré en una especie de corralón, todo precintado de nichos. No quedaba ni un solo azulejo del Vía Crucis. Todavía alguna cruz de hierro se veía retorcida encima de las hornacinas.

Estábamos ante la puerta del monasterio. El guardia civil dio dos bárbaros golpetazos. No respondió nadie. El guarda del monte se dirigió a mí:

— Debe de venir muy cansado.

— Algo — dije.

Durante un rato comenzaron a oírse cerrojos y crujidos de madera. Alguien hablaba confusamente detrás de un ventanillo.

— Ya nos ha oído — dijo el guardia civil.

Se abrió un ventanillo y con una vela en la mano

apareció un rostro pálido y triangular, con una frente ancha y cadavérica y una barbilla afiladísima.

— Padre — dijo el guarda forestal —, es que hay aquí un oficial de los *nuestros*.

— ¿Están ustedes seguros? — replicó él.

La observación no pasó inadvertida para el guardia civil, porque rápidamente tomó frente a mí sus precauciones. El fraile cerró la ventana y bajó a abrir la puerta. Antes de abrir dijo:

— ¿Está esposado?

Todo aquello me daba más bien risa.

— Desde luego — comenté — venir desde el Ebro jugándose la pelleja para que ahora lo reciban a uno así, no deja de tener su gracia.

— Usted comprenderá — agregó el guardia civil.

Ya la puerta estaba abierta. El fraile me miraba insistentemente como a un bicho que está metido en una jaula. No tenía la cara tan pálida como me había parecido al principio ni la barbilla tan afilada. Más bien parecía que tenía una muela hinchada.

Entramos en una salita de suelo de madera que tenía en el centro una mesita cubierta con un paño rojo deshilachado. En un rincón había un veladorcito de tres patas con un jarro de flores amarillas. En la pared un cuadro, que no estaba exento de valor, representaba a San Pascual Bailón. El cuadro estaba agujereado por tres o cuatro sitios. Arrimadas a las paredes, mal distribuidas, había unas cuantas sillas, cada una de una clase. El techo estaba ahumado.

Me quité el capote.

— Venga la pistola — dije al guarda rústico.

No sólo él lo dudó, sino que el fraile y el guardia civil se miraron un poco perplejos. Como no me la daban, alargué la mano y la cogí.

— Además, es un fallo. Dentro del macuto llevo dos bombas de mano.

Instintivamente el fraile quiso irse hacia la puerta.

Desde la puerta me sonreía entre bondadoso y des-
confiado.

Componíamos un cuadro bastante absurdo e irreal.

— Llevará tabaco del bueno — dijo el guardia civil.

— Claro.

— Es que aquí nos hemos hartado de fumar hojas
de patata.

Saqué un cuarterón, que los dos guardias examina-
ron muy despacio como si fuera una reliquia.

— Me voy a hacer uno como una estaca.

— Vale.

— Y me guardo un poco para luego.

— Puede quedarse con él.

— Eso no. Me parece demasiado...

Pero ya lo tenía en el bolsillo de la camisa caqui que
llevaba debajo del jersey.

Aquel fraile no parecía un fraile auténtico. Parecía
alquilado. El cerquillo estaba hecho a la carrera y casi
como rapado por la mano traviesa de un niño. Al guardia civil, tan pronto se puso a fumar, le comenzaron a
runrunear las tripas de un modo escandaloso. Al guarda del monte, cosa inaudita en un hombre que vive al
aire libre, le olían los pies terriblemente.

Las sillas también crujían. En un momento de silencio pude prestar atención y darme cuenta de que hasta
nosotros llegaba el rumor de un caño de agua que caía
monótono sobre alguna cisterna. También a intervalos
sonaba el resoplido de un pajarraco que debía de haberse
guarecido en las ramas de algún árbol del claustro.

— ¿Usted es navarro? — me preguntó de improviso
el fraile.

— No; yo soy de aquí cerca.

— ¿De Caransa? — preguntó el guarda rural.

— No.

— ¿De Ricoso? — intervino el guardia civil.

— Soy de Hécula — dije, riéndome al ver que no
acertaban.

Esta revelación gustó a todos extraordinariamente. Ahora era cuando se acercaban a darme la mano o a ponérmela sobre el hombro. Sobre todo, el guardia civil parecía loco de alegría. Inmediatamente empezó a preguntarme si conocía a Teófilo, a Liborio y a don Crescencio. Los conocía. Entonces el fraile me dijo si sabía lo que le había ocurrido a don Celedonio, el arcipreste. Dije que no. Entonces me contó que valiéndose de un antiguo sacristán lo habían llamado a una casa diciendo que había una mujer que quería confesar. Todo había sido una martingala para pegarle cuatro tiros en una esquina. Se había quedado en medio de la calle vestido con un traje a rayas y la boina al lado. Casi daba risa. Mientras el fraile contaba todo esto, el guarda del convento no hacía más que mover la cabeza de arriba abajo, como un péndulo. Todos iban desembuchando lo que tenían dentro. El guardia civil no había querido hacerse guardia nacional republicano y había estado treinta meses en las sierras de Rixote. El fraile acababa de llegar del Campo de Trabajo de Tailera, en donde por poco se muere de hambre, y el guardia forestal había seguido en su puesto, pero aguantando y viendo mucho. Cuando yo vi que habían contado su historia, les dije con cierta solemnidad:

— Pues a lo mejor ustedes conocen a mi familia. Yo soy el hijo de Rosica, la mayordoma.

Esto cayó igual que una bomba. Ahora ya estaban llegando a muestras efusivas de afecto un tanto disparatadas. Me abrazaban sin ton ni son y me sostenían la silla entre los tres. Estaban totalmente encima de mí.

— Claro, claro; si yo, ya desde un comienzo, le había notado un algo así...

— Y de poco me dispara...

— Hombre, es que uno no sabe nunca...

¿Quién no conocía a Rosica la mayordoma? Sobre todo el fraile sí que la recordaba perfectamente. Y lo que no podía olvidar de ella es que, justamente el año que entró la República, había regalado al monasterio una cabra.

— Fue el lego a Hécula por ella y se la trajo un martes, en un carro de los que vienen al mercado.

Sin embargo, todo aquel aluvión de cosas se veía que era forzado. Estaban excitados, eso era todo. Pero ya caerían en la cuenta. El primero que se quedó serio fui yo.

Los pobres no sabían cómo hablar de ello. No querían hacerlo y no tenían más remedio que afrontar el asunto.

— ¿Y ha estado en el pueblo? — preguntó el fraile.

— Un poco — dije.

— Pues yo, la verdad — y empezó a tartamudear cómicamente —, no le habría aconsejado que pasara por el pueblo. Aquí, bueno; pero en el pueblo...

El guardia civil saltó como un basilisco:

— ¿Y por qué no ha de pasar por el pueblo? Está en su derecho, hace bien en esclarecer las cosas.

— Si no hace él justicia... — y el guarda rural dejó en el aire la más fenomenal de las interrogaciones.

Yo callaba. Ahora eran ellos los que insistían y remachaban tercamente el clavo que a mí me descorazonaba. Era de tontos no haberme reconocido antes, pues yo era otro Enrique, aunque algo más delgado.

— Es que los heculanos han sido de lo que no hay. Porque fueron ellos, ellos los que vinieron aquí a azuzar el asunto.

— No, no; los de aquí también se soltaron el pelo. Ahora se sabrá todo.

— Pero usted podía haber ido a Hécula muy bien entrando por Pinilla — y a todo esto el fraile me tenía cogida la mano y me la acariciaba.

— ¿Por Pinilla? — grité.

No debió convencerlos la expresión que puse. Todavía no habían caído en la cuenta, por lo visto. Lo único que yo hacía para darles tiempo a que pusieran las

cosas en su lugar era pasarme la mano por la cabeza insistentemente, como alejando una fastidiosa tentación.
El fraile proseguía:

— Yo estaba escondido en un pajar adonde me llevaban todas las noticias, y allí me enteré de todo. Ha
sido horrible. Y menos mal que Dios se ha compadecido
de nosotros. Pero no eran hombres, eran demonios
sueltos.

— Padre, eran hombres — dije.

— Sí, hijo; eran hombres, pero estaban enloquecidos.

— Usted, Padre — intervino, exaltado, el guardia civil — póngase en el lugar del señor. Por favor: ¿cómo
se llama usted?

— Luis.

— Póngase en su lugar. Le han matado de una manera criminal a la madre y a dos hermanos. Y a uno se
lo han matado ahí en el pueblo, donde todos se pasan
ahora el día levantando el brazo. Y hay que ver cómo
lo mataron.

Como si no estuviera enterado y la cosa no fuera
conmigo, acaso por haber meditado ya demasiado sobre
lo mismo, esperé a que el guardia civil me diera su versión. Seguramente ahora mi rostro no expresaba la tirantez y amargura que ellos podían esperarse. En cierto
modo, el pensar tanto sobre ello, el recibir condolencias
y lamentaciones a mares, me había secado o endurecido
el alma. El guardia civil se iba a despachar a su gusto.
El guardia civil adivinaba que yo llevaba dentro un plan
de venganza. No quería hacer lo que tuviera que hacer
de un modo precipitado y torpe, sino hacerlo con una
técnica estudiada, fría y metódica.

— Se lo dejaron en medio de la plaza cosido como
un capazo. Ni siquiera permitieron que se acercara nadie a darle un poco de agua, que es lo que pedía el pobre
mientras se desangraba. ¿Y qué delito había cometido
el hermano del señor?

— Sí, ya sé que ninguno.

— Pues el delito había consistido en echar unas hojas cuando ellos ganaron las elecciones. Eso, y en poner varios letreros en las esquinas. ¿Usted cree, Padre, que tienen perdón de Dios?

— De Dios, sí.

— De Dios lo podrán tener, pero de los hombres no es posible. ¿Qué quiere, Padre? ¿Que ahora el señor, que viene del frente pegando tiros, vaya a los verdugos de su familia y les diga que aquí no ha pasado nada? Si quieren arrepentirse, que se arrepientan; a eso uno no se opone, pero lo que hay que hacer es colgarlos. Colgarlos y pronto.

— Sí, Padre, colgarlos es lo mejor — remató con cierta solemnidad el guarda rural —. Lo que es dañino se arranca, y si es una hierba venenosa se quema, y si es un alacrán se le echa una piedra encima.

El guardia civil hablaba arrebatado y furioso.

— Calcule cuál sería, Padre, la agonía del hermano del señor. Lo dejaron varias horas en medio de la calle. Y luego vinieron varios muchachos y le echaron una losa encima de la cabeza. En una de las piedras habían escrito con carbón: "Por fascista."

El guardia civil me estaba perturbando. No era el relato de la muerte lo que a mí me interesaba. La sabía y me la figuraba en todos sus detalles.

Me levanté de un salto y me fui a la ventana de la sala. La abrí. Agarré los barrotes de hierro y los agarré con tal fuerza que casi podía decirse que le proporcionaba al hierro cierto dolor físico. Era inconcebible cómo el hierro no se quejaba.

— ¿Y ha venido hasta aquí andando?... ¡Pobrecito!

Y el fraile salió corriendo. Por la escalera iba mascullando no sé qué misericordiosas palabras.

— Mi alférez — dijo el guardia civil cuadrándose —, yo le ayudaré. Es fácil dar con todos. Los mismos guardias civiles que lo conducían recordarán las caras. Es cosa de paciencia, pero no mucha.

— ¿Viven abajo los guardias civiles que lo llevaban?
— pregunté sin volver la cabeza.

— El *Tieso* todavía vive. El otro murió.

— Dicen que del susto — matizó el guarda rural.

— Y el *Tieso*, ¿qué tal tipo es? — seguí preguntando.

— Es un bonachón; sólo que su hermana lo está
volviendo tarumba.

— ¿Está loca?

— Como una espuerta de grillos.

— Se casó con una que tiene cuartos, y a la vejez vi-
ruelas. Han tenido un niño.

No había duda. La ensalada la había tomado junto
al testigo de mayor excepción de la muerte de Enrique.
Un frío como de fiebre me corrió por la espalda. En el
monte oí relinchar un caballo.

— A reponerse, a reponerse... — entró diciendo el
fraile. En la mano traía una bandeja con cosas de comer
y una botella —. No es mucho lo que puedo darle. Estamos sólo tres días aquí. ¡Si viera cómo han dejado todo
esto! Como una cuadra. ¿Sabe usted que han profanado
hasta el altar? Era en la capilla — se necesita una malicia satánica — donde tenían los bailes.

— Es que esto era... — y no terminó la frase el
guarda del monte.

— El infierno — remató el fraile.

Pero el guardia civil, sin hacer caso de lo que había
dicho el fraile, añadió:

— Esto era el burdel de los jefes. Aquí tenían el pen-
doneo más grande del mundo. ¡Si estas paredes hablaran!...

El fraile puso delante del guardia civil la bandeja,
más que nada, creo, para que se callara. En la bandeja
había un plato de higos, otro de altramuces, queso de
cabra y un tarrito de miel. Había también una botella
de vino y tres vasitos.

El guardia civil y el guarda del monte se engancha-
ron con los higos. Yo cogí la botella y dejando el vasito

a un lado me la empiné. Mi garganta comenzó a trasegar vino con deleitosa ansiedad. Quería a toda costa aturdirme. No podía empezar aquella misma noche mis jornadas. Necesitaba descansar. Descansar y olvidar.

— Pero éste se la bebe toda — dijo el guarda del campo.

El fraile daba vueltas a mi alrededor esperando a que acabara. Yo no tenía prisa. El pecho me quemaba y los ojos se me iban nublando. El vino parecía correrme por fuera de la carne como una llama agradable. Sabía muy bien que si dejaba la botella antes de perder el conocimiento, devolvería.

— ¿Quiere algo más? — me suplicaba el Padre.

— Dormir — intentaba responderle, pero como tenía la garganta llena de vino no era posible que me salieran las palabras.

Tengo la impresión de que después todavía le pregunté al fraile que qué había sido de la *Abuelica,* y en esto el fraile hizo una defensa acalorada de los turonenses, que no habían sido como los heculanos. Los turonenses cogieron la imagen de la Abuela Santa Ana y la bajarón en un camión al Ayuntamiento y allí la tuvieron tapada con unas cortinas presidiendo las sesiones municipales.

El Padre desapareció. Fue por otra botella. Mis ojos ya estaban cerrados y, aunque oía, no quería ni hablar ni que me hablaran. Pensaba en mí mismo, en que necesitaba estar fuerte, porque era mucha la responsabilidad que había caído sobre mí. No sólo tenía que vengar a los míos; también Camilo entraba ya en mi repertorio.

— ¡Vaya con el tío, cómo se ha *pimplao* la botella! — dijo el guarda a media voz acercándose al otro.

— ¡Vaya con los facciosos! — dijo el guardia civil. Y los dos se echaron a reír estrepitosamente.

Pronto llegó el fraile con otra botella. Entonces entre los tres me subieron a un cuarto donde había un catre con dos banquetas atravesadas y un colchón de colfa de panocha que crujía escandalosamente. Me acosté vestido como iba.

No sé si me lo pareció o fue verdad, pero creo que al descalzarme el fraile me besó los pies. Lo que sí recuerdo perfectamente es que al ponerme una manta encima me hizo la señal de la cruz en la frente y se puso de rodillas junto a mí. Decía alguna oración que parecía improvisar. No puedo precisar las palabras exactas, pero sé que se refería a la venganza. Pedía al cielo que no dejara que anidara en mí el terror de la venganza. Suplicaba a los ángeles que me infundieran ideas de paz. Yo, sin mover los labios, me sonreía.

Cuando salió el fraile, me di cuenta de que no tenía la pistola junto a mí. Grité desaforadamente:

— ¡La pistola! ¡Mi pistola!

Entonces el guardia civil la trajo, me la enseñó, pero no me la dio. Lo que hizo fue ponerla en la caja vacía de un antiguo reloj, cuyas pesas y cadenas estaban en el suelo como una cría de culebras.

No me dormía, pero me sentía seguro. Lo que hacía era hablar conmigo mismo. Decirme: "¡Ojo, mucho ojo! ¡No seas débil!".

Estaría roncando cuando oí varios disparos y un grito. No tuve fuerzas más que para llegar hasta el ventanillo. Estaba amaneciendo.

En seguida vi a dos guardias civiles corriendo con las pistolas en la mano. Uno de ellos era el de la noche anterior. Monte arriba se escuchaban voces sueltas.

Al llegar a la puerta del convento me encontré con el fraile, todo desencajado.

— Han matado al guardia.

— Sí, lo he visto yo desde arriba.

— Al otro.

Y entonces caí en la cuenta de la ausencia del guarda del monte.

Lo trajeron entre los dos guardias civiles y lo tendie-

ron en el portal del convento. Le habían dado varios tiros por la espalda y le habían robado la pistola y la
carabina.

El fraile se puso de rodillas y empezó a encomendar-
le el alma. Los guardias, mirando como fieras a uno y
otro lado, no cesaban de repetir:

— Han venido por él, porque sabían que sabía demasiado.

— Han venido por las armas. Son rojos que no quieren entregarse. Prefieren luchar.

— Y cualquier día vendrán por nosotros.

— ¿Qué le parece, Padre? — decía el guardia de la
noche anterior —. ¿Debemos perdonarlos? ¿Saben o no
saben lo que se hacen?

El fraile rezaba; rezaba sin parar. Sólo ya cuando el
guardia civil lo atosigó mucho dijo, cerrando los ojos:

— Si puede, sígalos y mátelos, porque verdaderamente han hecho un crimen, pero no grite aquí, que todavía oye.

El otro guardia, que era muy moreno y llevaba debajo de la guerrera abierta una camiseta de tirantes,
fue el que habló:

— Padre, matarlos es poco. Habría que picarlos.

Yo pensé que al guarda rural, desde el cielo o desde
donde fuera, todo le daría ya lo mismo. Pero pensé también en su familia, en lo que diría su familia. En lo que
harían sus hermanos, si los tenía.

Aparecieron unos pastores. Dijeron que varios milicianos corrían hacia la cumbre del monte con armas y
víveres.

Sin decir nada a ninguno entré en el convento, cogí
mi mochila, quité el seguro a la pistola y eché a andar
monte abajo. Llevaba la mochila a la espalda por si me
disparaban desde atrás. En la cintura llevaba una bomba
de mano y otra en la mano izquierda. Así fui acercán-
dome otra vez al pueblo.

CUANDO llegué a Turena, el pueblo se disponía al recibimiento de las tropas. Medio pueblo se había escondido en las cuevas o en los campos y no quería saber nada. Por las calles iba y venía un tropel clamoroso de muchachos jóvenes con camisa azul y banderas. Intentaban desfilar marcialmente. Poco a poco se iba disolviendo el miedo y se propagaba la llama del alboroto patriótico. La gente que salía a la calle lo hacía restregándose los ojos. Parecía haber sufrido una espeluznante pesadilla.

La multitud quiso varias veces subirme en hombros. Lo evité incluso a puntapiés. Temía que entre los brazos que me alzaran pudiera estar alguno de los que arrojaron las piedras contra el cuerpo de mi hermano. Tampoco me decidía a investigar. No era el momento. Cada cosa tiene su momento, y mi momento y el de los míos no había llegado aún.

Hécula me llamaba; Hécula me estaba esperando. Mientras viviera el *Tieso,* la mitad del éxito de la empresa estaba asegurado. El *Tieso* ya hablaría cuando le llegara la hora.

Hacía un día espléndido y el sol me hacía daño en los sesos. Tenía que cerrar los ojos para no caerme.

Fui a la estación del "abejorro", un tren diminuto que tarda tres o cuatro horas en recorrer treinta kilómetros. Precisamente dentro de dos horas iba a salir un mercancías. El jefe de la estación estuvo muy amable. No había inconveniente en que montara en una de las torretas de los vagones, o si quería, junto al maquinista.

— A mandar — dijo —. No estamos para otra cosa.

Seguramente ya se había corrido por el pueblo la voz de que yo estaba por allí. Por lo menos yo notaba que la gente me miraba de un modo lastimoso o con cierto temor. Al menos, a mí así me lo parecía. Me agarraba fuertemente a la pistola y dejaba que colgaran las dos bombas de mano como si fueran poco menos que los testículos de la nueva humanidad que el odio había cimentado sobre mi persona.

Querían saludarme y hablarme de esto y de aquello. No los dejaba. Sabía muy bien cómo habrían de concluir todos los aplausos y todos los recuerdos.

Tenía que mostrarme frío, insobornable, embalado ciegamente en una idea fija, pero al mismo tiempo tenía que parecer olvidadizo y mansurrón. Era parte del programa. A solas me iba trazando no sólo la línea de mi actuación, sino que hasta iba ensayando gestos y actitudes...

Me senté en un banco de la estación. Era un banco de barrotes muy largos. Estaba solo. De tarde en tarde aparecía el jefe de la estación y me preguntaba:

— ¿Quiere algo?

— Muchas gracias. Nada.

Terminé por tumbarme, aunque se me calaban los listones de madera en la espalda. Cuando me dijeron que salía ya el tren, me levanté de una manera maquinal, tropezando con todo.

El trenecillo pitó. No pude menos de reírme. Volvió a pitar y lancé un grito imitándolo. Nos pusimos en movimiento.

Turena se quedaba allí, pero seguro que me vería volver. Volvería cuando menos lo esperaran. Y como para firmar el pacto disparé un par de tiros al aire. El maquinista y el fogonero se reían. Había que dejarlos reír. Por falta de cartuchos no iba a ser. Que siguieran riendo. Y que temblaran, si es que no tenían la conciencia tranquila.

Cruzamos varias fábricas de alcoholes y bodegas. La huerta de Turena estaba que daba gusto verla. Los frutales tenían ese tenue velo blanco que hace cachondos hasta los paisajes más desoladores.

El tren paraba donde nosotros queríamos. Hablábamos con los campesinos cuando nos venía bien.

— ¿Han entrado ya en Turena? — nos preguntaban desde los sembrados.

— Vais con retraso — contestaba el fogonero.

— Pero queremos decir la entrada _solegne_.

— Ésa será hoy a última hora de la tarde — respondió el maquinista como si estuviera en los secretos del Estado Mayor.

— ¿Y cómo son?

— Aquí llevamos uno de muestra — contestaban los dos muy alborozados, señalándome.

Los campesinos me miraban recelosos, tercos, insistentes, como en realidad sólo saben mirar los campesinos. Al principio creían que era una broma, pero cuando me veían el gesto y caían en la estrella negra que llevaba cosida al capote, asentían blanda y hasta reverencialmente.

En algún paraje nos dejaron la bota de vino y el botijo por si queríamos echar un trago. Hubiéramos podido, de haber querido, pararnos en alguna de aquellas labores y tomarnos unas migas con jamón.

El viaje era largo, interminable, y sin embargo a mí se me hacía corto. Estaba temiendo el final de aquella vuelta de la vía desde donde quedarían al descubierto el santuario de mi pueblo y el cementerio. Desde el mismo tren vería la media naranja de la iglesia parroquial.

Cruzamos una laguna de la que levantaron vuelo una gran cantidad de pájaros, algunos desconocidos para mí y muy grandes.

¿Iría derecho a mi casa? No, no iría. Ni siquiera llevaba la llave. Me dirigiría a casa de unas primas mías. Esto era lo que yo pensaba.

Aparecieron las tierras pintadas de rojo y unas franjas dilatadas de tierra parda y arenosa. Las viñas y los
olivares eran como manchas que le hubieran salido al
terreno o como sombras que dejaran las nubes en su
giro sobre la planicie. Hécula está rodeada por un pára-
mo reseco al que de trecho en trecho le brotan unos sarpullidos de verdura.

Al agua se la ve venir por estos andurriales desde
muy lejos, escoltada por gentiles chopos y álamos tem-
blorosos. No hay mucha agua en el campo de Hécula.
Lo que sí hay son piedras, piedras a millares, piedras
que parecen haber caído, sobre los sembrados, los olivos
y los viñedos, como maldiciones.

Sin embargo, a mí me entusiasmaba el paisaje de mi
pueblo. Me gustaba porque es doloroso como un parto
y porque las pocas alegrías que guarda las exhibe elemental, desnudamente, como sacan las madres sus hijos a la vida. En medio de la llanura, de tarde en tarde,
se veía una mula tirando del arado y una figurita en
mangas de camisa, que levantaba la cabeza hacia la vía
del tren y se ponía las manos sobre la frente para vernos
mejor. Entonces el campesino levantaba la mano dos o
tres veces, lentamente, en señal de saludo. El tren se in-
fantilizaba más todavía y en señal de agradecimiento
lanzaba cuatro o cinco silbidos.

"Esto es igual que Rusia. Por eso los rojos la llamaban "la Rusia española" — me decía a mí mismo —.
Quizá sea la tierra lo que hace a los heculanos tan fre-
néticos y suicidas. Debe de ser también el sol, este sol
que ya en primavera parece rociarnos los sesos con plomo derretido. Y también el viento, que los hace intrépi-
dos, agresivos, fanáticos."

A lo lejos, las montañas parecían despedir vapor.
Estábamos subiendo una cuestecilla. Los resoplidos del
tren eran como estertores.

— Si se para no llegamos — dije, y el maquinista y
el fogonero asintieron.

Muy pronto divisamos el Castillo y al fondo el cementerio, erizado de las puntas negras de los cipreses, que parecían tachuelas puestas al revés. El sol daba de firme en la cúpula de la iglesia que brillaba como un espejo. También vimos en seguida el campo de fútbol y un racimo de eras semejantes a tortas puestas sobre un tablero.

En la estación había solamente cuatro o cinco personas.

— ¡Hola, hola! — me gritaron, y vi a un hombre que venía derecho a mí con los brazos extendidos.

Era nada menos que *Perra Gorda,* el tonto oficial del pueblo. Le llamaban *Perra Gorda* porque era su tarifa de trabajo, aunque transportara un baúl de punta a punta del pueblo. *Perra Gorda,* con una perra gorda para vino, tenía bastante. Si le daban una peseta creía que le engañaban. No había manera de hacerle entender que una peseta eran diez perras gordas.

Perra Gorda tenía, no memoria, sino un memorión que el jefe de personal de las Cortes quisiera para los días de sesión extraordinaria. Conocía a todo el pueblo. Conocía al padre, al abuelo, a los hijos, a los nietos, a los sobrinos. Los conocía por sus nombres aunque no los hubiera visto más que una vez en la vida. Los conocía por el aire de familia, como decían en el pueblo. Algunas veces podía titubear, pero rara vez se equivocaba. *Perra Gorda* tenía una lengua sucia, en ocasiones blasfemaba, pero era positivamente un hombre de orden. Seguramente la Providencia lo había dejado vivo en Hécula después de la guerra para que sirviera de archivo viviente de los acontecimientos.

— Ha venido el Mayordomico; aquí está el Mayordomico; éste es el más pequeño de la Mayordoma. ¿Cómo estás?

Repitió la retahila quince o veinte veces, parado delante de mí y dando vueltas para que pudieran escucharlo todos. *Perra Gorda* se ponía las manos atrás como los buenos oradores y era capaz de estar repitiendo una cosa durante horas. *Perra Gorda* no era muy alto. Más bien bajo, muy negro, y tenía las espaldas curvadas. Pero esto probablemente no era un mal de nacimiento, sino gajes del oficio. Cargar baúles y sacos de la mañana a la noche no es un ejercicio muy gimnástico que digamos. Pero, en compensación, *Perra Gorda* tenía una hermosa voz, una voz grave, machorra; una voz a la que el vino había puesto todo lo bueno que suele poner y nada malo de lo que a veces pone.

Le di una palmada en el hombro y sentí no poderle dar la perra gorda. El problema de la moneda era enloquecedor en los pueblos recién liberados. Las gentes querían que valieran los billetes que habían estado lanzando por su cuenta y riesgo los municipios durante veintitantos meses. Algunos de aquellos billetes no dejaban de tener gracia; otros, francamente, eran una porquería.

Perra Gorda quiso besarme la mano y que le explicara mi campaña. Viendo las dos bombas de mano era feliz y reía como un niño, como un loco; delante de mí iba exclamando:

— ¡Ahí va, qué pelotas!

La gente se reía. Llevar al lado a *Perra Gorda* era como llevar un altavoz. Hasta el camarero de un pequeño cafetín que hay frente a la estación se asomó para enterarse de la novedad del día.

El pueblo pilla un poco lejos de la estación. Cuando yo era niño aún pillaba mucho más. Para ir a la estación había que cruzar campos de rastrojos y eras. Durante la guerra, frente a corrales, almazaras y bodegas, habían levantado algunas casas.

No era posible ir por la sombra. Había que atravesar un buen trecho bajo el sol, que ya empezaba a picar. Los pies se hundían en el polvo.

En seguida llegamos a las primeras casas del pueblo. En todas las puertas había invariablemente una o dos mujeres de luto, a las que se unían más tarde algunas muchachas con vestidos chillones y, por último, se acercaba algún tipo enjuto y magro en mangas de camisa. Todos trataban de reconocerme y se ponían muy contentos cuando me reconocían. Como cuando salta la calandria en el trigo o se mete la perdiz en la espesura, así iba la voz de *Perra Gorda* anunciándome calle adelante, de casa en casa, de acera en acera.

— Le ha faltado tiempo para venir — decía una vieja con pañuelo negro a la cabeza, enseñando por debajo del luto una greña de cabellos blanquísimos.

— Como que habrá traído el tren para él solo — le respondía una compañera.

— Y ahora si ese que va por ahí se lía la manta a la cabeza y comienza a sacudir, ¿qué pasa?

— Pues nada. Que estará en su perfecto derecho.

— Es que, mirándolo bien, la faena que le han hecho es gorda.

— Muy gorda.

Eran unos cuantos ebanistas a la puerta de un taller. Personalmente creo que no me conocían. Pero al oír nombrar la familia, la cosa les resultaba fácil. Tenían el pelo y las cejas salpicados de serrín. Parecían mayores de lo que eran.

Unos y otros, fijándose en mí, mirándome, compadeciéndome, aclamándome, hacían que la sangre se me fuera calentando más y más, y mis taconazos en la acera eran cada vez más fuertes, más duros.

¿Qué le ocurriría a mi pueblo para encontrarlo yo, con todo, tan distante y extraño? Eran las campanas. Mi pueblo es un pueblo de campanas, un pueblo de muchas torres y constantes repiques. Y Hécula estaba como amortiguada, como enfundada en un silencio que atenazaba los pulsos. No era la Hécula de siempre. Pero había más. El luto se había multiplicado. Hécula debe de ser de los pueblos más fervientemente enamorados del luto. Y toda la ciudad era como un manto negro al que el sol ponía por unos lados verde, por otros amarillo, por otros pardo... Largas mantillas y cerrados velos me iban escoltando por las calles.

Pero había ruidos familiares, ruidos que se repetían lo mismo que en mi infancia. Eran los golpes de los herreros y de los fragüeros; los martillazos de los carpinteros, los secos golpetazos de los alpargateros, el traqueteo de algún escondido telar. Todos estos ruidos, que hacían más denso el silencio del pueblo, seguían existiendo.

Pasaban caballerías por el centro de la calle. Una ventolera seguía a otra ventolera. Por el aire volaban trocitos de paja y hojas enteras y sucias de periódico.

— Es el menor de Rosica.

— ¿Qué Rosica?

— La Mayordoma, chica.

— ¡Ah, sí! Que en gloria esté.

— Pues si ésa no está en la gloria...

El diálogo había nacido en una ventana estrecha. Eran dos mujeres con pañuelos de color a la cabeza. Cada una tenía en la mano una larga escoba. Estaban encalando una habitación de cuyo techo colgaban melones y calabazas:

— Si dura un poco más la revolica, éste llega a general.

— Es que éste habrá *tirao* con ganas.

— Y puede que la función para él comience ahora. No quisiera verme en el pellejo de alguno...

— Y *merecío* que le estaría.

— ¡Y que no van a hablar! ¡Hasta las piedras!

— ¡Huy! Ahora todo van a ser *señormíojesucristos*.

Hablaban detrás de una cortina gris. Esa tela que emplean en las inclusas para hacer uniformes a los niños huérfanos. Era una barbería. Una barbería que seguía igual desde los tiempos de las guerras carlistas.

En vez de bajar hacia mi casa, seguí calle adelante. Para llegar a mi casa hubiera bastado con cruzar dos esquinas. Pero no quise. Me habían dicho que ya no se

notaba apenas el agujero, pero muy difícilmente dejaría
yo de verlo. Seguro que lo localizaría en seguida por
mucha artesanía que hubieran hecho en él. Era fácil.
Era una altura muy justa en donde debía de notarse,
aunque fuera poco, aquella inconfundible señal.

A mi madre la venían siguiendo por la calle cuatro
mozalbetes. Ya veíamos si habían sido mozalbetes o no.
Y si habían sido mozalbetes, ahora ya serían hombres
hechos y derechos. Mi madre nos había mandado a uno
para cada lado. El más afortunado fui yo. Enrique cayó
en Turena de mala manera. Lo delató una novia que
había tenido, celosa por lo de Marina. También a ésa
habría que visitarla en momento oportuno. Después vino
lo de los guardias; gran faena. Y allí se quedó, junto al
pilón de la fuente. Pablo salió arreando de madrugada
hacia Pinilla. Fue una operación difícil cruzar el cinturón de la ciudad que tenía en las afueras varios controles de milicianos con escopetas y carabinas. Pero supo
hacerlo. Llegó a Pinilla a la noche siguiente, es decir, no
entró hasta la noche siguiente, pero debió de pasarse
el día merodeando por Fuente del Olmo. Pero tampoco
tuvo ni pizca de suerte. En la casa donde se presentó
buscando asilo acababan de sufrir a una banda de la
Casa del Pueblo que les había hecho un registro. Eran
los Soriano. Mi hermano los comprometía. Acaso en
aquel instante no había casa más segura en el pueblo que
aquélla, pero ellos estaban asustados y no razonaban.
Con buenas palabras mi hermano se vio en la calle.
Debía irse. Seguro que habrían de volver. Ellos le dirían
una casa de confianza, aunque fuera sólo por unas horas, por unos días. Esperaban que sabría comprender.
Y así fue cómo Pablo salió de allí para casa de don Carmelo, y de casa de don Carmelo para casa de doña Catalina, y de casa de doña Catalina para el campo de los
jornaleros de don Cristóbal. Y allí, mientras estaba un
día tan tranquilo dándole de beber a un burro, lo acribillaron. Una vida, es natural, siempre compromete

a otra, a muchas otras. Las vidas deben de estar encade-
nadas unas a otras, y romper un eslabón es fastidiarlos
a todos.

Mientras avanzaba por las calles de Hécula, pensaba
yo, los Soriano, don Carmelo y los suyos, doña Catalina
y los suyos, estarían preparando sus vestidos nuevos para
recibir a las tropas liberadoras. Incluso estarían redac-
tando, me decía, cada uno una petición de medallas de
sufrimientos por la Patria. Sólo quizá los jornaleros
de don Cristóbal estarían medio asustados y con remordimientos por si les pedían cuentas en esta vida. Y es
que las guerras son criminales. Cada uno va a salvar
la propia pelleja. El que venga detrás, que arree como
pueda.

Desde luego, el pobre Pablo las debió de pasar moradas. Hay que ver lo que tiene que ser ir de casa en
casa sabiendo que la vida de uno compromete a los demás. Entrar pidiendo perdón, salir pidiendo perdón. Irse
de cara a la muerte, más o menos, pero sonriendo y dando las gracias. "Es que esto se alarga", le dirían en un
sitio. "Es que la vecina de enfrente ha comenzado a sospechar", le dirían en otro. "Lo interesante es salvar el
bache; después podrás volver", le repetirían muy com-
pungidos y caritativos. ¡Porquería de gente!

Pensando en esto escupí en medio de la acera de un
modo que al pobre *Perra Gorda* lo dejé asustado. Porque
todavía *Perra Gorda* seguía a mi lado, a saltitos como
un perro lisiado, mirándome muy admirativo, orgulloso
de ir abriéndome paso. Conmigo entraban en Hécula la
justicia y el honor.

— Pero ¿eres tú, chico? ¡Si no te había conocido!

Yo tampoco la conocía a ella. Era una mujer opu-
lenta, con bigote negro, que sudaba copiosamente. Seguía ante ella con cara de pasmado.

— No me digas nada, hijo. ¡Si vieras lo que hemos
sufrido! No os haréis cargo nunca los que habéis estado
en la otra zona.

Entonces ella se dio cuenta de que lo que acababa de decir era demasiado, y poniéndome la mano en el hombro, como si fuera un compañero de promoción:

— Mano dura, querido. Que no se ría nadie de la sangre de los tuyos. Tu madre fue una mártir, una verdadera mártir. ¡Descanse en paz! — y sacó un pañuelo que no se acababa nunca y comenzó a limpiarse unas lágrimas gruesas como garbanzos. *Perra Gorda* contemplaba a su lado la escena, haciendo todo lo que podía por llorar. Pero *Perra Gorda* era incapaz de sacar una lágrima de sus ojos pitañosos. Me miraba, eso sí, como un perro fiel.

Alrededor de la señora gorda zumbaban unas moscas increíblemente gordas también. Zumbaban como bombarderos cargados de explosivo.

— ¿Y sabes lo que te digo? En el momento en que agarres al primero están todos — y sin más palabra me dio la mano y salió corriendo. Me señaló la cesta. Iba de compras.

Ya faltaba poco para llegar a casa de mis primas. Pero todavía faltaban dos esquinas. En una de ellas había un carro con una cuba cerrada y un grifo de madera. Un hombre llenaba cántaros de los que hay para el vino en las bodegas y los entregaba en la puerta de cada casa. Era el aguador. Las mujeres le entregaban unas monedas y él dudaba si aceptarlas. Discutían en cada portal a grandes voces.

Bien mirado, lo de mi madre fue una canallada de las grandes. Ya habíamos salido los tres y mi madre había quedado sola. Entonces fue cuando ellos decidieron la gran hombrada. La siguieron. Ella, al parecer, se dio cuenta y aceleró el paso. Ellos iban echándole el resuello encima. Ella corrió más. Por fin, pudo alcanzar la puerta de la casa y metió la llave. Pudo entrar antes de que llegaran hasta ella. Ellos empujaron la puerta. Ella echó con toda su fuerza la aldaba. Y cuando la aldaba estaba echada, dispararon sobre la puerta. Y le dieron.

Le dieron y se quedó dentro de casa y con la puerta cerrada. Y quejándose. Y desangrándose. Sola; hasta morir. Seguramente llamándonos, Probablemente hasta feliz porque había cerrado la casa a tiempo. Porque pensaría que acaso nosotros tres, cada uno por un camino distinto, podríamos salvarnos.

Perra Gorda me veía hablar solo y abría una boca de a palmo. Lo que yo me decía en aquellos instantes es que si a mi madre, en vez de irse flechada a casa, se le hubiese ocurrido meterse en casa de unos vecinos, acaso no la habrían matado. Pero la mataron así, como jugando.

— Hay vecinos — me dije — que los vieron salir corriendo. Ya saldrán. Por éstas que saldrán.

— ¿Decía algo? — preguntó *Perra Gorda*.

— No, nada.

Entonces puse en su mano un duro y le recogí el macuto. *Perra Gorda* se quedó mirando el papel, que no le convencía nada. Él, ¿cómo no?, hubiera preferido una perra gorda.

— Se acabaron las perras gordas — le dije.

— ¿Ya no va a haber nunca perras gordas?

— Por ahora, no; quizá más adelante.

Perra Gorda, saltando a la pata coja, salió corriendo calle adelante. Gritaba:

— ¡Ha venido el pequeño de Rosica la Mayordoma! No lo habían matado. Ha venido. Que lo he visto yo. Era mentira que estuviera muerto. ¡Y trae dos bombas!

Perra Gorda es uno de esos tontos que hay en los pueblos y que se ríen de todo el mundo. Es un desgraciado al que a veces resulta estúpido tenerle lástima. Él es feliz. Yo creo que es feliz. Y vive como quiere. *Perra Gorda* tendrá muchos detractores en el pueblo. Habrá quienes se reirán de él y le chillarán por las calles: "*¡Perra Gorda!, ¡Perra Gorda!*" Pero lo que es innegable es que es un hombre leal y cumplido, y aun cuando suelte palabrotas y se emborrache a veces, *Perra Gorda* es, a mi entender, un elemento más útil que la estación meteorológica, que nadie sabe dónde está y que a los heculanos, muy acertadamente, les tiene sin cuidado si funciona o no funciona.

Todavía me pararon varias personas más. Un boticario que me dio la mano tres veces seguidas y que me dijo que luego, más tarde, hablaríamos despacio, y un cura que me preguntó si sabía dónde estaban los cadáveres de mis hermanos.

Entré, por fin, en la casa de mis primas. El pestillo de la puerta se atrancó y tuve que forzarlo. No quería llamar; quería entrar sin que se dieran cuenta.

— ¿Quién, quién es? — gritaban las dos a compás.

Yo seguía andando. "¿Que quién es? Ya veréis. Os vais a caer de susto", me decía. Ellas hablaban entre sí. Seguro que estaban asustadas las pobres. A lo mejor estaban pensando que todo aquello de la liberación había sido una engañifa y una falsa alarma y que, de nuevo, los rojos se habían hecho los amos de la situación.

Y descorrí la cortina.

— Soy yo — grité.

Sólo Micaela podía verme. Apolonia no podía verme porque era ciega. Se apretujaron una contra otra. Se habían quedado de una pieza. No decían ni pío. Estaban medio levantadas y con la voz cortada.

— Pero ¿estáis tontas? ¿No veis que estoy aquí?

— ¿Tú, Luisico?

— ¡Pero si es el hijo de Rosa!

Y las dos rompieron a llorar a grito pelado. No había modo de consolarlas. Tenía una sobre cada hombro.

La ciega, intentando reconocerme, fue pasándome la mano por la cara, diciendo al tocarme la frente, la nariz, la boca, la barbilla, que sí, que yo era con toda seguridad el hijo de Cayetano. Fue bajando la mano y, después de acariciarme el uniforme, dio casualmente con las bombas de mano. Entonces dio un respingo muy gracioso mientras decía:

— Leñe, que éste viene dispuesto a armarla.

Micaela se movía por toda la casa nerviosa y parlanchina. Iba de la cocina al amasador y del amasador a la cocina.

— Pues anda, ¡no viene guapote ni *na*!

A veces, desde un sitio lejano de la casa, gritaba:

— ¡Si te viera tu madre!

Apolonia, en cambio, se había quedado pensativa.

— ¿Y tú qué eres, Luisico?

— Alférez.

— ¿Y puedes llevar armas?

— Claro. Eso faltaba ahora, que no pudiera.

— ¿Y has matado alguno?

Yo no replicaba, pero ella insistía. No tuve más remedio que contestarle:

— En las guerras no se sabe si se mata o no se mata.

Se quedó callada y movía mucho los labios. Seguramente rezaba. Pedía al cielo, con toda seguridad, que yo no hiciera ninguna tontería: ella llamaba tonterías probablemente a cosas que para mí eran fundamentalmente serias e inaplazables.

Micaela me puso delante un ponche caliente. El huevo lo había encontrado en la vecindad y azúcar no le había podido poner. Le puso, en cambio, un poco de mistela.

Ya había varios vecinos queriendo hablar conmigo.

— He dicho que con nadie. Quiero dormir y estar solo. Que me dejen en paz.

Cerraron las ventanas y la puerta de una alcoba antigua que tenía un espejo de casi dos metros. Para subirme a la cama tuve que tomar un poco de carrerilla. Ya estaba acostado. Un moscardón daba vueltas alrededor de la lámpara.

Me sentía feliz. Ya estaba en Hécula. Lo importante era que ya estaba en Hécula. Por el pasillo de la casa se escuchaba, de vez en cuando, un leve bisbiseo. Era Micaela contándoselo a los vecinos y diciéndoles que estaba muy cansado y que luego, más tarde, hablaría con todos.

Me iba durmiendo por partes. Porque mi sueño era un sueño profundo, largo y ancho. Era un sueño...

Aquel sueño me era muy necesario. Era como si me arrastrara una corriente de agua y yo me dejase deslizar sin miedo y desde mi muelle deslizamiento escuchara remotas y enigmáticas voces. A veces también aquellas voces sonaban como dichas al oído y tenían cierto acento familiar.

— Entonces ahora el dueño de todo será él, me figuro — preguntaba un hombre que parecía que estuviera excavando bajo los ladrillos del pasillo.

— Pues a ver de quién va a ser, si no — replicaba Micaela.

También Apolonia tenía sus contertulios. Acaso más, y más calmosos que Micaela. Había con ella dos o tres muchachos jóvenes; no podía distinguirlo bien.

— Cuando se levante se lo va a encontrar todo hecho.

— No parece que haya llegado a su pueblo.

— Al parecer, lo ha tomado con calma.

Apolonia, entonces, les decía que hablaran bajo, que podía despertarme, que estaba como un tronco. Habían sido tres días enteros de viaje. Era del ejército, pero de los que mandaban. Llevaba pistola y dos bombas en el cinturón. Estaba más gordo.

— Pero si usted no lo ha podido ver...

— ¿Que no lo he podido ver? ¿Que no lo he podido ver? — disputaba mi prima Apolonia.

— ¡Pues sí que ha *venío apagao* éste!

— Ya debíamos de estar haciendo la revolución.

— Y que lo digas.

— Comenzando porque este alcalde que han nombrado — claro que es sólo provisional — es un pincha-uvas.

— Y terminando con que los de la cárcel se están dando la gran vida. ¿Les vamos a estar dando de comer y guardaditos a la sombra, para que no se resfríen, como si fueran huéspedes de honor?

— Esto se acabará muy pronto.

Apolonia reclamaba silencio, silencio. Debían hacerse cargo y no levantar la voz. Además, debían llevar mucho cuidado, no fueran a pagar justos por pecadores.

— Entre los rojos no había inocentes, Apolonia.

— Sí, que se lo digan a Luis.

Entró Micaela reclamando también que hablaran en voz más baja. Entonces aquellos tres, cuyas voces no pude identificar, se levantaron y se fueron a la calle.

— Dentro de una hora — dijo uno — venimos, ya lo sabe, y si no se ha levantado lo sacamos de la cama.

Al rato sonó quedamente el picaporte y entró una mujer en el cuarto de Apolonia. Comenzó hablando muy bajo. Casi me hacía cosquillas en la oreja aquel rumor cargado de eses. Por fin cacé algo.

— Si él lo hace, no le harán nada. Sólo él puede salvarlo.

— Pero ¿tú sabes lo que va a ser decirle que firme un aval si él no lo conoce?

— Yo le juro por lo más santo, Apolonia, que mi Roque es inocente.

— Nosotras podemos decirle algo, pero para eso es menester que hables tú con él.

— Pues yo se lo diré y me hará caso. ¡Si viviera Rosica...!

Mis dos primas suspiraron. Después Apolonia comenzó a llorar. Después lloró Micaela. A lo último lloraban las tres.

No me iba a ser fácil salir con mis propósitos. O me iba a ser facilísimo tan pronto como me despojara de todos los sentimentalismos y me plantara ante mi pueblo duro como una roca.

Son las lágrimas las que estropean las guerras, me

decía yo. Y cuando a los míos les tocó caer, ni siquiera fue posible llorar muy alto. Llorar fuerte hubiera sido condenarse a morir también de la misma manera. Había que hacer de tripas corazón.

Y tampoco a mí se me había ocurrido, siendo un muchacho de dieciséis años, ir a pedir un salvoconducto.

Y tampoco nuestro crimen había sido tan grande. Sólo que en las elecciones del 36 en nuestra casa se había alojado un diputado de la Acción Popular. Y porque Enrique había levantado el brazo en el entierro de Martinico, al que habían matado por decir que meterse con los santos era una barbarie.

Hécula me había caído encima con una gravedad solemne y ridícula al mismo tiempo. Mi pueblo era como un cuerpo de ajusticiado que colgase en el vacío. Todo era silencio, pero las voces de los heculanos que iban llegando hasta mí eran como chillidos de cuervos que roen la carroña. Que yo estuviera dispuesto a quitarme de en medio a tres o cuatro, o cinco o seis, los que hiciera falta, no quería decir que fuera a admitir contubernio con todos los despechados de última hora. Mi venganza no podía confundirse con la venganza de los demás. Sería mía únicamente y, por lo mismo, sería particularísima, inesperada, contundente.

Todavía me quedé durmiendo un rato y ahora mi sueño era como la piedra que cae dentro de un pozo y allí comienza a cubrirse de humedad y musgo. En el callejón de la casa de mis primas un martillo, mejor dicho, varios martillos arrancaban a los yunques extrañas armonías. Dormí hasta las siete de la tarde.

— Si vienen esos de antes, díganles que he salido — dije a Micaela.

Me fui a la calle. Mis dos primas, la ciega también, salieron hasta el portal gritándome:

— Luisico, ¿dónde vas?

— Que tienes que tomar algo.

— En seguida vuelvo — dije muy convencido.

Era ridículo llevar las bombas. Las había dejado debajo de la cama. Pero llevaba la pistola y, de vez en cuando, le hacía una entrañable caricia.

Seguí calle de Los Pasos adelante, que es por donde van los entierros, hasta llegar al Cruce de las Despedidas, donde se despiden los duelos. Mi primera visita iba a ser al cementerio. Iba a ser una visita preliminar, como de tanteo. No era urgente, pero era mejor comenzar por allí.

Los crepúsculos de Hécula son espectaculares, inauditos, de una belleza realmente bárbara. No son como esos atardeceres lindos que parecen bañados por agua de rosas. Son unos atardeceres violentos, bruscos, dramáticos. A esa hora las nubes parecen morderse unas a otras y sobre el cielo quedan las desgarraduras de unas heridas sangrientas. Los heculanos salen de las casas, miran el cielo y, sin pensarlo mucho, se entran de nuevo hasta que las sombras han cubierto la espantosa carnicería.

Había grupos de mujeres en las puertas cosiendo o espulgando a los niños, pero había menos que nunca. La calle que conduce al cementerio, la calle del Cerrico, estaba como amedrentada. La mayoría de las puertas estaban cerradas a cal y canto. Parecían haber emigrado los habitantes.

"Los cabrones ahora tienen miedo. Ahora se habrán metido bajo tierra. Ahora todos saldrán diciendo: "yo no he sido", "a mí es que me engañaron", "yo dije que aquello era una barbaridad y que no había derecho", "yo siempre fui una persona de orden", etc."

La calle del Cerrico y todas las que están alrededor del camino del cementerio están calificadas de socialistas desde que existen. No está probado que el espectáculo diario de los entierros haga a los hombres pacíficos y conservadores. Allí vivían la mayoría de los anarquistas y revolucionarios de Hécula. Durante la última época de la República era ya peligroso pasar por allí, y nada digamos después de las elecciones del 36. Aquello era terreno conquistado por ellos.

Pisaba desafiador, sereno, pero sobrecogido, al mismo tiempo, de un terror misterioso, porque a los enemigos de ahora en adelante no iba a ser fácil eliminarlos cara a cara, sino que habría que irlos buscando por los escondrijos como si fueran conejos encogidos en lo más profundo de las madrigueras. Se veía que estaban asustados. Seguramente habían huido al campo o estaban en los pajares y en las cuadras esperando a la Guardia Civil y a los falangistas.

Se abrían con precaución los ventanillos de las casas, con enorme cuidado, y se cerraban con más cuidado todavía. Eran los niños, sobre todo, los que antes daban la voz de alarma y extrañaban el uniforme. Porque hubo un campesino que me confundió con un oficial rojo. Estaba de pie a la puerta de una taberna, y mirando hacia dentro comentó:

— Después de zurrarle la badana más que a una estera viene pisando como si fuera Carlos V.

Pero cuando se dio cuenta de su error, se metió dentro corriendo. Las guerras, que tienen tantas cosas cruentas, también tienen en sus remates, detalles de humor, de los cuales podría contar muchos si no fuera, claro está, que para mí todo lo de aquellos días era algo muy espeso y negro.

Terminaron las casas y empezó el descampado. A la derecha estaban las cuevas, escalonadas en la tierra blanquinosa. Parecen las puertas de las cuevas ojos de monstruos agazapados.

El camino del cementerio está muy cuidado. Otros pueblos lo querrían para paseo de los domingos. Lo que ocurre es que el paisaje que rodea este camino, escoltado de pinos muy decorativos y que tiene a cada tres pinos un asiento de piedra, está encajonado en un terreno áspero y yermo como pocos.

Las tierras que rodean el cementerio son tierras secas, calizas, resquebrajadas. El agua ha abierto monte abajo ramblizos amarillentos y morados, que son como venas abiertas y resecadas. No es agradable esta entrada, mejor dicho, esta salida de mi pueblo.

Cuando llegué al cementerio estaba cerrado ya. Pero fui a la casa del sepulturero y tiré de una campanilla. De momento era lo que me interesaba.

Salió pasándose la manga por los labios. Estaba tomando un bocado.

—Es sólo una consulta —le dije en tono muy correcto.

—Usted dirá.

—¿Cuánto tiempo lleva de sepulturero?

—Unos años.

—Durante la guerra estuvo aquí, ¿no?

Aquello ya le gustaba menos. Iba reculando. Me estudiaba de pies a cabeza. Sobre todo, no apartaba los ojos de la estrella de mi uniforme. Poco a poco le iba entrando miedo.

—Antes de la guerra era otro, pero durante la guerra...

—Pero no se asuste. Contra usted no va nada. Usted ha cumplido con su oficio enterrando a la gente. ¿No es así?

—Yo no he hecho mal a nadie. Yo no tengo ideas políticas. Yo no me he metido nunca en nada.

—Y de memoria, ¿cómo andamos?

Había aparecido una mujer rodeada de niños mocosos y sucios. Tenían cara de hambre. Pedían pan. El pequeño tenía la tosferina.

—¿Usted podría decirme ahora mismo dónde pusieron a mi madre?

—¿A su madre?

—A mi madre, sí.

Le temblaban las rodillas; le temblaban los dedos; le temblaban las manos. Yo siempre había sospechado que un sepulturero tenía que ser un tipo más frío y tranquilo.

El pobre hombre hacía esfuerzos para caer en la cuenta de dónde podía estar mi madre sin haberme reconocido aún: pensaba sobre el absurdo de muchos hijos y muchas madres. Pensaba de este modo porque no razonaba, porque estaba viendo una pistola y una estrella negra que él desconocía pero que intuía perfectamente.

— Pero, hombre, que te diga primero quién era su madre — intervino la mujer desde una puerta de pino todavía sin pintar.

— Mi madre era Rosa, la Mayordoma.

Se puso las manos en la frente y se restregó los ojos. Nunca he visto en la cara de un hombre tal muestra de respeto como vi aquella tarde en la del sepulturero de Hécula. Fue casi una veneración.

— A su madre, sí. Su madre sé bien dónde para. Está entre muchos, pero sé muy bien dónde. Ahora mismo, con los ojos cerrados...

— Es suficiente. Basta con eso.

Saqué veinte duros y se los di. No los quería tomar. Pero la necesidad era grande. Veinte duros de los nuevos le iban a sacar de apuros. A los veinte duros le echaban toda la familia unas tiernas miradas, unas estremecedoras miradas. Como miran los niños las estampas de su primera comunión.

— Pero de esto no diga ni una palabra. A nadie.

— Descuide.

— Y ya vendré yo por aquí.

Me acompañaron el sepulturero, la mujer y los niños hasta la puerta.

Al volver a casa de mis primas me encontré con varias visitas. Unos querían que me fuera al Ayuntamiento, donde las cosas, según decían, no marchaban del todo bien. Otros querían que les hablara de la guerra, porque yo tenía mucho que contar. Había madres que querían saber de sus hijos. Confiaban en que yo, que tendría tanta influencia, haría gestiones para localizarlos. Y los falangistas me esperaban en el bar del *Cocodrilo*. Varias vecinas habían venido a decir dónde había ropas y muebles de los robados en casa.

Salí a la calle después de comer unas costillas asadas y bebido un buen trago de vino. Antes de salir, Apolonia quiso que la besara y me rogó que volviera pronto, porque teníamos que rezar el rosario.

Micaela salió a la puerta y me recomendó:

—En Falange nos han dicho que están los víveres que tenían los rojos guardados. Tráenos algo. A ti te darán lo que pidas. Es que, ya ves, no tenemos ni pan.

Iba a darle dinero, pero me pareció, de momento, poco delicado. Y tampoco el dinero resolvía nada en aquellas circunstancias. Había que encontrar las cosas primero y después conseguirlas. Con dinero o sin dinero.

Por las sierras lejanas venía apelotonando nubes el látigo de una tormenta. Eran aquellas nubes como esas manadas de cerditos negros que llevan en rebaño al mercado.

Lo primero que hice fue acercarme a mi casa. La calle estaba desierta. Se echaba la tormenta encima. Los vecinos se habían encerrado cada uno en su casa. Hacía algo de frío.

Llegué hasta la puerta y me agaché. Fui palpando con el dedo todos los agujeros. Habían hecho una labor de artesanía con el agujerito del pistoletazo. Era un agujerito insignificante.

—Por aquí entró el tiro —dije con mucha calma poniendo el dedo en aquella cicatriz de la madera.

Varios transeúntes se pararon al verme. No se figuraban, seguramente, la dolorosa operación que estaba llevando a cabo. Luego me levanté y seguí andando. Pero todo esto había sido tan precipitado, que ni siquiera se me había ocurrido mirar la fachada de mi casa. Estaba recién pintada y se veía que de balcón a balcón había habido un gran rótulo. Ahora, desde fuera seguramente, habían quitado la bandera de las Socialistas

Unificadas y habían puesto una bandera de España un tanto pobretona, hecha de retales baratos.

Esperaba encontrarme la casa hundida o quemada y estaba de pie. Y flamante. Lo peor había sido de las vidas que albergó.

Mi calle también había experimentado ciertas reformas que le iban, no se podía negar, bastante bien. Habían puesto unas anchas baldosas y habían plantado árboles en las aceras. Cuando aquellos árboles se hicieran grandes, la calle realmente iba a tener un aspecto muy agradable.

Por las calles céntricas azotaba el viento, un viento descomunal, ese viento que es habitual en Hécula. En las esquinas más estratégicas había muchachos con fusiles haciendo guardia. Era la suya una guardia tímida y chulángana al mismo tiempo. Todo esto porque en Hécula no había enemigo. Los que durante cuarenta meses se habían enseñoreado de las calles, ahora habían desaparecido.

Ya todos estaban enterados de quién era yo, y lo mismo venían a darme la novedad que a pedirme un cigarro. No conocía a la mayoría de ellos, pero les encontraba en seguida el aire de la familia. Se veía que me admiraban. Algunos hasta querrían haber perdido a la madre y a los dos hermanos por encontrarse de oficial victorioso después de haber luchado morrocotudamente en el campo de batalla. La juventud es siempre igual. Yo, antes de la guerra, también era lo mismo.

La Iglesia Nueva — como allí dicen — estaba abierta de par en par y la gente entraba por una puerta y salía por la otra. Durante la guerra, la iglesia había sido convertida en mercado. En los huecos de los altares estaban los mostradores de las pescaderías, de los embutidos y carnes, las hueverías y los puestos donde se venden saladuras, pepinillos y aceitunas. En mesas cubiertas con un paño había, por en medio de las naves, unos cuantos santos antiguos de los que se habían conservado en las casas de campo. Eran unos santos a los que no se podía tener mucha devoción para rezarles nada y que no se sabía tampoco si tendrían alguna influencia en el Cielo. Eran unos santos desconchados, muy cargados de brillo de oro y florecillas, pero descoloridos y maltratados. A la puerta de la iglesia había muchas mujeres con el velo puesto, que no se atrevían a entrar.

— Chica, a mí me da mucho eso y no entro.

— Ya habrás entrado alguna vez a comprar zanahorias.

— Pero no era lo mismo, y cerraba los ojos.

— Entonces te darían boniatos en vez de zanahorias.

Las mujeres reían. No eran beatas leales y sumisas. Eran mujeres más bien curiosas, mujeres sencillas a las que francamente no les había gustado la broma de quemar los santos. Eso no tenía nada que ver con la guerra. Se podía ser republicana de orden y creer en Dios. Muchas de ellas, ya se lo habían dicho muchas veces a los hombres: "Así no ganaréis la guerra. Estáis aquí como zánganos, venga a buscar curas debajo de las piedras, mientras en los frentes estáis perdiendo hasta la vergüenza. Y es que sin principios no hay manera de vivir".

No se habían dado cuenta de que yo estaba detrás. Cuando me vio la primera, unas a otras se fueron dando con el codo y me quedé solo. Todas salieron corriendo.

Las beatas oficiales ya por la mañana habían tenido una Misa en la explanada del Castillo y el cura, muy puesto de capa, había bendecido el pueblo y los campos desde arriba, teniendo un copón entre las manos. Don Roque había estado veinte meses metido dentro de una orza grande de aceite vacía y perfectamente disimulada entre las llenas. Era un cura bastante gordo y había salido flaco y como manando continuamente aceite por los poros.

Hécula tendría que expiar y hacer penitencia; tendría que hacer muchos méritos ante Dios, pero de momento ya estaba reconciliada con la Gracia. Éstas habían sido sus palabras. Muchos, según me dijeron, incluso hombres, habían llorado.

Luego vino el sacristán, un tipo que olía siempre a alcohol de quemar, no sé por qué, y me dijo que a todos los rojos los iban metiendo en la cárcel, que ya pasaban de ciento y que estaba determinado que irían al Castillo y a la iglesia a reconstruir lo que habían derribado, en tanto no les llegara la hora del juicio.

— A muchos — añadió — no les va a dar tiempo ni de trabajar una semana — y se reía mucho.

Bajé por la calle de San Francisco, durante la guerra "Pablo Iglesias", al bar *Cocodrilo*. En la esquina de San Ramón, durante la guerra "Buenaventura Durruti", me encontré con una gran aglomeración de gente a la puerta de una casa. Un guardia municipal, que llevaba un brazalete con la bandera española, sujeto con un imperdible, iba parando a todos los que llegaban y repitiendo de un modo cansino:

— Prohibido pasar. Prohibido pasar...

Salían sanitarios de la Cruz Roja, falangistas y guardias civiles. Todos con cara apesadumbrada y hosca. Al verme se explanaron.

— Es el hijo de Pancracio, el de los Vinos. Vinimos simplemente a tomarle declaración y... hemos llegado tarde.

— Menuda *jumbera* ha cogido.

— ¿Te vienes a tomarte un culito?

— Luego, luego...

El hijo de Pancracio, el de los Vinos, al ver que llamaban a la puerta de su casa había tenido un ataque de pánico y se había ido derecho a una tinaja de vino viejo y se había tirado de cabeza. De jovial el suicidio no había tenido nada. Lo sacaron sujetándolo con horcas que de amarillas como velas que eran, pasaron inmediatamente a ser moradas, como los tridentes de los demonios. El cadáver rezumaba vino por todas partes.

De sólo mirarlo emborrachaba. Uno de los de la Cruz Roja, con el cigarro pegado al labio, dijo:

— Si le aplicamos un mixto, arde...

Lo recordé yendo a la escuela. Era un muchacho que se comía unas rebanadas tremendas de pan mojadas en vino y azúcar. Hasta muy mayor llevaba pantalones cortos. Tenía unos muslos gordos y blanquísimos, que parecían de manteca.

— Pero ¿qué ha sido éste aquí durante la guerra? — pregunté a un guardia civil.

— Éste también puso su rejoncito. Éste escribió varios artículos en un periódico que editaba la Casa del Pueblo.

Pancracio, hijo de Pancracio de los Vinos, estaba tirado en el patio de la casa, chorreando un líquido que parecía sangre, pero que era vino.

Este encuentro me sentó como un tiro. Yo, que había visto sesos por el aire y tripas colgando, comencé a sentir náuseas.

Decidí no ir a la reunión del bar del *Cocodrilo*. "Mañana será otro día", me dije, y fui subiendo la cuesta de la calle de San Francisco. Iba derecho a acostarme.

Se me echaron encima dos mujeres. El modo de agolparse sobre mí era parecido al que había presenciado tantas veces en Zaragoza, a las tantas de la noche. Sin embargo, eran mujeres finas. No iban pintadas, aunque se veía que iban arregladas con todo cuidado.

— ¿No nos conoces?

La cara que puse era de que no. Ellas me miraron con insistente simpatía.

— Tu madre sí que nos hubiera reconocido.

— Queríamos decirle una cosa importante.

— Sí, es algo que podrá darle una pista completa.

— Lo hemos sabido por Paca.

— Paca es una de nuestras criadas.

— Ella sabe de algunos de los que intervinieron en lo de su madre.

— Pero no es necesario que diga que lo sabe por nosotras.

Una de ellas tenía unos labios duros y salientes y ojeras profundas. Era rubia, de una palidez enfermiza. La otra era morena, con un bulto en el cuello de un respetable tiroides, y llevaba una chaqueta sastre que casi saltaba los botones de la cintura. Yo creo que aquello que se veía entre los botones no era la combinación, sino la carne.

— ¿Queréis tomar algo? — les dije señalando un bar que había en la esquina.

— ¿Nosotras?

— ¡No, no, por Dios! ¡Qué locura!

Mi proposición las escandalizó mucho. Sin embargo, tenían ganas de palique. El uniforme las chiflaba.

— ¿Y cuántos oficiales vendrán con las tropas?

— Por lo menos veinte.

— ¿Y hay muchos casados?

Ni lo sabía ni me importaba lo más mínimo. Aquellas dos mujeres, que por lo que creo eran la hija de un médico y la del farmacéutico de detrás de la Posada, me estaban irritando. A la rubia le hubiera dado un buen revolcón, pero nada más. La morena no olía bien.

Pasó un camión cargado de muchachos que cantaban una y otra vez el "Cara al Sol". Ellas, por lo que pude ver, tenían hermanos entre aquella alborotadora tropa. Se pusieron a hablar con ellos. Esto me sirvió para dejarlas.

Decidí que tampoco la criada de aquellas muchachas sería mi camino para dar con los asesinos de mi madre. Los verdugos de mi sangre me saldrían al paso, o los encontraría yo mismo, sin intermediarios. Odiaba ya tanto a los que se me acercaban en papel de delatores como a los asesinos.

Entré en un bar. Allí no me salió al paso ningún mediador. Allí todos se retiraron a un rincón, me observaron con gran atención y guardaron un silencio grave.

Era la mía una situación incómoda. Entonces no se me ocurrió más que beberme el chato de vino y tirar el vaso al suelo. Inmediatamente abandoné el local. Era, lo comprendo, una chulería estúpida, pero era lo único que supe hacer en aquel momento. Probablemente lo hice porque, aunque intentara disimular lo contrario, en aquel mostrador me encontré muy solo y con una gran timidez.

Entonces me dirigí inmediatamente al Cuartel de la Guardia Civil. En medio de la sala de guardia había un montón de fusiles y pistolas. Había también bombas de mano, dos ametralladoras y una pila de ficheros.

Los guardias se pusieron en pie.

— A sus órdenes — dijo el sargento.

— A las suyas — le contesté muy sumiso —. Sólo quería hacerles saber que estoy en el pueblo.

— Lo sabemos. ¿Necesita alguna ayuda de nosotros?

— Por ahora, no. Si los necesito, ya avisaré.

— Comprendido.

A todos los pueblos se había destacado algún sargento o brigada acompañado de un número, que era el encargado de movilizar y organizar las fuerzas de orden mientras llegaban las tropas. Los falangistas y presos salidos de la cárcel se habían hecho dueños de la ciudad. Las tropas de ocupación tardarían por lo menos cuarenta y ocho horas en llegar. El cuartel estaba al habla con las capitales más cercanas. Habían recibido varios telegramas, que me enseñaron.

Hacia el cuartel venían humildemente gentes del campo con escopetas y revólveres antiguos. Ya iba por lo menos una manzana de casas más adelante cuando vino hasta mí un muchacho con camisa azul y correaje y un fusil al hombro.

— Dice el brigada que le diga que en la cárcel hay unos doscientos detenidos.

— Dile que bueno.

— Es que me ha dicho que quería que lo supiera.

— Dile que ya lo sé.

— A sus órdenes. ¡Arriba España! — y me saludó con un gran taconazo que no sé cómo podía haberlo aprendido. Era un muchachito rubio, con una peca grande a la altura de la mejilla. Me hizo gracia y casi me conmovió la seriedad de aquel muchacho. Estaba convencido de que hacía una cosa importantísima.

No hice más que saludar a mis primas desde la puerta.

— No, no me quedo. Volveré más tarde.

— Pero se te enfría la cena.

— Cenad vosotras — recomendé a Micaela.

— Pero es que Apolonia quiere que recemos el rosario.

— Después, después...

Me daba una gran tristeza la casa de mis primas. Las pobres vivían como pajaritos. Tenían una renta minúscula. Durante la guerra ni eso siquiera. Yo creo que vivían casi de limosnas. Le di un billete de cien pesetas y le dije:

— Compra lo que encuentres.

— Pero ¿no vas a traer nada del almacén ese que dicen que hay? Todo el mundo saca cosas de allí.

— Sí, sí; después. Ya veremos.

Hécula no era enteramente mi pueblo. Hécula eran unas calles por las que transitaban personas atemorizadas o personas que atemorizaban a las demás. Dentro de las calles se respiraba un ambiente de confianza; pero, con todo, cada uno iba a lo suyo. Y fue en ese instante cuando, por primera vez, sentí de una manera lacerante y angustiosa el problema de mi soledad. Hécula era mi pueblo, pero sin los míos. Hécula era como una ciudad extraña, una ciudad maléfica atravesada de un extremo a otro por sacudidas de desconsuelo y de tristeza. No sabía adónde ir ni con quién juntarme. Acaso mi deber sería entrar en la corriente del triunfo pleno y total.

"A ver si va a resultar que tengo miedo", me dije. Para demostrarme a mí mismo que no, me encaminé perfectamente decidido a la antigua Casa del Pueblo, donde me habían dicho que estaban acuarteladas las Milicias.

Aquello parecía una ciudad sitiada. Todo eran órdenes y contraórdenes, dadas con una vehemencia y un coraje que a mí mismo llegaron a darme sensación de peligro. Las órdenes de registro, de detenciones, las contraseñas para los controles, las consignas para teléfonos y telégrafos, todo se decía a gritos, impacientemente, nerviosamente, coléricamente.

— ¿Necesitas algo, camarada? — me preguntó el que hacía de jefe, que había ido conmigo al colegio, que se había pasado la guerra escondido y que ahora llevaba botas altas de montar y encima de la camisa una cantidad enorme de yugos y flechas. No había visto yo nada parecido ni en el frente ni tampoco en Salamanca, ni en Burgos, cuando había tenido algunos días de permiso. Llevaba también un pistolón del nueve.

— Quiero que me acompañes.

— ¿Yo?

— Tú mismo.

No había acabado de decir esto cuando retumbó la habitación vecina. Sin ningún género de dudas había sido un disparo. Pero no había sido nada grave. Tan sólo una alarma. Simplemente que a uno de los muchachos se le había disparado el fusil, que había hecho un agujero en el techo. Algunos reían, pero los más estaban asustados.

— De pensar que hace medio minuto yo estaba ahí mismo... — decía un campesino de cara triangular.

Cuando salimos a la calle entraban unas fuentes con morcillas, salchichas, patatas y huevos fritos. El jefe de Milicias tomó unas patatas y una salchicha con la mano y me invitó a que hiciera otro tanto. No tomé nada aunque sentía un gran apetito.

— Es sólo para ver la lista — le dije.

— Como si quieres verles la cara; lo mismo...

Cuando ya marchábamos camino de la cárcel, me dieron el aviso de que mi prima Apolonia se había puesto repentinamente enferma. Se había quedado sin sentido. Me pasé la noche en una mecedora poniéndole cada dos horas inyecciones para el corazón. A Micaela la sentía llorar desde la cocina. Lloraba quedamente y parecía como un surtidor de agua cayendo sobre la taza de una fuente.

A la mañana siguiente, la mujer que vino a traernos, después de muchas súplicas, dos cuartillos de leche, entregó a Micaela una carta que se había encontrado debajo de la puerta. La carta venía dirigida a mí, pero al abrirla me encontré con otro sobre que ponía: "Al vengador".

En aquel anónimo, que estaba lleno de sarcasmos, se me reprochaba haber entrado al pueblo como un palomo y que en vez de irme derecho a la cárcel me había ido al cementerio a remover cadáveres. "Y por este camino — añadía — se llevará grandes disgustos. Y un servidor no le aconsejaría nunca que prosiguiera escarbando sepulturas. Lo que está bajo tierra está muy bien allí", terminaba.

Aquel anónimo me descompuso y me pasé el día con la sangre encendida, dando algún golpe que otro sobre los muebles y hasta diciendo en voz alta: "Ya veréis quién soy yo, ya veréis."

Cada vez que pensaba que mis paisanos habían experimentado con mi llegada una decepción, porque no había ido derecho a hacer tabla rasa con los verdugos de los míos, la sangre se me encendía y por dentro ideaba planes concretos de castigo. Que estuvieran alerta. Los iba a dejar turulatos. ¿Sabían de veras con quién se jugaban los cuartos? "Es mejor no hacer estas cosas de golpe; lo mejor es madurarlas — me decía a mí mismo —. Así la cosa será más ejemplar y notoria."

Tampoco la guerra se ganó en un día.

Recogí los papelillos rotos del anónimo y me los guardé en el bolsillo. Acaso aquella letra podría identificarla algún día. Y, a quien fuera, le haría que se los tragara.

Apolonia llegó a tener cuarenta grados de fiebre. Varias veces la oímos hablar con mi madre. Micaela lloraba en la cocina. Y yo recorría la casa cargado de mal humor. Durante las veinticuatro horas siguientes, en las que mi prima Apolonia permaneció entre la vida y la muerte, delirando, recibí seis anónimos más.

El pueblo entero me había puesto un verdadero cerco. Aquellos anónimos no parecía que estuvieran redactados solamente por las personas de derechas que habían sufrido el cautiverio. Hasta los mismos rojos parecían defraudados por mi pasividad.

Pero más que las denuncias, más que aquellas listas de nombres comprometidos, lo que más impresión me hizo fue aquello de: "¿Ni siquiera se le ha ocurrido traer a sus muertos? ¿Los va a dejar como perros, tirados por el campo? A fin de cuentas, usted ha salido ganando. Se ha hecho militar, los ha heredado y, con el tiempo, se casará con la hija de algún masón...".

Hécula es así. En Hécula se viven a perpetuidad los pleitos y los odios. En Hécula las revoluciones imprimen carácter y cada persona queda marcada con un sello que no hay quien sea capaz de arrancárselo. Las personas están clasificadas, definidas eternamente.

Hécula tiene un culto singular por los muertos. Es un pueblo muy primitivo. Para los heculanos, sólo están muertos de verdad los que están enterrados en su suelo. Quien muere fuera no es nunca considerado muerto verdadero hasta que no ha sido enterrado en el cementerio, en el sitio que le corresponde. La muerte de los que mueren fuera es una muerte sólo aparente. Tres muertos en el pueblo de al lado o en la capital, no suman nunca un muerto sepultado en el nicho familiar. Por eso, todo heculano deja siempre previsto en su testamento y, aunque no lo digan, los sucesores tendrán que aceptarlo como un compromiso irrenunciable, el que una vez muerto sea conducido al lugar de sus mayores. Es un rito que no deja de cumplirse por nada del mundo. Hay heculanos repartidos por toda la geografía del globo que tienen contratada la póliza con una sociedad de empresas fúnebres que les garantice el regreso al pueblo después de muertos. Los antepasados tiran, que dicen los heculanos.

En este sentido nadie tenía que recomendarme nada. Yo sabía muy bien que mi obligación, la primera y casi paralela a aquella otra de pedir cuentas sobre sus muertes, era la de depositar los restos de los míos en el sitio que les correspondía desde el mismo momento de nacer. Si con algo los heculanos no se permiten bromas de ninguna clase es con la posesión o el alquiler de los nichos. Y las familias que tienen panteón puede decirse que son las que tienen una ciudadanía heculana de primera. Los nichos propios dan allí una seguridad social importante.

En Hécula el cementerio es propiedad exclusiva de la iglesia y esto da al archivo eclesiástico una enorme preponderancia sobre el registro municipal.

Aquel mismo día, comiendo, Micaela me dijo:

— Cuanto antes, tú que tienes facilidades, deberías de sacar a tu madre y ponerla junto con todos.

No dije nada. También eso lo había pensado ya mucho. Sabía muy bien que no podía liberarme de esa obligación. Lo que me molestaba era aquella manía de mis paisanos por meterse en mis cosas y mis problemas.

Mis primas son inflexibles, muy religiosas, terquísimas. En esto ya sabía yo que no me darían tregua ni descanso. Ellas serían las primeras en esa ofensiva que tenía que ser simultánea a la del castigo y la venganza.

Sin embargo, se mostraban sumamente prudentes en lo de exigir responsabilidades.

— Tú no te manches las manos de sangre.

— Sí, él que no haga nada, pero tampoco va a dejar que se paseen por la calle los que cometieron los crímenes.

— Para eso está la justicia — insistía Apolonia.

— Pero la justicia, si no le echan una mano y la ayudan...

A las veinticuatro horas del síncope que le había dado a mi prima Apolonia, ya estaba sentada en un sillón, con el rosario en la mano. Le gustaba que la pusieran de cara al ventanillo como si pudiera ver la luz. Algunas veces, por el ruido de los pasos, conocía sin equivocarse el de los de don Roque, el cura.

Ellas me estaban preparando una entrevista con él, y había estado ya en casa dos o tres veces sin lograr encontrarme. Como la casa tenía dos puertas, cuando yo lo oía entrar, me escapaba. Y aquel día le hui con mucha más razón.

Más que una acusación lógica y justa, lo que querían y esperaban mis paisanos era que yo me embalara en una represión sañuda y cruel. Y para darle ambiente a la cosa exigían que cuanto antes expusiera a pública contemplación los cadáveres martirizados de los culpables. Necesitaban de estos alicientes para tener una sensación de justicia y de seguridad futura. ¿O es que yo no iba a reaccionar cuando los demás estaban reaccionando, cada uno en su caso? Estaba harto de que todo el mundo quisiera meterse en mi vida.

— Como coja a uno de los anónimos, por él voy a empezar — me dije al echar a andar calle adelante.

Frente a la Panificadora se apagó la luz. Los pocos transeúntes que circulaban por la calle se metieron en los quicios de las puertas. Algunos llamaban a las casas. Las patrullas callejeras comenzaron a darse el santo y seña, poniendo en ello un exagerado celo.

Ahora sí que iría al bar del *Cocodrilo*. No tenía otro sitio donde ir. Tampoco podía aislarme.

Al verme entrar, todos se pusieron en pie.

— *Chepitas,* un vaso más.

Ocupaban una habitación con tres mesas de mármol cuadradas, que habían juntado, y sobre las que había extendidos unos cuantos pliegos de papel de barba repletos de listas. No tuve que fijarme demasiado. Una de las listas era la de los caídos. Cada uno llevaba delante una crucecita. Me fue fácil localizar a mis hermanos. Los nombres de otras listas llevaban delante un redondelito y otros una interrogación. No me era difícil adivinar el sentido de todo aquello.

La habitación estaba llena de humo. Por las paredes había unos cuadros de caza horrendos, con liebres y conejos. Encima de la mesa dos botellas de vino y unos platos llenos de huesos de aceitunas.

A todos ellos, más o menos, los conocía y, aunque hubiera sido de paso, ya los había saludado. La mayoría de ellos acababan de salir de la cárcel o del campo de concentración. Estaban blancos como monjas, con unas barbas que parecían más largas y más negras de lo que realmente eran. Algunos tenían canas, a pesar de ser muy jóvenes.

— O somos, o no somos — dijo el que hacía de jefe.

Su estridente voz se clavaba en las sienes. Daba la impresión de estar bastante bebido.

— Porque si no, lo que vamos a hacer es que vamos a joder la marrana en grande.

No era el tipo más destacado y, sin embargo, se imponía. Llevaba el pelo largo, casi con melena. Era un pelo negro y rizado, de esos que parece que están chorreando brillantina. Pero lo que me hacía más repulsivo a aquel tipo eran sus labios, unos labios finos y tirantes que al reír, sobre todo, se quedaban lisos y tensos como una goma. Entre los que le escuchaban había unas cuantas caras de auténticos franciscanos. Se los veía un poco acobardados por el gesto del jefe, y algunos hasta parecían asentir por compromiso.

— ¿Qué problema os traéis entre manos? — pregunté más bien humilde.

— Pues lo que nos traemos entre manos es que aquí hay que tomar determinaciones de hombres y no hay que andarse con paños calientes y consolaciones de marica. Bastante la hemos pringao, camaradas, para esperar ahora a que nos gobiernen los atontolinaos de la JAP. ¡Qué asco! Hay que tener mano dura o se nos montarán encima.

— Claro, claro.

Diógenes, que así se llamaba el jefe, llevaba colgada al cuello una medallita de oro. Era un milagro que la cadenita no se le enredara en el matorral del pecho donde los pelos le crecían espesos y encaracolados.

A mi lado estaba Teodoro, que dejaba salir el aire por todas las partes del cuerpo, y alguna de ellas prohibida.

La habitación, en los silencios, se llenaba de sus silbidos, que eran como los del fuelle del órgano de la parroquia en los paréntesis del coro.

— Por ejemplo, tú — dijo Diógenes encarándose conmigo —. Al parecer, a ti no se te ha perdido nada en Hécula. Todo parece ser que lo encuentras conforme. ¿Lo has encontrado todo en su sitio?

— Quizá lo que más han variado han sido las personas.

— ¿Qué quieres decir?

— Quiero decir que unas que vivían no viven y otras que se decía que habían muerto, están de pie.

Algunos tosieron. Era justamente Diógenes quien se había librado haciendo correr la voz de que lo habían matado en la capital. Había sido ciertamente una buena estratagema. Ni por asomo yo sentía en aquel momento hacia él el más leve rencor. Lo que me fastidiaba en él era su tono mandón y suficiente.

— Pero, hijo mío — prosiguió endulzando y que-
brando la voz un poco mariquitonamente —, no hay más
cera que la que arde. A ti te han dejado más solo que
una raspa y en vez de decidirte a actuar y despejar el
horizonte, andas como un ánima en pena de allá para
acá. Esto no se resuelve más que barriendo — y hacía
grotescamente el ademán de barrer —. Lo que habrían
hecho ellos de haber triunfado. A esta hora seguro que
no quedábamos ninguno.

— Seguro.

— Ni rabo de nosotros quedaba ya.

— Hombre, claro, si quedamos es porque no nos han
encontrado o porque no entramos en la torna de los primeros juicios. Pero, mira Pepito, mira Rafael, mira Al-
fredo, mira San Juan, mira el Zipote, mira... los hermanos tuyos...

— Ya está bien de nombrarlos — dije muy serio —.
El que quiera matar, habrá de matar por su cuenta. Yo,
por lo menos, no quiero auxiliares.

— Aquí no se trata de que cada uno se despache a
los culpables de la muerte de los suyos. Todos eran lo
mismo, todos eran camaradas.

— Aun así, yo no estoy dispuesto más que a hacer
mi justicia.

— Que no la harás.

— Ya veremos si sí o si no.

— Me gustaría verte — dijo riendo.

— Entre otras cosas, amigo, has de saber que mañana por la tarde entrarán las tropas. Y es muy posible
que tengas que entregar la pistola.

— ¿Yo la pistola?

— Como lo oyes.

Aquello fue una gran imprudencia mía, lo reconozco,
porque todos se pusieron de su parte.

— Tiene que tener mucho de esto el que me quite
la pistola.

— Y a mí.

— Y a mí.

— ¡Pues no faltaría más que eso...!

— Los militares, lo que estarán deseando y querrán es que cuando lleguen les hayamos desbrozado el terreno. Nadie sabe quién sobra mejor que nosotros. Todos nosotros lo sabemos. Tenemos los nombres en la punta de los labios. ¿Quieres ver la lista?

— No me hace falta.

— ¿Sabes que has venido muy bravo?

— Hijo mío, mientras tú estabas entre cebollas y panochas en una cámara, yo estaba en el frente.

— ¿En qué frente?

— En los frentes, donde se mataba y se veía morir, querido.

Me levanté y al hacerlo volqué la silla. Varios del grupo se levantaron hasta hacerme sentar. Volví a sentarme. El *Chepitas* había echado la cortina de la habitación y permanecíamos ajenos a todo el barullo que había en la barra. El *Chepitas* era pequeño, amarillento y tenía siempre los ojos como de sueño. Siempre, en cambio, me llamaron la atención las manos del *Chepitas,* que eran hermosas y finas.

Era evidente que allí yo tenía muy poco que hacer. Me seguirían respetando hasta cierto punto, unos más y otros menos, pero no me querían, no estaban ligados a mí ni siquiera por amistad. Era demasiado joven para ellos. Mis hermanos sí que habrían logrado imponerse. Sobre todo, Enrique.

Diógenes cogió otra lista y comenzó a leer:

Ametralladoras, una.
Fusiles, veintiocho.
Bombas de mano, cincuenta.
Pistolas, sesenta y tres.
Cápsulas, doce cajas.
Coches, cinco.
Camiones, dos.

Lacónicamente seguía haciendo la lista de las armas recuperadas. No a todos los camaradas inscritos se les podía dar lo que pidieran. Había camaradas y camaradas. Camaradas dispuestos a todo, que podían estar en los secretos de los asuntos, y camaradas que servían para hacer guardias y nada más.

— ¿La de la cárcel es segura? — preguntó uno.

— Ésta me juego yo.

— ¿Y los controles de entrada al pueblo?

— Valen.

Después pasaron al capítulo de víveres y se consideró justo y lógico que cada uno, mediante vales firmados por Diógenes, pudiera sacar azúcar, café, patatas, botes de leche, mantequilla, *foie gras,* cajetillas de tabaco, etc.

La reunión se terminó sin más, yo creo que porque mi presencia resultaba un poco forzada.

El *Chepitas* era hombre de confianza. Al salir me dijo:

— Pero ¿qué es lo que ha pasado?

— No ha pasado nada.

— Como Diógenes se va diciendo que aquí lo que faltan son hombres...

A mi lado había varios falangistas. Yo confieso que sentí cierta necesidad de explicarme:

— Lo que yo defiendo es que no podemos hacer lo mismo que ellos hicieron y, mucho menos, de la misma manera.

— Es que poner las cosas en su sitio y hacer un escarmiento para que el pueblo vea que se ha restablecido el orden, no es ninguna tontería — dijo muy convencido Tomás, que era un muchacho de los más aprovechables.

— No, si yo no niego el derecho de cada uno de nosotros a buscarse sus víctimas y sus muertos. Yo os prometo solemnemente que os daré un ejemplo. Pero no me gusta este reparto proporcional de balas. El que sea capaz de matar, que mate, y si cree que debe estar matando ya, está de más aquí y en todas las reuniones. Pero las muertes organizadas, que parece que lo que buscan es diluir la propia responsabilidad, no me convencen.

— Pero tú no vas a dejar lo tuyo sin reparar.

— Yo sabré portarme como quien soy, aunque haya aquí un regimiento de tanques. Pero lo que yo haga lo he de hacer cuando se me ocurra y como se me ocurra. Y sin testigos. El deseo de justicia es una cosa que la llevamos todos en el corazón y no es un mandato que haya de cumplirse por consigna.

La mayoría de ellos, a pesar de ser muchachos sufridos, jóvenes que se habían pasado cerca de tres años de las cárceles a los batallones disciplinarios y de los frentes a las checas, no estaban dispuestos a liarse la manta a la cabeza. Estaban como infantilizados, lloraban por cualquier cosa.

— ¿Dudáis acaso de mí? — les pregunté a todos y uno a uno.

— No, de ti no; pero también Diógenes tiene razón.

Al parecer, en Hécula sólo había en aquel momento dos enemigos irreconciliables, que éramos Diógenes y yo. Después de esta conversación todavía nos tomamos unos chatos en la barra. Se morían de curiosidad aquellos muchachos porque yo les contara cosas de la zona nacional. Estaban deseosos de saber cómo se había organizado la vida y cómo se había luchado en los frentes.

— ¿Y van a tener pan para todo el territorio rojo que están ocupando?

— Está previsto.

— ¿Y de dónde vamos a sacar el dinero para comprar las cosas?

— El dinero vendrá también.

Me enseñaban los billetes que tenían guardados para que yo les dijera cuáles eran los buenos y cuáles los malos. Después de esto, andando ya por las calles, creo que me pasé de la raya, porque en un tono ferviente e iluminado, les fui hablando. Me salían las palabras como

ajenas a mí mismo, como si las estuviera escuchando
yo en lugar de estar pensándolas y pronunciándolas.
Les decía que el que empezara de veras una vida nueva
en el pueblo dependía de nosotros. Que no podíamos
echar a perder tan hermosa oportunidad. Debíamos ser
intransigentes, sí, fanáticos si era menester, en la defensa de nuestra revolución, pero no nos estaba permitido
de ningún modo viciar ante el pueblo la fuente de una
posible regeneración. Todo tenía que ser hermoso en
adelante y no podíamos empañar el porvenir con nuestros actos. No sé de dónde me salían a mí aquella noche
tantos conceptos elevados que a mí mismo me sonaban
a sublimes. Sin embargo, cuando me despedí en la Plaza
de todos ellos con el brazo extendido y unas palmadas
en los hombros y me quedé solo, la primera palabra
que se me vino a los labios fue "cobardía".

"Estoy resultando un cobarde", me dije.

Entonces, en vez de irme derecho a casa, me fui al
Cuartel de la Guardia Civil.

— ¿Qué le ocurre? — me preguntó el brigada.

— ¿Me quiere enseñar la lista de los detenidos?

— Ahora mismo.

Había nombres que me sonaban perfectamente. Algunos incluso habían sido repetidos en las listas de los
anónimos y durante meses y meses los había repetido
yo en el frente. Y estaban presos. Mientras deletreaba
los nombres y los apellidos, me iba entrando una rara
flojedad en las piernas. Posiblemente a todos los que
triunfan plenamente en la vida les entra en determinado
momento esta rara flojedad.

El brigada era pequeño y con gafas, con cara de lis-
to. Tenía una voz aflautada. A este brigada le tenía
miedo Hécula entera. Sin embargo, otros guardias civiles grandotes y con cejas enormes se paraban hasta
a hablar con los niños en las puertas de las casas.

— ¿Ha estado Diógenes por aquí? — le pregunté.

— Ha estado varias veces. Vino, lo primero, a ofrecerse para todo lo que hiciera falta, él y todos. Y entre él y todos los demás la cosa va saliendo. Pero estoy deseando que lleguen. Y el alcalde, más.

— Es buena persona el alcalde.

— No se ha portado mal. ¿Y sabe quiénes realmente nos han prestado un buen servicio? Pues algunos rojos desengañados de todo, que vinieron primero a entregarse y después se han puesto enteramente a nuestra disposición para que la transmisión de poderes se pudiera hacer con toda normalidad. Ésos entregaron las armas por las buenas.

— Sin embargo, no habrá que fiarse.

— Yo no me fío ya ni del cuello de la camisa.

— A muchos me figuro que les va a valer de muy poco.

Hizo un gesto asintiendo. Por la puerta del cuartel pasaban un centenar de muchachos cantando y gritando. Salimos a la puerta. El brigada saludó a la bandera. Yo di un viva. Los muchachos prosiguieron calle adelante, ebrios de triunfo.

— Lo peor de todo — me dijo, ya dentro, el brigada — es cómo les doy de comer a los presos. Yo tengo que resistir hasta que lleguen las tropas.

— Ya falta poco.

— Pero están poco menos que a agua.

— A poco más está el resto de la población.

— Comprendo, comprendo, pero mi responsabilidad es mi responsabilidad.

— Esto yo lo solucionaba fácilmente.

— ¿Cómo?

— Pues muy sencillo; yendo a los comercios y pidiéndoles las cosas que tengan por las buenas. Si no hacen caso, se les registra y se les quita todo lo que tengan.

— En Falange también hay alimentos.

— Pero no seré yo el que se los pida siquiera, y menos para los presos. Dejemos la fiesta en paz, que todavía pudiera ocurrir algo desagradable. Y es natural. Picados es que no pagan. Y ahora los ves y están todos como si no hubieran roto un plato, con una cara de borregos moribundos, acusándose unos a otros.

Nos sacaron un trozo de caballa y media botella de vino. El brigada estaba muy locuaz. En pocas palabras me contó sus meses de odisea. Pero lo que más envidiaba en el mundo era a los que habían podido pasarse. A mí, particularmente, parecía que iba a adorarme. Y era, hasta cierto punto, muy lógico, porque él ya sería capitán por lo menos. Y habría sabido lo que había sido la guerra.

— También fue suerte la suya — terminó diciendo.

— Hombre, de suerte, regular nada más. Cuando yo hice aquello, ya estaba lo que se dice desesperado. Y fue cosa de minutos.

— ¿Y es verdad que dispararon contra usted?

— Varias veces.

— ¿Y estaba en relación ya con los del barco?

— Ellos estaban al quite mío como al de otro cualquiera. Ya habían recogido a otro de la misma manera. La cosa consistía en hacerse un poco familiar en el muelle. Yo creo que a mí me tenían por un golfo consumado. Por la mañana había intervenido en el asalto de una relojería. Cogí media docena de relojes y los regalé a quien me dio la gana. Luego, a esta hora sería, en el momento en que repartían el rancho a los milicianos que hacían la guardia frente a los barcos, me arrojé al agua. Todos los tiros que me tiraban, cuyas detonaciones me parecieron más que una traca, se me clavaban por la espalda. ¡Cuántas veces dentro del agua tuve la sensación de que el tiro ya me había entrado! Hasta veía a mi alrededor el agua roja, completamente roja. Cuando estuve en el barco y conté lo de mi familia al capitán, éste decía: "No tiemble, por favor. Para que lo echen a tierra tendrían que echarme a mí y a toda la tripulación." ¡Cómo me agarré a sus piernas! ¿Ha visto ese cuadro de la Samaritana o la Magdalena, no sé bien, a los pies de Cristo? Pues lo mismo.

En el cuartel se recibían continuamente recados. Eran mujeres o campesinos que venían diciendo dónde se había escondido fulano de tal o en qué sitio habían guardado unos pocos días antes de terminar la guerra ciertos paquetes misteriosos. Todo lo anotaba pacientemente un guardia jubilado, de largos bigotes blancos. Era un guardia que me volvía inconscientemente a la niñez porque me parecía estar viéndolo a un lado del altar de la Virgen del Pilar, vestido de gran gala. Al volverse el cura para decir "Dominus vobiscum" parecía que le iba a tirar del bigote. Telesforo, que así se llamaba, iba a quedar señalado sempiternamente como guardia civil de los de antes de la guerra.

La cara que ponía Telesforo cuando un vecino venía a delatar a otro, era una cara que no se me olvidará mientras viva. Era una expresión en la que se mezclaban el desprecio, el asco y, al mismo tiempo, la curiosidad y la pasión.

— Y le he dicho esto porque lo creo un deber de conciencia — decía el denunciante.

— Sí, lo más importante de todo es tener la conciencia tranquila — y chupaba intensamente el cigarro, tanto que el humo parecía poder cambiar en un instante aquel soberbio bigote blanco en uno castaño o rubio.

Lo más sugestionante de todo era ver en qué había parado el terror de Hécula. Hécula se había quedado como la bóveda de una iglesia después de un gran novenario, cuando ya el sacristán ha puesto la llave en la puerta principal. La misma oscuridad de Hécula, donde por temor a los bombardeos habían dejado la población a oscuras, parecía espesar el silencio.

La paz que había caído sobre Hécula era como una manta vieja y gastada sobre el cadáver de uno de esos locos suicidas a los que les da por tirarse puente abajo. La paz que había caído sobre mi pueblo lo iba a cubrir indudablemente de muchas traiciones y muchas ver- güenzas. Y por lo mismo que las miserias y las injusti- cias habían sido tan notorias y profundas, no iba a ser fácil inaugurar la paz con una túnica precisamente in- maculada. Mi mismo uniforme estaba pronto a man- charse y, más que por mala condición de mi ser, por precepto e imposición de las circunstancias.

Sonó el teléfono. Llamaban desde Turena. Hacía un rato, dijeron, que había salido el comandante que ve- nía a hacerse cargo del mando. Le acompañaban un capitán de la guardia civil encargado de los servicios de información, un policía militar y un enlace de la Falange.

— ¿Se viene hacia la carretera?—me dijo el brigada.

— Yo no, ya los cumplimentaré más tarde.

No dio tiempo de llegar a la puerta. En aquel justo momento entraban cubiertos de polvo aquellos repre- sentantes del Estado Mayor. Habían venido en un fur- gón. Cada uno llevaba una metralleta.

No puedo precisar bien si en aquel instante me sen- tí desconsolado o tranquilo. Más bien creo que me que- dé en un estado intermedio de vacilación, perplejidad y depresión.

Acaso había desaprovechado neciamente una opor- tunidad. O acaso la iba a poder encontrar recubierta con visos de legalidad y prudencia. Todo iba a depen- der de las próximas veinticuatro o cuarenta y ocho horas.

Quizá Diógenes iba a tener razón.

Mis primas no se dieron cuenta de que yo había en- trado. Si lo hubiesen notado, en seguida me habrían lla- mado. Alguien hablaba con ellas muy lento y monótono. Era su voz como el zumbido del moscardón cuando tro- pieza y vuelve a tropezar con la bombilla encendida o con los cristales del balcón. Era un rumor terco, meloso. Daba sueño escucharlo.

"Es don Roque, el arcipreste", me dije algo molesto. Sabía que me iba siguiendo desde que había llegado.

Don Roque había sido un gran confidente de mi madre. Sabía, poco más o menos, lo que iba a sacar de su charla. Paciencia, resignación cristiana. Acaso me iba a hablar de perdón.

Les decía a mis primas, como si estuviera leyendo una página del Año Cristiano:

— Eso es cosa que permite Dios. Hasta en las causas más santas tiene que haber siempre abusos, gente que no va por el puro ideal. Pero nunca hay que desconfiar. Siempre, Apolonia, es Dios quien tiene la última palabra. Y si hasta entre los nuestros habrá y tiene que haberlos, abusos, ¿por qué cerrarles las puertas de la misericordia a los que sabemos que iban por la senda equivocada?

— Pero es que es muy bonito — intervino Micaela — que ahora salgan diciendo que están arrepentidos. Póngase usted en lugar de mi primo.

— Me pongo, hija, me pongo. Y hablando como hombre, picados no pagarían.

— Lo de la pobre Rosa fue un crimen.

— Un crimen atroz — añadió él.

— Yo creo, don Roque, y se lo digo como lo siento, que no es momento para hablarle a Luis como usted pretende.

— Pero podéis insinuarle alguna palabra que lo suavice. Sobre todo, que no hable con la gente que, como decís vosotras, viene aquí a calentarle la cabeza. Y dejarle caer frases que le den un poco de serenidad. Si ahora nos cebamos en el caído, en cierto modo vamos a estropear, o por lo menos debilitar, la victoria tan hermosa que nos ha dado el Señor.

— Pero usted póngase en el lugar de mi primo — repitió Apolonia con voz patética.

— Me pongo.

— Todavía no ha ido ni siquiera a su casa — añadió Micaela.

— Lo que os digo os lo digo porque creo que debo decíroslo y porque vosotras sabéis que es mi obligación. Esta guerra será bendita si sabemos aprovecharla. Como enemigos fueron unos bárbaros, unos salvajes, pero quizá dentro de los planes de la Providencia resulte que han sido útiles. Necesitábamos un castigo.

— Pero Rosa no había hecho ningún mal. Todavía sus hermanos se habían metido en política y cabía el odio, pero ella...

— ¡Maldita política! — vociferó, algo exaltado, el arcipreste.

Se estableció un largo silencio. Casi oía claramente la respiración del arcipreste. También podía oír con toda precisión un lloro quedo de Apolonia y Micaela. Entre sollozos, sólo podían entenderse aquellas palabras:

— Rosa era muy buena.

— Rosa no hizo más que bien.

— Si queremos que Dios nos perdone, tenemos que perdonar. Nuestros enemigos nos han perseguido, nos han acorralado y seguido como a las fieras, a las que se les da muerte por gusto y placer. Pero Dios lo consentía. Por algo lo permitió.

— Pero también es justo que sufran su castigo.

— Eso es aparte. Pero que sean los tribunales. Tenemos en la mano la gran ocasión para convertir a muchos engañados, y si creemos de veras en el Evangelio...

— Llámeme hereje si quiere, señor arcipreste, pero yo no creo que Lucio, Evaristo y el *Seco* puedan convertirse. Eso no es posible.

— Para Dios no hay nada imposible.

— Pues yo no quisiera nunca que se convirtieran.

Esta afirmación trajo un nuevo y prolongado silencio, y de repente las dos mujeres rompieron furiosamente a llorar.

Entonces yo entré en mi habitación dando un portazo. Se produjo un silencio instantáneo y al poco rato Micaela apareció en mi cuarto. Venía secándose los ojos.

— Don Roque está ahí. Quiere verte — me dijo con mucho misterio.

— Decidle que cuando yo le necesite ya iré a verlo a la iglesia. Que tenga preparada una absolución.

Micaela se me quedó mirando y me dio pena. Al momento me arrepentí de habérselo dicho; pero con qué expresión la miraría yo, que no se atrevió ni a replicar. Dio media vuelta y salió, cerrando la puerta muy despacio, con mucho cuidado de no hacer ruido, como si saliera del cuarto de un enfermo grave.

De la habitación donde estaban Apolonia y el arcipreste ya no me llegó más que un cuchicheo dramático, y al minuto don Roque se despidió. Sólo pude oír la voz de Apolonia:

— La guerra, don Roque, la guerra... Dios nos remedie.

La voz del arcipreste se perdió entre el traqueteo de un carro y la voz de un hombre que gritaba: "El aguador, el aguador".

Cuando comprendí que el cura se había ido, me dirigí a la salita de mis primas, que seguían mascullando una extraña letanía. Yo mismo estaba violento y no hubiera sido capaz de quedarme solo en mi cuarto. Necesitaba saber lo que ellas me dirían. Pero yo fui el primero en hablar, fingiendo una dureza que estaba muy lejos de sentir:

— Ya lo sabéis, si os metéis en mis cosas y me organizáis embolados de esta clase, me iré de esta casa.

Ellas seguían llorando. Sin hacerles caso les dije que los curas donde estaban bien era en la novena y que después que los combatientes les habíamos sacado bonitamente las castañas del fuego, lo mejor que podían hacer era dejarnos en paz. Que no estaba dispuesto a aceptar la intercesión de ellas ni siquiera de las sotanas en favor de los criminales. Apolonia mascullaba algo como si rezase. Yo sólo le oía: "Ave María purísima, Ave María purísima"...

— Él quiere hablarte como sacerdote — murmuró Micaela —. Es su deber.

— Yo soy combatiente y para mí la guerra no ha terminado todavía.

— Ave María purísima, Ave María purísima — seguía Apolonia.

— Me tiene sin cuidado que hablen de conversión o no. Eso no les ha de quitar el plomo de encima.

— ¡Jesús, Jesús! No hables así, hombre. Si viviera tu madre...

— Claro, si viviera mi madre... — dije, y no sé ahora mismo si estaba riendo o llorando. Pero me salí a la calle corriendo.

L A liberación de Hécula se llevó a cabo con gran expectación y alboroto. Las tropas entraron dos horas más tarde de lo previsto, pero en compensación la gente del pueblo pudo ver con gran regocijo a unos cuantos moros y a una compañía de italianos. Delante de todos iban unos cuantos heculanos que se habían dejado crecer la barba y que desde lo alto de los camiones tiraban cajetillas de tabaco.

La muchedumbre tuvo que reconocer que sólo aquella victoria era posible y justa. Habían tardado en llegar, pero de eso nadie tenía la culpa más que el pueblo, que está demasiado alejado de las vías de ferrocarril y de las carreteras principales. Pero habían llegado.

El día de la liberación hice la gran sonada. Abrí las puertas de mi casa de par en par y en los balcones cité a todos los amigos que pude comprometer. Sobre la baranda del balcón extendí mi capote con la estrella de alférez provisional y a los lados, entre lazos negros, puse dos camisas azules.

En realidad sólo yo sabía que había un poco de fanfarronada en esto. Porque Enrique, por supuesto que sí, Enrique murió como lo que era, pero Pablo, aunque murió como falangista, no lo era. Dentro de su corazón había, creo que hasta el momento de morir, una gran duda. A mí me había preguntado varias veces: "Pero ¿tú crees que los falangistas son católicos de verdad?" Yo le había respondido que sí, que lo eran a su manera. Quizás esto le diera en la agonía una fortaleza que ni él mismo había sospechado. Pablo era un buenazo y en realidad a él no le preocupó la política más que en el sentido de que tenía que solidarizarse con la familia. Era como una cuestión de honor. El que era un apasionado y un loco por la Falange y nos metió a todos en el bollo, fue Enrique. Y dicen que cuando estaba en medio de la plaza y pedía agua, todavía, de rato en rato, susurraba: "¡Arriba España, Arriba España!".

Hécula, en medio de su exaltación, tenía una mirada y una palabra de veneración y gratitud para mí y los míos. Los veía pasar meneando la cabeza y seguramente evocando otros días grandes, en los que mi madre aparecía en medio del balcón sonriente y animosa. Cuando la patrona de Hécula pasaba frente a nuestra casa, ya era tradicional que nos la pararan unos instantes. Después de rezar una Salve de rodillas, invariablemente, mi madre gritaba con todas sus fuerzas:

— ¡Viva la Morenica!

Diógenes y los jefazos entraron un rato. Según me dijeron, allí se habían reunido varias veces después de las elecciones del 36 y era mi hermano el que recibía las hojas de propaganda, los cupones de suscripción, las porras y las pistolas. A Enrique nadie le habría disputado ser aquel día el alma de la liberación.

— ¿Sabes lo que podías hacer? — me dijo muy efusivo Diógenes —. Dejarnos la casa.

— Sería ideal — añadieron los demás.

— Pero ¿y yo?

— Tú vives en casa de tus primas. Y, además, podías quedarte con la parte que quisieras.

— ¿Y qué piensas poner aquí?

— Pues un local nuestro. Podíamos poner — y sonrió con ironía —. "Información e Investigación", por ejemplo.

— Lo pensaré.

— No tienes nada que pensar.

— Todos sois testigos — dijo Diógenes — de que ha dicho que sí.

El sol no logró abrirse paso en todo el día y las nubes, a fuerza de ponerse claras y casi transparentes, hacían daño a los ojos. A mediodía el bochorno era completo. Se estaba fraguando una gran tormenta. En Hécula las tormentas son terribles. Hay pocas, pero las que hay parece que vayan a romper la tierra en pedazos. De lo alto del Castillo bajan rodando los truenos y parece que arrastren trozos enormes de piedras y murallones enteros. Después de las tormentas, toda Hécula es un río fangoso, y en las huertas se forman unos lagos inmensos.

Que la paz era una cosa bella, justa y digna lo demostraba bien aquel griterío de miles de mujeres y niños que tan frenéticamente gozaban de la victoria.

Era una hora tensa y difícil. La gente había sufrido. Era como esa hora preliminar de la resurrección; pero las tinieblas se enseñoreaban aún del mundo. Más que de bienaventuranzas, de lo que se podía hablar en aquel instante era de agonías y calvarios. Faltaba algo para que pudiera efectuarse la redención de muchos espíritus.

Bien mirado, a la paz que llegaba no podían, no debían oponérsele serios reparos. La paz había llegado como una bendición. La paz estaba entre nosotros. Sólo se exigía una cosa; que supiéramos recibirla y abrazarla. Pero a la paz se oponen muchas cosas; principalmente se oponen los hombres, que positivamente no son pacíficos.

A veces los pueblos no quieren aceptar la paz que se impone por la vía pacífica. Sucede que a los pueblos les gusta esa paz cruel y tremenda que se impone por la fuerza. Lo cual no impide que luego la destierren también por la fuerza.

Y también ocurre que hay determinados tipos, como los heculanos, en los que abunda la imaginación excesiva y en quienes sólo la violencia da medida de la personalidad. Los heculanos son enconadamente religiosos. Los heculanos son también muy arbitrarios. En ocasiones los heculanos se comportan como individuos terriblemente improvisadores cuando, en realidad, hasta la más leve frase de indulgencia y hasta el insulto son fases de un pensamiento lentísimamente desarrollado. Los heculanos, para el bien y para el mal, son unos sujetos desorbitados, aparatosos, un tanto bárbaros.

No había más remedio que emocionarse. No era posible otra actitud. Era la decente y la más honrosa. Pero aún no podía pregonar a voz en grito lo que uno había puesto en contribución para que aquella algarabía fuese posible. Los heculanos sólo estaban dispuestos a admitir el dolor de los míos. Pero había más. Estaban también las dudas y escrúpulos en que se debatía mi alma, que, por una parte, no quería enturbiar la paz de todos con la cola de guerra que todavía se retorcía dentro de mí.

El pueblo madrugó. Vinieron gentes del campo. Una voz misteriosa había ido anunciando por las fincas la jornada de la liberación. Iban a oírse los tradicionales arcabuces, desfilarían por las calles representantes de las antiguas cofradías, estallarían en la calle de San Francisco largas tracas, y en la glorieta se quemaría un colosal castillo de fuegos artificiales.

La Misa de campaña se celebró en el jardín, y durante ella muchas mujeres se desmayaron. Unas decían que por hambre y otras que de emoción. A lo mejor era por las dos cosas juntas.

También el cura, quizá por la falta de costumbre, sufrió al *ite misa est* una especie de letargo que casi le hizo roncar de pie. "¿Por qué tardará tanto en dar la vuelta para la bendición?", se decían los heculanos. El pobre don Roque no era alma para momentos tan encumbrados. Las últimas avemarías las rezó el pobre con esa voz sonámbula que sacan los que están tendidos en la mesa del quirófano después que ya se han tragado una buena ración de éter.

Cuando, por fin, concluyó aquella interminable misa, en la que unas cornetas interrumpían el latín de vez en

cuando con la Marcha Real y otras marchas, don Roque
se volvió hacia el pueblo y, con la voz muy emocionada,
dijo:

— ¡*Aleluya!*

Don Roque se había inventado un nuevo ciclo litúr-
gico. Aquel *aleluya* no lo entendieron rectamente los
heculanos, porque una vez escuchado, se repartieron por
las calles escandalizando y barbarizando.

Yo no me olvidaré nunca de aquel atardecer san-
griento de abril en que las nubes del crepúsculo, sobre
las torres chamuscadas de la ciudad y las almenas resquebrajadas del Castillo, parecían grandes tiras de algodón en rama puestas sobre un herida descomunal.

Pero Hécula se tranquilizó pronto. Hécula entró en
la vida normal, todo lo normal que puede ser una vida
después de un desastre tan monstruoso.

Se iban acabando los desahogos, los abrazos en medio de la calle y los relatos morbosos. De los vivos se
sabía todo lo que se podía saber. A veces se sabía más,
incluso, de lo que se hubiera querido. De algunas vidas
comenzaba a saberse también más de lo que debía.

El vacío de los muertos era difícil de llenar, y los vivos afinaban los ojos y aguzaban los oídos para descubrir a sus verdaderos enemigos.

La fe de unos pocos era, yo creo, la que mantenía
intacta la victoria. Pero el gran contrapeso eran los
muertos. Los muertos estaban por encima, imponiéndose
en todas las deserciones, bastardías e inmoralidades.

En Hécula, más que en ningún otro lado, pesaban
los muertos. Los de uno y los del otro bando. La furia
parlanchina de los vencedores y el hosco silencio de los
vencidos giraba exclusivamente sobre los que habían
caído y los que seguían cayendo. El balance de una guerra no puede detenerse así como así. Las guerras traen
siempre mucha cola.

Todo esto lo escribo ahora y con relativa claridad,
pero aquellos días fueron para mí de una tensión ner-

viosa insoportable. Cada día me alejaba más de los grupos bullangueros y de los actos oficiales. Iba a tener que volver cualquier día a mi unidad, y me iría sin haber resuelto mi gran compromiso. Ni siquiera me había atrevido a conocer de cerca la cara de los que hicieron correr a mi madre y luego, como por broma, dispararon sobre ella a través de una puerta. En cualquier caso, debería empezar por los asesinos de mi madre.

A veces, paseando por las afueras de Hécula, me tocaba insistentemente la frente y la barba. Se me habían endurecido como el acero. Caminaba casi siempre solo, reconcentrado, con una altivez y una indiferencia por todo que a mí mismo me daban miedo. Ojalá me hubiera desahogado ya. Ojalá al llegar a Hécula me hubiera ido derecho a la cárcel.

Porque ahora todo se iba complicando mucho más. Ahora todos aquellos nombres de criminales tenía que verlos casi a diario. El Tribunal Militar había incoado el oportuno sumario.

— Están a su disposición — me había dicho roncamente el comandante del puesto —. Quiero decir que puede ir a carearlos cuando quiera.

— Ya iré, ya iré — contestaba yo.

En mi casa funcionaba una especie de cuartelillo en el que mandaba como dueño absoluto el camarada Diógenes. Cuando entré en mi casa, pasada una corta semana después del día de la liberación, el cambio y la transformación que había conseguido Diógenes me dejó atontado. Como en un sueño, Diógenes había reconstruido nuestro hogar y, con instinto maravilloso, no sólo había dado con los muebles y los cuadros, sino que los había colocado en sus verdaderos sitios. Era como una obra de magia.

— Algunas cosas estaban en casa de los vecinos — me aclaró el que hacía de conserje, un señor muy pequeño que tenía en el cuello muchos agujeritos negros. Era como si le hubieran echado una rociada de perdigones. Era inexplicable cómo por aquellos agujeritos no se le salía todo el aire de los pulmones.

— ¿Y los libros?

— Ya verá como no falta ninguno. ¿Sabe lo que dice la mayoría de los que vienen a traer las cosas? Que se las llevaron para salvarlas. Tiene gracia.

Tumbado bajo los pinos del cerro, me pasaba las horas meditando. ¿Qué podía hacer yo? Y tenía que hacer algo. Porque yo no era sólo un individuo que podía sentir esto o lo otro, sino que era un heculano que tenía que actuar y moverme según todo el pueblo esperaba de mí. Hécula tenía su ley y yo no era quién para saltármela a la torera. Mirando al pueblo desde la cumbre del monte, adonde llegaban aislados, nítidos, perfectos, los ruidos de los carros, de las herrerías, de los esparteros, de las serrerías, de los fragüeros, y en donde resonaban profundos, vibrantes, vagorosos los tantanes de las improvisadas campanas, lo que yo sentía por mi pueblo era un profundo y entrañable odio. Quería a Hécula, no podía dejar de quererla, pero no podía menos de tener presente que en aquellas rectas calles y bajo aquellos tejados se había maquinado y llevado a término el exterminio de mi familia. Porque no había la menor duda de que la orden de persecución contra nosotros había salido de Hécula. Los de Turena y Pinilla no habían hecho más que dejarse arrastrar por los heculanos. Clavaba los ojos en el edificio de la cárcel, donde llevaban algunas semanas ya varios de los culpables. Y era en algunos momentos incomprensible para mí que no se les pudiera atacar con bombas de mano, o que resultara horrendo entrar descargando el peine de una ametralladora. Era justo matarlos; pero no como yo quería; para saciar un deseo de matar que me había hecho hombre duro ante todos los peligros. Y ahora tenía que estar pulsándome interiormente, porque desconfiaba de mí mismo. Porque si una vez comenzada mi venganza me paralizaba, haría un ridículo colosal ante el pueblo. Y no

estaba seguro de tener fuerzas y ánimo para seguir hasta
el final.

Algo de fuera, algo externo, una sacudida, un arre-
bato, alguna complicación surgida fuera de mí, era lo
único que podía darme la iniciativa. El odio que me
bullía dentro no era bastante, al parecer, para lanzarme
a la acción. El desamparo y la soledad en que me habían dejado aflojaba todo mi furor y mi sed de venganza.

Desde arriba, Hécula me daba la impresión de que
olía mal. Olía como a cadáver desenterrado o a puche-
ro que se quema en la lumbre. Las columnas de humo
que se elevaban de las chimeneas y los remolinos de
polvo que danzaban por las calles, daban al pueblo un
aire grotesco y burlón.

Una a una repasaba las casas de mi calle y de las
calles vecinas y valoraba en ellas lo que podía haber
de júbilo verdadero. También desde arriba podían muy
bien abarcarse aquellas casas, dentro de las cuales seguía hirviendo con toda seguridad el brebaje de la dis-
cordia. Era fácil saberlo. En el pueblo se sabe siempre todo.

Desde lo alto del Castillo lo que mejor se domina
es el cementerio. Una de aquellas tardes, en vez de bajar
al pueblo, fui descendiendo por un caminillo serpen-
teante, que al mismo tiempo es canalillo para las torren-
teras. Todo el sendero estaba cubierto de piedras.

— Uno de estos días, temprano, quiero sacar a mi
madre — le dije al sepulturero, que me había estado
viendo venir durante un rato.

— Cuando usted quiera, pero habrá que tener algún
permiso.

— ¿De quién?

— Del juez — respondió humildísimo.

— ¿Tú no sabes que aquí quien manda ahora es el
comandante militar de la plaza?

— Usted traiga un papel, y yo se la saco.

El comandante militar de Hécula era un tío alto y

fornido, pero con una cara alargada y pequeña. Le gustaba mucho ir en mangas de camisa. Hécula no le resultaba un pueblo cómodo.

— Su pueblo es inaguantable — me dijo —. Porque aquí todo el mundo está peleado con alguien. No hay vecino que esté a buenas con su vecino. Este pueblo lo único que tiene de bueno es el vino.

— Algo más tiene, comandante.

El comandante militar, que se llamaba Fernando y que tenía un apellido muy ilustre, se aburría en Hécula. Lo tenían loco a base de reclamaciones, denuncias, saqueos y arbitrariedades. Los mismos oficiales suyos, tan atildados y correctos, habían empezado a beber y a jugar como condenados.

— Que le acompañe el juez militar y que se levante acta.

El juez militar era un chiflado por la genealogía y los escudos. Era de Gijón y se llamaba Casimiro. En el pueblo se decía que era marica, pero a mí más bien me parecía un tontaina malintencionado. Para él la única pérdida sensible del pueblo había sido algún lienzo que otro y dos tapices de uno de los palacios abandonados. Con el pretexto de que estaba muy ocupado, mandó a un sargento bastante bruto que me acompañara al cementerio.

No tenía más remedio que mudar a mi madre. Por ahí debía haber empezado. Mis primas me lo habían insinuado varias veces, pero con un pesar y una delicadeza que casi me hacían daño.

Hasta que no incorporara a mi madre al panteón de familia, sacándola de aquella fosa común donde la habían enterrado, no habría cumplido con mi primer deber. Esta misión pesaba sobre mí con una fuerza que no era necesario que nadie me la recordara.

Mi objeto al escaparme, como quien dice, del frente, el mismo día que se acabó la guerra, no era otro. Sentía como si mi madre me lo estuviera pidiendo y reclamando desde el otro mundo. Y, sin embargo, no había sido capaz de hacerlo en varios días. Había necesitado serenarme, pensar las cosas para limarlas poco a poco dentro de mí, como se liman las piedrecitas en el fondo del río, día tras día.

Aunque tenía que hacerlo también con mis hermanos, ella sola era la que me urgía a una paz mucho más importante que la de las armas. Sus huesos necesitaban estar en paz con la tierra. Debía alojarse allí donde estaban los hijos que no prosperaron y los abuelos que murieron de puro viejos. Aquél y no otro era su sitio.

Mis hermanos podían esperar más.

Al día siguiente, muy de mañana, nos plantamos en el cementerio. El sepulturero nos estaba esperando.

Junto a las tapias del camposanto hay unos pozos enormes, con escaleras y todo, de donde saca Hécula toda la arena y la greda que consume. En estos declives los rojos habían fusilado a unas treinta personas. En estos mismos fosos iban a venir a parar los que habían actuado de verdugos, más algunos otros de los que habían dado las órdenes de limpieza o habían firmado los simulacros de juicio.

Hécula siempre ha vivido en perpetuo vaivén de balanza. Todavía no estaba en el fiel. Ahora el peso debía inclinarse hacia ese vacío que habían dejado un centenar de muertos. Ahora otros hogares deberían experimentar la gravitación de la misma ley. Ahora con más razón y justicia.

Era bastante temprano. El sol iba como despertando las casitas desparramadas a lo largo del llano. Los olivares iban tomando su color y las viñas el suyo. De trecho en trecho había parcelas de tierra abandonada, y en los montones de piedra de sus ribazos se plantificaban estúpidamente esas parejas de pájaros, medio negros medio blancos, que van de un lado para otro coqueteando consigo mismos. A lo lejos se escuchaba el traqueteo de un carro que se hundía algunos instantes en el silencio y reaparecía retumbando sobre la tierra como sobre un tambor. Pajaritos menudos, medio amarillos, verdosos, rojizos, iban saltando de ciprés en ciprés.

El sepulturero nos precedía, escoltado por dos obreros, uno de ellos muy chato y con un bigote a lo Charlot. El otro chupaba un tallo de regaliz.

A la derecha del imponente cuadrilátero, había un terreno inhóspito y medio salvaje. El sepulturero se fue varias veces a derecha e izquierda, contando los pasos, y tanteando la tierra con la pericia de un zahorí.

— Aquí — dijo.

Los obreros empezaron a cavar, a cavar... Con paciencia y sabiduría, evitando los golpes fuertes.

Y, en contra de lo que yo me había imaginado, que había huido de esta búsqueda por lo horrorosa que me la imaginaba, el hallazgo no se hizo esperar mucho. La tierra era corriente, igual que otra tierra cualquiera, pero de vez en cuando aparecían, entre piedras y raicillas, algún trozo de musgo negro, algo que parecía tela descompuesta o carbón deshecho. No quería preguntar.

— Los cabrones bien pudieron, ya que hicieron la faena, meterla en su nicho, y no dejarla aquí como un perro — dijo el sargento de la auditoría, a quien visiblemente le desagradaba la escena. Tenía la mano puesta en la boca del estómago.

Los obreros ya hurgaban en la tierra con más cuidado. Estaban sudando. Uno de ellos llevaba la camisa con muchos remiendos. El otro, el chatillo, silbaba por lo bajo al coger la tierra con la pala. Había ya una calandria clavada en lo alto, triturando nuestro tétrico silencio con sus gorjeos.

"La vida sigue rodando — me decía yo —. Y todo sigue como cuando estaba ella. Y morirá también la

calandria. Y la tierra, y el aire, y el paisaje seguirán
igual, imperturbables, ajenos, como vagabundo que tira
al suelo una corteza inservible."

Ya se veía algo. Lo que se veía era un amasijo de
ropas negras y unos trozos de huesos como recubiertos
de papel arrugado y de vendas sucias.

— Ahora, con mucho cuidado — dije al sepulturero,
y él mismo bajó al foso y empezó a quitar la tierra con
la mano, con gran tiento.

— Tienes que ser fuerte — me dijo el sargento —.
Y que un crimen como éste esté todavía impune...

Pero yo sólo estaba pendiente de descubrir si aquel
bulto era auténticamente mi madre o no. Y sí que lo
era. Entre mil cuerpos destrozados y rotos, la hubiera
reconocido al instante. No habían llegado a destapar
más que la mitad cuando no tuve más remedio que ex-
clamar:

— Es ella.

Había como buscado el abrigo de la tierra y tenía,
aún enterrada, aquel modo peculiar suyo de encorvarse
un poco buscando calor y ternura. No sólo era aquél su
cuerpo, sino que era su gesto. No estaba allí nada suyo
que pudiera latir o hiciera pensar en un abrazo cariñoso. No estaba ni siquiera eso que llamamos alma. No
estaba allí ni siquiera su cuerpo entero, porque ya era
casi sólo un esqueleto protegido por las ropas; sin embargo, mi madre me estaba mirando.

— Se ve la mano de otro — dijo el sargento.

— Es el pie — aclaró el sepulturero.

No eran ni la mano ni el pie de nadie. Eran las asas
de un jarro de porcelana bastante antiguo, y un rollo
de cuerda.

El sepulturero parece que había presentido el momento en que aquel cuerpo saldría de aquel sitio para
ocupar el suyo verdadero y lo había dejado muy bien
colocado, protegido por ladrillos y piedras.

— Si ya lo dijimos entonces — decía en medio de la

fatiga que le daba su faena —. Podía enterrarse en su *apartado*... Pero como venían cuatro juntos, no nos dejaron.

Yo callaba. Aquello que me había imaginado siempre tan insufrible lo estaba soportando con inaudita serenidad. Efectivamente, mi madre eran aquellos despojos que ya no eran nada, ni polvo siquiera por algunos lados. Mi madre no podía oír ni verme. Ni podía darse cuenta de que yo la estaba mirando. Hubiera sido un grito falso el llamarla. Me estaba conteniendo. No tenía tampoco, creo, ninguna expresión de dolor.

— Si parece que está sonriendo — dijo.

— Tiene enteras las uñas y el pelo está muy bien.

Un ligero movimiento hizo que parte del pelo se desprendiera hecho simple pavesa.

No había exageración en aquello de que parecía que estuviera sonriendo. Había en ello una gran verdad. Yo la conocía muy bien. La conocía hasta en aquel estado y, desde luego, se podía asegurar que no había muerto airada y retorcida. Había muerto tranquila, estoy seguro.

"Probablemente — me dije —, murió pensando que su muerte valía muy bien que nosotros nos salváramos. Pero ahora ya estará enterada de la realidad. ¿Estará enterada de todo, de que ha acabado la guerra, de que estoy aquí frente a ella, que voy a llevarla ahora en un corto paseo junto a su marido? Desde luego, si está viendo todo lo que sucede, dirá que yo he sido el único que he tenido suerte. Y es que yo de veras que la he tenido. Porque más de una vez he entrado en acción medio "trompa" y he saltado de un lado para otro como un loco. Y nada. Y también mi salida de Hécula, a pesar de ser casi un niño, tuvo su picardía. Salí en un carro de los que van a Turena a vender tápenas y tapenones. Allí, dentro del carro, iba yo escondido entre orzas de aceitunas y barrilitos de pimientos y cornetas.

Al borde del foso estaba el féretro. Muy sencillo.

Como a ella le gustaron siempre las cosas. Buenas, pero sencillas.

Todo fue mucho más fácil de lo que podía esperarse. A la hora de entrar al cementerio mi madre ya estaba frente a nuestros nichos. Estaba allí tan resignada como cuando íbamos a la novena y esperábamos que el predicador subiera al púlpito. Se podía decir que estaba hasta contenta.

— Y esto, que es suyo — me dijo con un extraño júbilo el sepulturero echándose materialmente sobre mí. Me puso en la mano una sortija.

La soplé un poco del barrillo que la cubría y me la metí en un dedo.

El sargento de la auditoría y el falangista daban vueltecillas cortas y de vez en cuando encendían un pitillo. Hablaban en voz baja. También a ratos se entretenían leyendo las inscripciones de las lápidas. Yo también sentía curiosidad por volverlas a leer. Siempre me habían hecho gracia.

Por dentro cavilaba sobre qué inscripción pondría yo cuando ya hubiera juntado allí, con ella, a Enrique y a Pablo. Tenía que ser algo sencillo, pero fuerte. Algo que recordara a los heculanos para siempre que la guerra para muchos no había sido tan fácil como para tantos otros.

Ya el sol iba poblando el cementerio de muchos más cipreses de los que realmente tiene, porque a cada uno lo estiraba sobre tejados, losas y terraplenes su sombra partida en varias. El silencio era perfecto, abrumador. Era un silencio formado de muchos, de cientos, de miles de silencios.

El pico resonaba. Todo en los cementerios suena a hueco. Hasta la voz.

Unas asustadas arañas corrían por el nicho de allá para acá. Los albañiles las barrían con la pala. Luego salieron trozos de madera podrida. Luego, algún jirón de tela.

— ¿Y dice usted que aquí no está más que su padre? — preguntó el sepulturero.

— Nada más — respondí.

— Pues no puede ser — añadió.

— ¿Lo va a saber usted mejor que yo? — y el tono de mi voz lo dejó seco.

Apareció con sólo tirar de él un cuerpo metido allí dentro, de cualquier modo. Se veía bien claro que aquel esqueleto había sido metido allí dentro de prisa y corriendo, y sin cumplir ceremonial alguno.

Yo estaba tan asombrado, que no me atrevía ni a hablar.

Siguieron tirando de él hasta que lo dejaron en el suelo. A la altura de unos rosales. Por encima del muerto iban y venían unas moscardas azules, gordas y peludas. Eran de las mismas que rodean al ganado.

El sepulturero estaba un poco impresionado. No terminaba de explicarse aquello y le daba vueltas, como quien mira un pernil para ver si está bien curado o no.

Tanta sensación me había producido a mí aquella bárbara revelación que, instintivamente, como protegiéndome contra una gran desvergüenza o infamia, reaccioné haciendo mío el hallazgo.

— Sigan sacando lo que hay dentro. En ese ataúd está mi padre.

Y era cierto, porque en el lomo se veían las letras de plata, pegadas con un juego de clavitos. Ellos siguieron su tarea.

Al principio había sentido como un gran presentimiento. Me había dado la gran corazonada de que aquel cadáver, todavía no descompuesto del todo, pudiera ser el de un hermano mío. Si los criminales se habían tomado la molestia de dejarlo allí, era algo que yo nunca podía esperarme, pero que merecía, en medio de todo, cierta gratitud.

Pero rápidamente me convencí de que no era ninguno de mis hermanos. No lo era, porque no podía serlo.

Era un cuerpo demasiado grandote. Llevaba botas. Había sido enterrado en mangas de camisa. El tórax, esto es, el volumen del pecho y la cintura, no eran los de mis hermanos. Tampoco la cabeza. Ni la forma de las manos.

Parece posible poder pensar que no haya modo de establecer diferencias entre un muerto y otro muerto. Y es una gran equivocación. Los muertos son cada uno lo que fueron y sus esqueletos también responden a lo que han sido. Ni el talante de enterrado, ni la postura al morir, ni los residuos de las manos, de los pies, ni el hueco de los ojos y la expresión terrible de la boca, era de ninguno de mis dos hermanos.

Pero yo callaba. Aquello me había desconcertado completamente. No me atrevía a decir ni palabra. Era un muerto extraño, un intruso, alguien que había caído en nuestra sepultura como cae un borracho ajeno en el diálogo de dos amigos y no hay manera de darle esquinazo. Estaba allí porque lo habían metido, pero con conciencia de que ocupaba un lugar que no le pertenecía. Todo esto podrá parecer ridículo, pero es una verdad bien grande. Aquel cuerpo, que debió de ser fornido y que había entrado en la paz de unos muertos por la puerta falsa, como un ladrón o un ignorante que se pierde en el laberinto de una ciudad desconocida, había entrado allí tramposamente. El primer engañado se podría decir que había sido él mismo. ¿Desde cuándo en nuestro nicho podría haber un hueco para alguien que entra a la eternidad en mangas de camisa y con un cinturón de hebilla grande, con unas botas de suela de goma y una calva como mugrienta, y que se coloca sin la protección siquiera de un ataúd, aunque fuera sencillo, junto a seres que se han preparado la muerte casi con mimo? Era imposible.

La pareja quedó unida; mis padres volvieron a juntarse. Habían estado separados cerca de veinte años y, por fin, se abrazaban bajo la bóveda de un nicho que no era frío ni caliente y que no era ni eterno ni humano del todo. Era simplemente como una cueva. O un pequeño refugio para esperar a que pase una gran tormenta o un terrible bombardeo.

Antes de que los volvieran a encerrar en el nuevo ataúd a los dos, yo me acerqué y, muy dueño de mí, los besé. No sé dónde clavé el beso, porque cerré los ojos. Pero yo besé algo que tenía sabor a tierra, a soledad de agujero y a humedad de lágrima.

El sepulturero compuso y ordenó los restos como mejor pudo, respondiendo a una estética y a una distribución de partes del cuerpo no del todo exactas. Pero lo hacía con buena voluntad. Sobre todo, ponía respeto en ello.

— ¿Sabes lo que yo digo? — dijo el sargento —. Que lo mejor sería quemarlos.

Tan pronto como lo dijo, se arrepintió. Me miró y se dio cuenta de que se había colado. No era lo oportuno ni lo justo soltar aquello en aquel momento. Los muertos, aun en esqueleto, aun hechos harina, son algo más que ese montoncito de cenizas que ya se ha convertido en humo. De los muertos debe quedar algo, aunque sea una partícula ínfima. Quizás en esa partícula pueda quedar compendiado un mundo de comprensiones y afectos. Pudiera ser. También en el átomo — y yo no entiendo ni jota de estas cosas — dicen que está resumida la inmensidad del cosmos. ¡Cualquiera sabe!

— ¿Y estás seguro de que éste es tu hermano? — me preguntó el falangista de la capital.

— Claro que lo estoy — respondí rápido.

El sepulturero y los albañiles le daban vueltas al armazón enmohecido del cuerpo que, aunque parecía pesar mucho, se movía como una pluma. Fue el sepulturero el que primero se dio cuenta de una cosa importante. Dijo:

— Aquí tiene el tiro.

El tiro lo tenía casi al lado del orificio del oído. Había otra perforación por la mandíbula opuesta.

Todo coincidía, pero aquél no era mi hermano. Estaba seguro. Sin embargo, me pareció muy fuerte empezar a negarlo a voz en grito. Yo mismo, puesto que aquel cuerpo extraño había aparecido en mi nicho familiar, me sentía como cómplice e implicado en el secreto, fuese el que fuese. La cosa me cayó tan inesperadamente, que no se me ocurrió otra salida que decir que era mi hermano. Lo único que hacía era poner cara de asombro, como pensando: "Pero ¿cómo es posible que lo hayan dejado aquí...?"

Y como contra alguien tenía que arremeter, me encaré con el sepulturero.

— ¿Cuándo y cómo han traído a mi hermano...?

A lo que él respondía con una mueca de resignación, como dejando el diálogo para más adelante.

Los albañiles, sin esperar a más, empezaron a colocarlo como pudieron en el hueco que dejaba el ataúd de mis padres. Hasta el último momento, me dediqué a seguir la operación con toda minuciosidad, sobre todo examinando en aquel cuerpo la mayor cantidad posible de detalles orientadores. Quería que no se me olvidaran y los repasaba como se repasa una lección.

— Fíjate cómo se pueden cometer grandes crímenes.

— ¿Cómo? — pregunté al sargento.

— Pues así. Suponte que no hubiera sido tu hermano.

No dejaba de ser curioso que ante la mentalidad de aquel hombre, por cuya mano habían pasado y seguían pasando sumarios tan complicados — el sargento Nicolás era el encargado de poner al día los numerosos y abultados sumarios en los que se contaban con toda minuciosidad las muertes más estrafalarias —, se despertara repentinamente el instinto de lo anormal.

Con el palustre iban colocando los ladrillos y poniéndolos uno sobre otro, después de embadurnarlos de yeso blando, como quien prepara una tostada de mantequilla. Ya sólo quedaba un resquicio como el de una pequeña chimenea, y la oscuridad dentro del nicho se iba solidificando. El corpachón extraño se había quedado de guardia, a la entrada. Pero era una guardia que, en todo caso, defendía una causa que no conocía.

Mis compañeros ya estaban impacientes y nerviosos. Posiblemente hasta se sentían defraudados por mi comportamiento. Me había portado más frío y distanciado de lo que ellos se esperaban. Probablemente esperaban que sobre aquellos restos yo alzase la amenaza de algún juramento terrible.

De una cosa estaba muy contento: de no haberme inclinado a besar el corpachón adventicio y ajeno.

Todavía el falangista estirado y el campechanote del sargento, y yo, precedidos del sepulturero, volvimos a la fosa común para presenciar el cierre. La tierra caía en grandes paletadas, como cuando de niños jugábamos a esconder tesoros.

Eran las once cuando regresábamos al pueblo. Cuando entré en casa del sepulturero a darle unos duros para él y los albañiles, en un aparte le dije:

— Es raro que usted no supiera que lo habían metido allí.

— Yo estoy sólo desde el treinta y ocho. Hubo unos meses en que cada uno hacía aquí lo que le daba la gana.

— Y antes de usted, ¿quién estuvo?

— El *Lorito*.

— ¡Ah, sí! ¿Y qué ha sido de él?

— Lo mataron.

— ¿Quién lo mató?

— Los rojos.

— ¿Y por qué?

— Por fascista. Eso es lo que dijeron.

Volvía repasando todo esto. Meterse a escudriñar en los muertos es remover la vida en sus más inquietantes raíces. Y preguntarles a ellos, a los muertos, es quedarse sin respuesta.

Volvíamos bajo un sol de justicia. Fumábamos con una vehemencia insólita. El humo se llevaba las palabras con una presteza peregrina. Desaparecía en seguida en el aire.

Por el camino del cementerio venían cuatro hombres, pero no se veía más que a dos. Andaban con paso rítmico y nervioso. Llevaban una caja encima del hombro. Cada hombre había estirado el brazo para ponerlo sobre el hombro de su compañero. Iban ellos también como vestidos de muerto. La caja, de vez en cuando, crujía como si fuera a desenclavarse. Más atrás, corriendo, venía un muchacho con un pañuelo blanco apretado en la mano derecha. A pesar del calor que hacía llevaba una bufandita negra a la garganta.

Dejamos pasar la brevísima comitiva. De rato en rato, soltaban por lo bajo alguna palabra que sonaba ronca, y se paraban. Haciendo un gran equilibrio se cambiaban de hombro. Aquí terminó la jornada del día, mejor dicho, la jornada de la mañana.

Cuando mis primas se enteraron de que ya había trasladado a mi madre, empezaron a gritar y a llorar desconsoladas. Hubieran querido estar delante. Les dije que lo había hecho con toda intención, que no quería escenas. Cuando acabaron de decir: "¡Pobre Rosa, pobre Rosa!", se quedaron más tranquilas, preguntándome:

— ¿Y cómo estaba?

— Muy bien.

— ¿Y la has reconocido?

Les enseñé la sortija. Ellas la besaron como una reliquia santa. Micaela suspiró profundamente y murmuró:

— Si nos hubiesen dejado, nosotras mismas hubiéramos hecho que la enterraran en su nicho, que es lo menos que se podía pedir. Pero estaban como fieras. Antonio Ramírez nos lo dijo: "No digáis nada, que la cosa está muy fea."

Poco a poco les fue entrando una rara alegría. Se sentían felices pensando que ya estaba junto a mi padre, que tanto tiempo la había estado esperando. Allí, tarde o temprano, iríamos a parar todos.

— Y cada día — dijo muy exaltada Apolonia — me convenzo más de que todo esto de aquí abajo es mentira.

— Aquí abajo, unos y otros, todos van a lo mismo, a vivir bien — fulminó, excitadísima, Micaela.

Estas palabras tenían, en cierto modo, un sentido político. Casi venían a ser una especie de acusación. Mis primas son muy religiosas, están casi siempre enfermas y viven de una renta miserable. Para ellas, la guerra había sido el peor de los cautiverios, pero también el más bello de los sueños. Esperaban las pobres que a la hora del reparto a ellas les llegaría algún insólito bienestar, porque para eso habían sufrido tanto. Ahora comenzaban a palpar la realidad. Las pocas veces que les había conseguido regalados algunos víveres, gritaban:

— Si no fuera por ti...

Varias veces aquella mañana, mientras me desayunaba, quise contarles lo de aquel muerto desconocido que había aparecido en nuestro nicho, pero no me atreví. Me daba vergüenza decir que había hallado a mi hermano. Ni siquiera sabía fijamente cuál de mis dos hermanos, si Enrique o Pablo, iba a cargar, como vulgarmente se dice, con el muerto.

De tarde en tarde, sentado en la sala de estar frente a ellas, tuve que escuchar frases como ésta:

— Estás muy callado.

— ¡Estás muy pensativo!

Una de las veces no pude menos, y con acento muy lastimado y flojo, exclamé:

— ¿Cómo queréis que esté?

— Tienes razón, hijo — dijo Micaela.

— Lo único que podemos hacer es rezar por ellos. Es lo único — añadió Apolonia.

— Los que tienen que rezar por nosotros son ellos — aclaró Micaela.

Cada hora que pasaba, Hécula pesaba más sobre mí, mucho más. Ya iba siendo como una losa que tenía que quitarme de encima, porque, si no, acabaría asfixiándome. Tendría bien pronto que irme del pueblo o hacer algo.

Salí a la calle.

Por la calle principal de Hécula desfilaban unos centenares de niños y niñas cantando. Eran los "flechas". Venían de asistir a una misa de campaña.

Al marcar el paso levantaban un polvo como de fábrica de harina.

Hombres y mujeres se paraban en las esquinas para verlos pasar. Sobre todo los más menudos estaban muy graciosos. Cada uno se había colgado a la cintura un par de pistolas de juguete. Aquellos niños pisaban como si realmente estuvieran conquistando una ciudad. Las niñas estaban coloradas y sudaban.

— ¡Hola, alférez!
— ¡Hola!
— ¿Va un culito?
— Va.
— ¿Un purito también?
— Venga.

Diógenes estaba radiante, jovial, casi chistoso. Los camareros le obedecían ciegamente. Diógenes se iba imponiendo. Casi podía asegurarse que terminaría por ganar la batalla. Pero la pelota todavía estaba en el tejado. Él era muy falangista, acaso el más falangista de todos, pero no tenía toda la confianza popular. Era demasiado loco.

— Por cuatro juergas, que son cosas de la vida privada, se va a dejar uno quitar el mando por tres beatos de ocasión. Habrá leña.

Del regocijo pasó rápidamente al entusiasmo, y del entusiasmo al improperio y a la provocación. Llevábamos bebidos una docena de culitos de tinto. Para mí eran los doce primeros, para él debían de ser muchos más.

— ¿No sabes que esta mañana enterré a mi hermano? — le solté a bocajarro.

— Tú no habrás hecho eso.

— ¿Por qué?

— Porque yo tenía que estar delante. Tu hermano no te pertenece a ti. Tu hermano es el partido, es la fundación de nuestra idea en el pueblo. Enrique no se merece que lo entierren como a escondidas.

— No he hablado de Enrique.

— ¡Ah, bueno!

Respiró él. Y yo. No dejaba de ser también una gran ironía que Pablo, incluso muerto, siguiera siendo un elemento pacífico e inofensivo.

— A Enrique habrá que traerlo con todos los honores. Y ése será un gran día... Ya verás.

Me tenía la mano puesta encima y se veía que podía terminar muy bien mandando sobre mí. En cierto modo, perder el poco de libertad de que disponemos, a veces puede ser no tanto un placer como una solución al conjunto de perplejidades que aquejan siempre a hombres como yo. Hay hombres que nacen para ser mandados. Lo malo es que yo, que soy muy bueno para obedecer en una situación crítica, última, soy pésimo cuando se trata de solventar un conflicto de quítame allá esas pajas.

— ¿Sabes lo que vamos a hacer? — dijo muy mandón.

— ¿Qué?

— Irnos a comer juntos. Ya está bien de primas.

No estaba en disposición de llevarle la contraria. A veces, en la vida, uno se deja llevar; sabe positivamente que hace mal, pero no resiste la tentación de abandonarse en manos de quien, a lo mejor, internamente, nos fastidia.

Diógenes empezó en seguida a hacer planes para los

días siguientes. Era urgente que nos acercáramos a la capital. Había cosas, según su criterio, que no podían seguir en el pueblo como se venían enfocando. Para algo habíamos ganado una revolución. A Diógenes sólo una cosa le enfriaba todo entusiasmo. Estaba muy mal de dinero.

La comida fue brutal. Comimos y bebimos como animales. Entre plato y plato, Diógenes daba puñetazos en la mesa y gritaba:

— Ya que tú no lo haces, lo haré yo.

— Tú espera.

— Si viviera tu hermano, él sería el jefe, pero no estando él, quien manda soy yo. Y mi primera obligación es vengarlo.

— Hay que saber hacer las cosas.

— Tu hermano lo habría hecho por mí, y yo no quiero que él pueda reprocharme nada.

Al hablar de venganzas y represalias, a Diógenes se le alegraban los ojos y hasta se pasaba la lengua por los labios. Era aquélla una fortaleza suya a la que no podía renunciar. Los meses de encierro, en vez de reducirlo y amansarlo, como era claro que había ocurrido con otros, a él lo tenían totalmente perturbado.

— Es que tú, perdóname que te hable así de hombre a hombre, cuando comenzó el follón eras un crío. Tú no sabes nada. Sí, sí, tú has perdido a los tuyos, pero es que nosotros nos hemos dejado la piel en las esquinas. ¿Tú te das cuenta del valor y de los... esos que hacían falta para atravesar toda Hécula en un coche descubierto y disparando con una ametralladora a derecha e izquierda? Pues eso lo hicimos tu hermano y yo. Y lo hicimos porque había que hacer algo. Había que castigar al pueblo, al pueblo en conjunto, por haber consentido la quema de las iglesias y haber dejado arrastrar a los escolapios, y ellos, muy metidos dentro de las casas, más asustados que conejos.

Lo que a mí me seguía extrañando era la terrible

y fenomenal ceguera que había tenido que apoderarse
de mi hermano para tener que valerse de instrumentos
como Diógenes, que, si efectivamente eran duros de
pelar y violentos en la lucha, también es cierto que
eran hombres limitados y de pocas luces. Los hombres
como Diógenes podían ser instrumentos mecánicos uti-
lísimos para poner una revolución en marcha, pero pa-
decían de una atrofia radical para compensarnos de las
barbaridades y desafueros de los rojos. Teniendo delante
a Diógenes yo pensaba en los otros muchos camaradas
de mi hermano que ya habían celebrado varios respon-
sos y misas en su memoria. También le eran fieles, pero
no estaban dispuestos a llegar donde llegaría Diógenes
y otros como él. Quizás aquellos no valían tanto para
las explosiones de furia y los arranques bélicos, sin los
cuales, ciertamente, no habríamos ganado la guerra, y
quizá por eso valían más para la paz. Digo todo esto
porque por aquellos días, más de una vez, mi imaginación se escapaba de mi dolor personal y me pasaba las
horas pensando en el problema de mi pueblo. Esto que
entonces me parecía un recurso de mi cobardía, ahora
veo claro que era una afortunada inspiración. Pero los
hombres caminamos dando tumbos, y cuando compren-
demos por entero el sentido de las cosas, a veces ocurre
que es demasiado tarde.

— Entonces, quedamos en eso.

— Quedamos.

— A las siete te recojo y vamos a la cárcel.

— Estaré, no te preocupes — le respondí.

Todavía en un bar céntrico tomamos café y una
copa. Que Diógenes sintiera aquella especie de desprecio y olvido por mi otro hermano, era algo que me causaba un profundo malestar. Yo no niego que Enrique
fuera más combativo, más apasionado. Tenía más personalidad. Pero no sólo cuentan en la vida la exaltación
y el ímpetu. Pablo era más callado, más lento, más
zalamero y bonachón, más infeliz y buena persona; pero

era de una bondad tan elemental, tan natural, que era un gran pecado no ver en su muerte, dada por la espalda, a él, que en el fondo era tan miedoso, un crimen mucho más imperdonable incluso que la muerte siniestra administrada a Enrique. ¡Si sabrá un hermano distinguir entre dos hermanos y como si fuera posible separar a Pablo de la verdadera y sencilla felicidad que en contados días reinó en mi casa!

Sentado en aquel café, donde medio señoritos y medio labradores jugaban estruendosamente al dominó, oyendo a Diógenes, que, como chiste gracioso, me contaba al detalle cómo él había empezado a encararse con todos aquellos a los que se la tenía jurada, llegué a sentir por primera vez como una especie de llamada religiosa. "Si yo fuera capaz, me decía, de dar al traste con todo lo pasado, echar borrón y cuenta nueva, sería admirable." Al mismo tiempo pensaba en mi madre y en aquel muerto forastero que se nos había colado en lo más sagrado de nuestro secreto familiar y reflexionaba hondamente sobre cuál sería realmente el paradero de los muertos. ¿Estaban muertos, muertos del todo, muertos y sin más, o habían sobrevivido al terror de morir con el saludo a un nuevo género de vida donde mártires y verdugos pueden sentarse en los mismos escalones? Con tan pocos años como habían pasado, y hay que ver lo poco que quedaba ya de mi madre... Diez años más, y las partículas de polvo de lo que fueron manos y cara de mi madre serían algo tan reducido y minúsculo que podrían pasar inadvertidos encima de un pueblo antiguo.

Diógenes no quería soltarme. Tenía ganas de confidencias. Había en él, ahora lo comprendo, un ansia malvada de exaltación y de cínico desafío. Recuerdo que me preguntó:

— ¿Y estás seguro de que el que ha aparecido en el nicho era tu hermano?

— ¿Por qué lo preguntas?

— Porque podía haberse tratado, por ejemplo, de un crimen, y entonces deberías haber dado parte de ello.

— Era mi hermano.

— ¿Lo has reconocido bien?

— Todo lo bien que se pueden reconocer estas cosas.

Diógenes reía. Hablar de aquello le excitaba. Tenía ganas, se le veía, de revelarme un secreto, pero no se atrevía. Había algo raro en el modo de hablarme de aquello. Por no sé qué temor o vergüenza, yo preferí no indagar. Fingí una conformidad que no sentía.

— Esto quiere decir que lo mató gente de Hécula. Lo mataron y lo trajeron. El sepulturero me ha dicho que durante muchos meses el cementerio estuvo al arbitrio de ellos enteramente.

— ¿Pues sabes que te han resuelto un gran problema?

El modo de decir aquello me hizo, no sé por qué, sospechar una monstruosa culpabilidad. Pero esta impresión no podía tomarla en serio. Diógenes era uno de esos tipos que allí donde estén cargan con todas las responsabilidades. La gran sorpresa está en que de tarde en tarde estos tipos también son capaces de realizar alguna hermosa hazaña.

Nos despedimos hasta las siete. Al entrar en casa de mis primas, el cura salía. Me saludó con mucho respeto, pero desde lejos. Probablemente me habían visto llegar.

Me encerré en mi cuarto y me tendí en la cama. Me sentía un poco mareado. Mirando hacia los retorcidos travesaños del techo, recuerdo perfectamente que estuve repitiéndome durante un largo rato que por donde había que empezar a desenredar la madeja era por Diógenes. Y lo que más me molestaba era que Diógenes nunca me hubiera considerado. Siempre me había tenido por un crío. Me creía ingenuo y despistado. Al mismo tiempo creo que me tenía cierta envidia. Simplemente por haberme visto llegar de oficial.

"Algún día, llegué a decirme, Diógenes y yo tendremos que enfrentarnos. Tarde o temprano, chocaremos."

Esto era tan evidente como que el antiguo somier de la cama hacía un ruidito extraño, como si el simple latido de mi corazón bastara para balancearlo.

Mis primas empezaron a rezar el rosario. Había días que rezaban tres.

A las siete en punto llegábamos a la cárcel. La custodiaban soldados de una división navarra. También en la puerta había algunos falangistas. El primero que se nos acercó, al vernos llegar, fue el brigada de la guardia civil, que estaba allí como de paso. Pero yo en seguida me di cuenta de que Diógenes le había dado a la lengua. Este guardia civil me inspiró cierta tranquilidad.

— Si necesitan algo de mí... — dijo.

— Sí, sí, nos va a acompañar — respondí.

— ¿Queréis que entre con vosotros? — vino, cuando ya cruzábamos hacia la puerta interior, un falangista pequeño y achaparrado.

— Déjelo pasar — dije al sargento de la puerta.

Cruzábamos un pasillo alto y oscuro. Al final del pasillo un centinela estaba chupando una naranja. El sargento metió una llave y zurrió un cerrojo imponente.

Ya estábamos dentro. Se olía fuertemente a rancho y a orines. Pero no era aquel olor excremental el que me detenía y me iba tirando hacia atrás, sino el temor y el respeto extraños que inspiraban todos aquellos seres, como bestias que permanecieran en silencio dentro de sus cubiles, acorraladas y recelosas. A uno y otro lado de una gran sala con el suelo de cemento había una docena de calabozos precintados con planchas de hierro; en cuatro de ellos la mirilla estaba echada. El primer sumarísimo de Hécula ya había condenado a tres hombres y a una mujer a morir algo mejor de como ellos habían matado. Pero ninguno de ellos me concernía a mí.

La atmósfera que se respiraba en esta gran sala, en donde para unos la suerte estaba echada y para otros lo estaría muy en breve, era de un espesor espeluznante. El silencio se podía cortar a hachazos. Sin embargo, dentro de los calabozos había hombres. Sólo de tarde en tarde se escuchaba un leve carraspeo, algo así como si un gusano corriera disimuladamente por los rincones. También una tosecilla imperceptible era como el ruido que pudiera hacer el cemento al secarse dentro de los ladrillos de un edificio nuevo.

A algunos de aquellos hombres los conocía yo de algo más que de nombre. Eran los tipos temibles y peligrosos cuyos nombres, desde pequeño, había oído pronunciar en mi casa y que cuando los había visto por la calle los había seguido con los ojos un rato, queriendo guardarme para siempre sus figuras. Alguno de ellos tenía una pinta normal.

Cruzamos un pequeño patio y, tras los barrotes de las ventanas, aparecieron unas cuantas caras desencajadas.

— Ahora están callados como putos — dijo Diógenes —, pero tan pronto como desaparecemos se cagan en la madre de todos nosotros. Fíjate qué tipos.

Saqué un papel del bolsillo y fui diciendo unos cuantos nombres, con sus correspondientes motes. Yo los decía por lo bajo y el sargento los gritaba.

En las habitaciones se rebullían como el ganado cuando trepida la tormenta. Se escondían como animalejos. Un soldado los fue sacando a empujones.

De momento yo había reclamado a cinco.

A todo esto el brigada de la guardia civil vino por detrás hacia mí y poniéndome la mano en el hombro, me dijo por lo bajo:

— Nada más que los vea, yo le diré cual de ellos será el que cante. De esto sé yo un rato — agregó meneando sabiamente la cabeza —. Ésta me juego si me equivoco.

Entre Diógenes y el brigada yo me quedaba con aquel falangista entusiasta y piadoso que hacía grandes esfuerzos por mantenerse de pie. La impresión que a mí me producía es de que se estaba orinando encima.

Por las ventanas se veían unas bombillas tristísimas.

Sobre todo quería saber yo cómo eran de cerca los que me habían dejado sin madre. Quería examinarlos, dejarlos hablar, esperar a que se explicaran, obligarlos a confesar. Los quería ver confundidos, arrepentidos, humillados, dolidos. Pero tenía miedo de no saber mostrarme duro y fuerte. Porque acaso iba a ser necesario que yo los abofeteara y los pisara. Más que nada, sentía curiosidad por dar con el que había disparado a través de la puerta. ¿De dónde se habían sacado los vecinos que uno de los culpables había dicho: "Ya veréis qué susto le doy"?

No eran unos mozalbetes. Eran unos hombres hechos y derechos. Había uno excesivamente alto, muy pálido y con una nuez que le subía y bajaba medio palmo al tragar saliva. A otros les temblaban los labios o se retorcían las manos puestas en la espalda.

— Oído al parche — dijo Diógenes en un tono medio jocoso medio amenazador.

— Firmes — ordenó el brigada de la guardia civil; y comenzó a pasearse lentamente por detrás de ellos.

— Al que mienta, le pisaremos las tripas — añadió Diógenes.

Ellos permanecían inmutables. Era como si la misma escena se la supieran de memoria. Hasta parecían sonreír de un modo imperceptible.

Me iba invadiendo una rabia sofocadora.

— Tú — dijo Diógenes dirigiéndose al primero de la fila, un tipo algo chepado, de mirada tristísima —. ¿Tú sabes quién es este señor que está a mi lado? — y la frase la fue soltando despacio, mirando fijamente a los ojos del preso. El preso levantó con recelo los ojos hasta mí y me miró. Si me hubieran dicho que él había disparado sobre mi madre, aun con eso no tendría yo fuerzas para hacerle nada. Era un ser tan lamentable, que me estaba dando una gran pena.

— Yo no lo conozco — dijo, y apenas pudo terminar la frase. Diógenes cayó sobre él.

La fila se rompió. El guardia civil, con su sola presencia, la alineó por detrás en seguida.

— Será mejor que cantéis sin necesidad de batuta — dijo el otro falangista, que era muy amigo de mi hermano y que hasta entonces no había dicho ni palabra.

Diógenes pasó al segundo. El segundo era un muchacho con cara de lelo, que mantenía la boca medio abierta. Tenía dos o tres cardenales en la cara.

— Y a ver tú cómo te portas, que no estamos para bromas. ¿Conocías a Rosica la Mayordoma?

De repente se puso pálido. No se esperaba esta pregunta. Tragó un poco de saliva y fue deletreando.

— La conocía de oídas.

— Conque de oídas, ¿eh?

La cara de los demás presos era un tormento de expresiones, un tormento que no producía más que asco. Se los veía confundidos, sabiendo que cada uno tendría que responder algo, lo que fuera, ante el nombre de Rosica la Mayordoma. Se los veía prepararse ya penosamente una respuesta.

Diógenes no estaba todo lo excitado que yo me esperaba. Más bien había sacado de su personalidad un registro nuevo que consistía en una calma y una sangre fría verdaderamente desconcertantes. Prosiguió con el segundo:

— ¿Y estás enterado por casualidad de lo que pasó con Rosica la Mayordoma?

— He oído decir que la mataron.

— Conque ¡lo has oído decir!

— ¿Y dónde, si se puede saber?

El preso segundo creía estar saliendo del atolladero.

Poco a poco hasta parecía que estaba comenzando a adquirir cierta desenvoltura.

— Por el pueblo — replicó muy sereno.

— Conque ¿por el pueblo?

— Sí, señor.

Diógenes, sin esperar a más, le dio una patada. El preso segundo cayó a tierra con las manos puestas en ese sitio y quejándose. El guardia civil se acercó a él y con voz muy suave le dijo:

— Levántate y será mejor.

Diógenes suspendió unos instantes la técnica de su interrogatorio. Miró hacia los presos y escupió. Después, muy tranquilo, dirigiéndose exclusivamente a mí, dijo:

— Es que no han entrado en situación todavía.

De todas maneras, Diógenes conservaba un tono sereno dentro de su violencia. Se veía que con el próximo habría de llegar más lejos, pero sabía contenerse.

El tercero era un muchacho muy alto y delgado, con unos pómulos muy salientes y grandes ojeras. Tenía el pelo ondulado. Estaba muy encorvado hacia delante, como si hubiera llevado toda su vida grandes pesos a la espalda.

— Vamos a ver, angelito — dijo calmoso Diógenes. ¿Quién mató, mejor dicho, quién disparó a través de la puerta de la casa del señor? — y me señaló a mí.

El preso levantó muy lentamente los ojos y me miró.

— ¿No conoce al señor? ¿No sabe dónde vivía el señor? ¿De veras que no conocía a los hijos de doña Rosa?

Los ojos de los demás detenidos estaban fijos en mí. Yo los miraba uno a uno, avergonzado. Era como si me estuvieran matando personalmente a mí mismo. Era como si fuera yo el culpable y el interrogado. Hacía grandes esfuerzos por no gritar: ¡basta!

De repente, Diógenes dejó a aquel muchacho y se dirigió flechado al que estaba en la punta, un tipo gordito, seboso. Lo agarró fuertemente de la solapa y después de zarandearlo, le gritó en la misma boca:

— ¿Quién de vosotros fue el que disparó?
— Yo no sé nada — respondió muy enérgico.
— ¿Quién mató a la madre del señor, digo?
— Yo le digo que no sé nada.
— Conque ¿no sabes nada?

Diógenes se abalanzó sobre él y, en menos de medio minuto, lo tiró al suelo. Diógenes cayó encima del preso y, sujetándolo fuertemente, y poniéndole una rodilla encima, le gritaba:

— Conque ¿no sabes nada? Pues lo vas a vomitar. Conque ¿eres inocente? Pues vas a morir como un palomo. Sois todos unos hijos de perra y os vamos a colgar.

El detenido respiraba fatigosamente y, entre hipos contenidos, como los de un niño, decía:

— Yo no fui.
— ¿Quién fue? — gritaba Diógenes como un loco, zarandeándolo como a un pelele.

El sargento y los soldados retiraron a los demás presos.

— Te conviene cantar, o morirás como un conejo — le susurraba Diógenes al oído con voz ronca.

En esto cruzó el patio don Roque. Llevaba un cabo al lado. Primero hizo como que no nos veía y, después, como excusándose, dijo:

— ¿Es éste el enfermo por el que me han llamado? — y al decirlo se veía que usaba cándidamente un truco pueril.

Diógenes soltó al preso. Tenía sangre en la boca. Exagerando la cosa se puso a escupir en un rincón. Entonces el cura, después de mirarnos a todos un segundo, otra vez al lado del cabo, siguió adelante metiéndose por una escalerilla que conducía a la enfermería. Cuando don Roque se hubo perdido, el sargento, muy confidencialmente, nos dijo:

— Si por mí fuera, aquí no entraría más que para dar la Extremaunción. Y ese preso llevaba camino de hablar...

— Otro día será — replicó, muy malhumorado, Diógenes.

Quiera que no, a mí me había quitado don Roque un gran peso de encima.

"Estoy resultando un tío blando", y esto, en vez de amargarme y entristecerme como otras veces, me tranquilizó. Me confesé a mí mismo que yo sería capaz de cualquier violencia espontánea y personal. Pero decididamente los interrogatorios me molestaban.

Me alegraba de que Diógenes hubiera tenido que interrumpir todo aquello. Me alegraba egoístamente, porque no podía más.

Sin embargo, nunca me agradaba la presencia de don Roque. El cura era bueno, sencillo, pero su naturaleza física tenía algo de indigesta. El color de su carne repugnaba. Tenía la costumbre de tirarse de los pelillos de la nariz y, al mismo tiempo, parecía olfatearse las yemas de los dedos.

— Los curas deberían estar en la sacristía — comentó Diógenes, y el sargento le dio una palmada, añadiendo:

— Y que lo digas.

El centinela se llevó al preso por una de las puertecillas laterales. Salimos. Al cruzar la sala donde estaban los incomunicados con un soldado, fusil ametrallador al hombro, que paseaba por delante de las puertas de los calabozos, escuchamos a uno que gritaba con una voz que parecía rompérsele en trozos. No se sabía bien si era hombre o mujer quien escandalizaba de aquel modo.

— Quiero ver a mi madre, quiero ver a mi madre, quiero ver a mi madre — decía.

Yo no me atrevía a decir palabra. Estaba malhumorado. Me avergonzaba aquel jadeo de Diógenes, que, por brindarme la reparación y el desagravio de mi familia, se tomaba aquellos trabajos. Quizá fuera necesario que yo me mostrase más fuerte. Porque yo sólo había sido resistente luchando, tirando bombas de mano, dándole frenético al gatillo de la ametralladora, arrastrándome bajo las alambradas, pistola en mano, gritando a mis soldados: "A por ellos, muchachos, duro, adelante, como sea." Entonces sí que había sabido imponerme. Y todo había sido muy fácil, espontáneo, natural. Pero ahora me deshacía, me ablandaba, no podía mantenerme en mi puesto. En cambio, Diógenes, que no había estado en el frente, que se había pasado los meses tapiado detrás de un gran armario, bajo el hueco de una escalera, metido dentro de una tinaja; Diógenes, que había sido perseguido como una alimaña, que había salido de los escondrijos con unos cuantos dientes de menos (por no usarlos decía), sacaba ahora una fortaleza y una sangre fría enormes.

— Convéncete que todo esto es necesario — me decía.

— Ya, ya.

— Si los dejamos, nos comerán.

— Claro.

— Y tenemos una obligación, además. Porque el pueblo espera que se haga justicia. El pueblo, aun los mismos rojos, se sentirían decepcionados si nos ablandamos. ¿No te parece?

— Por supuesto.

Pero yo estaba a punto de llorar, y la cara de los presos, sus gritos y todo aquel clima tenebroso y deprimente de la cárcel, me ahogaba. Casi podría asegurar que en aquel momento estaba mareado. Mareado, que era algo que no me había ocurrido ni viendo a los heridos con las tripas colgando, arrastrándose por los rastrojos, ni presenciando ejecuciones. Entonces comprendí la diferencia que había entre Diógenes y yo. Comprendí también que la guerra había sido peor para él. La guerra es peor para el que está en retaguardia, acosado y martirizado en frío, que para el que sale a luchar en campo abierto. Yo había perdido a los míos de la mane-

ra más horrible; pero había estado en el frente, donde se
mata y se muere de una manera sana y saludable. Yo no
podía casi comprender las truculencias. Y por eso era
mayor mi desconsuelo. Si yo hubiera estado también
metido en una vasija, como Diógenes, quizás ahora también tendría capacidad para el odio. Y la venganza me
serviría de desahogo. Pero yo no podía, estaba claro.
Y pensando estas cosas me entró una pena horrible por
Diógenes y por todos los que, como él, habían conservado la vida a costa de almacenar odio.

Al salir de la cárcel nos encontramos con una larga
procesión de mujeres que, de dos en dos y de una en
una, subían de las Monjas. Subían con el velo puesto
y la silleta en la mano. Miraban con gran curiosidad
a la puerta de la cárcel. Al verme a mí y a Diógenes
juntos se pararon algunas de ellas en medio de la acera
a hacer sus comentarios.

Diógenes dijo:

— ¿Dónde habrán tenido la silleta todo este tiempo?
Contra éstas sí que no hay quien pueda.

— Pero este pueblo es de lo más beato que yo he
visto, y eso que soy de Tudela y estoy curado de espan-
to — agregó el sargento.

Los centinelas piropeaban con gran descaro a las
mujeres y hermanas de los presos que, en fila, esperaban a que les admitieran las cestas con la comida. Un
cabo iba registrando las cestas y dejaba a un lado todo
aquello, botes, panes enteros, tortas, que exigía un exa-
men más detenido.

— A ver si luego se confunde — gritaba la mujer.

— A ver si crees que nos vamos a quedar con ello
— dijo uno de los falangistas que hacía guardia en la
puerta —. Nosotros — añadió —, gracias a Dios, comemos todos los días.

— Pero es por si se mezcla — agregó una mujer ya
vieja.

— ¡Qué poco os acordáis ahora de que vosotros ni

siquiera dejabais pasar ni esto! — y se mordió la uña
haciendo un guiño cómico.

— Pues mi marido... — comenzó a comentar una —
cuando juzgaron a Perico el de los Relojes...

— A callarse he dicho — fulminó el cabo, y todo el
mundo guardó silencio.

Diógenes y yo subimos calle arriba. Un carro se
había atascado en medio del carril y el jornalero tiraba
de las varas dándole puntapiés a la mula en la barriga.
La mula cada vez estiraba más las orejas, pero no arran-
caba. El jornalero soltó una blasfemia.

— Anda, di eso otra vez — le dijo Diógenes cogiéndole brutalmente del brazo.

— Perdón, perdón — reclamó el jornalero —. De
verdad que no sabía lo que decía. Es la costumbre,
¿sabe? — y puso una cara tremenda de lástima.

Seguimos andando. En la placeta de San Pancracio
nos encontramos con una procesión que habían improvisado los niños. Llevaban en andas de palo unos san-
titos de barro, muy coloreados. Los pasos iban ilumina-
dos. Detrás de la procesión iba un niño revestido de cura,
con sotana, alba, capa y bonete. Después venía una compañía de niños soldados que marchaba siguiendo el ritmo
de un tambor y cornetas. Las mujeres salían de las casas
y se reunían en grupos, diciendo:

— Y todo esto, que es tan hermoso, es lo que nos
querían quitar esos demonios.

Hécula se recoge temprano. En Hécula, al llegar la
noche, lo único que sobrevive es el latido de los botes
de carburo en las entrañas de las cuevas, donde la llama
ha trazado en los techos pinturas extrañas y desconcertantes. También sobrevive el candil, sabio y ultraterreno,
colocado en las cornisas de las casas de campo. Del mismo modo sobreviven las bombillas de veinticinco que
alumbran partidas de baraja o dominó, donde curas y
labriegos se juegan el jornal de una semana o la misa
cantada del domingo. Toda Hécula, de noche, es rescol-

do de luces escondidas, luces lóbregas que chorreaban al atardecer un desconsuelo angustioso y enfermizo. Las pobrísimas cocinas de las casas, las salas inmensas del dormitorio del asilo, las celdas de la cárcel, la soledad de las desconchadas sacristías, los cuartitos lacrimosos de las tabernas, la patética y vulgarísima iluminación de los escaparates: todo ello vivía en aquel momento su hora más triste y aburrida. Se puede caminar por Hécula con los ojos cerrados, porque uno ya sabe la palabra y la pisada que se encontrará en cada esquina, porque Hécula vive rutinariamente sus atardeceres ya hechos hace mucho tiempo ceniza, sangre y sombra. Lo único que puede evitar la ocre monotonía del atardecer es la rauda, monstruosa y hasta refulgente proclamación de algún nuevo y desnudo dolor. A esa hora salen de detrás de las grises, verdes, rojas puertas, ojos fisgones y fosforescentes atisbando el drama, el inesperado y enorme drama que supere el cansancio de la propia pena. ¡Qué difícil es allí imaginarse a esa hora una alegre noticia!

Al pueblo le gustaba verme junto a Diógenes. Porque Diógenes era indudablemente un valentón y de su compañía habría de sacar yo la fuerza capaz de colocarme a la altura de las circunstancias.

— No habrá que repetir la rueda muchos días — decía —. A la próxima yo te respondo de que sacamos el hilo. Y entonces todo será fácil. Esta noche yo hablaré con el teniente auditor. Es muy importante el incomunicarlos. Tú no sabes cómo los desorienta eso.

Las casas parecían tumbas que se abrían, y de algunas salían miradas hirsutas de fieras que presienten un festín. Por otras, asomaban unos ojos taponados de miedo, como de bestia que se resigna ya a no encontrar escapada. Un vaho denso y fuerte, como vapor de alcohol, iba poco a poco fundiendo unas miradas y otras en nebulosa funeraria.

— Mañana lo haremos de noche. Es mejor. — Y luego, más adelante, agregó —: No lo dudes. Si tú hubieras

sido el caído, tu hermano ya habría resuelto la cosa.
Además, no hace falta hacer nada. Las cosas se hacen
solas.

Fue entonces cuando, sin venir a cuento, repentinamente, se me ocurrió decirle:

— Oye: ¿y si el que hay enterrado junto a mi madre
no fuera en realidad mi hermano?

— No gastes bromas — dijo, y se quedó sonriendo
de una manera extraña —. Pero ¿quién iba a ser? —
añadió. Y lo repitió varias veces.

No sé por qué me entraron aquellas ganas enormes
de lanzarme sobre él y zarandearlo como él había hecho
con el preso. Al reír, Diógenes ponía los labios lisos y
tirantes hasta dar la impresión de cintas de goma muy
estiradas. Y esto, que podía darle expresión de niño
tonto, se la daba más bien siniestra.

Hécula le temía. Diógenes podía más que yo con mi
uniforme y mis atuendos de ex-combatiente. Seguramente muchos pensaban que yo no había hecho la guerra. Estaba como apagado. Todos los saludos eran casi
exclusivamente para Diógenes. Para mí sólo guardaban
cierto respeto obsequioso y a distancia. Se notaba también que a Diógenes le temían. A él la zalamería no
debía de gustarle mucho; a él lo que le seducía y encan-
taba era el miedo que cada paso y cada manotazo suyo
producía entre sus paisanos.

Delante de la casa de mis primas nos detuvimos.

— Yo me quedo — le dije.

— ¿No tomas una copa?

— No; acaso, luego más tarde, si nos vemos.

— A primera hora estaré en *El Cocodrilo*.

— Pues a lo mejor voy.

No tenía ningunas ganas de ir, pero tampoco sabía
si terminaría yendo.

La casa de mis primas me abrumaba. Sabía muy
bien lo que me encontraría allí. Sobre todo, lamentos
y quejas. "Tú no puedes consentir eso." "Yo no creí

nunca que vosotros tolerarais esas cosas." "No os vais a comparar con ellos." "Pues don Roque dice que no hay derecho." "En esto, como en todo, los que salen ganando siempre son los pillos y los sinvergüenzas." Me sabía la retahila de memoria.

Diógenes me ofreció un cigarro y yo, antes de encender el mío, esperé a que terminara de liar el suyo, con la cerilla encendida en la mano.

— A ver si te quemas — dijo.

Al llegar a casa de mis primas me encontré con un oficio y una nota de mi capitán comunicándome que, aunque fuera para regresar dentro de poco, no tenía más remedio que incorporarme a mi Unidad. Al principio esto me produjo una gran alegría, pero bien pronto se me pasó y pude darme perfecta cuenta de que si el pueblo me aburría soberanamente era porque yo no había sabido conquistarlo de la única manera que era posible hacerlo en aquellos momentos, pero que tampoco el pueblo tenía ya para mí aquella sugestión y aquel deslumbramiento que yo me había imaginado en el frente, más que nada teniendo presentes mis recuerdos de niño.

Salí a pasear libremente por las calles. En el pueblo de uno nunca existen calles absolutamente desconocidas, sino que, aunque uno no las haya pisado jamás, siempre tiene una ciencia y casi una experiencia del suelo y del ambiente de esas calles. A lo mejor las había recorrido de niño y no me acordaba. El caso es que las iba pisando y estudiando paso a paso, esquina a esquina. Y mi pueblo, aunque sabido y reconocido por mí, me parecía ahora un mundo fabuloso y extraño, algo que de ninguna manera yo llegaría a dominar nunca. Es más, mi pueblo me imponía, me sobrecogía, me ponía el corazón en un puño. Porque mi pueblo no eran tan sólo las cinco o seis calles del centro que ya tantas veces había recorrido fácilmente. También eran mi pueblo aquellos callejones empinados, torcidos y estrechos, con grandes piedras endurecidas de cal que separaban una casa de otra. También eran mi pueblo aquellas calles que surgían rectas, largas y amplísimas, donde uno menos se lo esperaba. Y todo aquello estaba lleno de seres humanos. Seres humanos que, si bien no iban al pueblo cuando pudiera vérseles, lo que sí es cierto es que vivían. Vivían pobremente, pero vivían. Y quizá tampoco es verdad que vivieran pobremente del todo. Todas aquellas casas tenían su corral y su postigo, y el carro, con las varas en alto, era el puente que unía la viña con el lagar y los olivos con las tinajas del aceite.

Mis botas resonaban con ruidos casi catastróficos por aquellas cuestas. A veces me resbalaba y estaba a punto de dar con las narices en tierra. No recordaba nunca haber recorrido aquellas calles en compañía de mi madre, y por eso me parecían más extrañas y desconocidas. Ahora tenía la impresión, al cruzar un arco coronado con una hornacina recién restaurada e iluminada, de que siendo niño había cruzado a la carrera aquellas calles tirando piedras detrás de una banda de cuervos.

A mi lado pasaba de vez en cuando algún transeúnte, que volvía la cabeza no muy seguro de que yo no fuera una aparición fantasmal. Algunos se quedaban un rato mirándome. Seguramente envolvían a mi persona en algún misterio de truculencias. Yo iba sin rumbo fijo, dirigiéndome sólo a donde asomaba algún resquicio de luz. De vez en cuando, al cruzar un corral, ladraba un perro o dos gatos salían bufando hasta esconderse bajo una puerta o subirse a algún carro.

Mi paseo nocturno no era simple divagación; había también en mi peregrinar cierta urgencia de escudriñamiento. No me llevaba por aquellos callejones el solo afán de descubrir rincones imprevistos y pintorescos, sino algo así como una necesidad de someter el pueblo a mi arbitrio. Porque yo no dominaba a mi pueblo. Ni yo ni la victoria. Mi pueblo no estaba dominado porque hubiera habido desfiles delirantes y misas apoteósicas. Sabía muy bien — y esto era bastante importante'— que aquella noche yo me estaba adentrando en zona enemiga. Que estaba cometiendo casi un desafío. Allí no vivían, por descontado, los cristianos de Hécula, sino gente a la que busca el alguacil, los policías y los guardias civiles. Me constaba positivamente que allí había escondidos auténticos criminales.

Hécula está edificada sobre la roca. Rocas enormes, redondas, pulidas, en las que la luna brillaba aquella noche como sobre un lago o un espejo. De algunos portales manaba una agüilla blancuzca que olía a jabón de lavar, a polvos de la ropa y a azulete. Las pocas luces que había en las esquinas acaparaban a los murciélagos, que daban vueltas como locos entre las blancas jícaras de los postes y las cornisas de los tejados.

Una de las cosas que más me impresiona de Hécula es su profundo, su aterrador silencio, su vasta e inacabable soledad. Antes de la revolución, las campanas hacían de Hécula una especie de colmena metálica y ruidosa. Hécula rezaba, cantaba, hablaba, lloraba por sus campanas. Ahora Hécula, al parecer, no hacía más que dormir. Pero no en un sueño beatífico y calmoso, sino en ese devorador letargo que precede a las agonías y sigue a los enterramientos.

— ¡Sereno! ¡Las once en punto! — cantaron más arriba.

Y al rato se escuchó más abajo un "Ave María Purísima", prolongado y quejumbroso. Aquel "Ave María" parecía ir extendiéndose como un aceite clarificado desde el monte hasta las huertas heculanas. Detrás de algunos ventanos se escuchaban voces; en unos sitios, algo que parecían sollozos; en otros, algo que podría confundirse con risas. También me pareció oír el destripado rasgueo de una guitarra.

De tarde en tarde salía por debajo de las puertas la

vozarrona de algún hombre que soltaba palabrotas, daba golpetazos en las mesas y en el suelo y terminaba riéndose de un modo frenético y loco. Las mujeres lloraban contritamente, sofocadas, o reían rabiosamente histéricas. Yo, sin poder evitarlo, aplicaba los oídos a los balcones y a los ventanales de las casas y seguía, sin poder comprenderlos, aquellos minúsculos dramas.

Las calles que me cogían cuesta abajo eran peligrosas; tenía que andar con gran tiento porque mis botas se escurrían sobre los cantos lisos y los fragmentos de cemento que había a la puerta de las casas. En un postigo vi pintada una enorme calavera y, sin quererlo, me espanté. Después yo solo me reí de tan estúpida espantada.

Comencé de nuevo a trepar por entre las rocas. Las casas estaban puestas allí como gabanes encima de una percha. Las casas de Hécula son un cúmulo de contradicciones; al lado de una casa de cal blanca de un dedo de gorda, porque se han acumulado escobazos de diez generaciones, hay una casita con franjas de azulejos y otra con miradores corridos de cemento. Hécula se ha ido haciendo arbitraria, caprichosa, absurdamente, y cada ventana es de un tamaño o de un color, y cada puerta de una dimensión y de una madera distinta, cada yeso está amasado con colores diversos y cada tejado está en diferente plano. Sin embargo, vista la ciudad desde el castillo o desde la torre de la iglesia, aparece lisa como una patena.

"Por ahí suena jaleo", me dije. Y no me equivoqué. En una plazoletita en la que había un solo árbol y el caño seco de una fuente, vi luces en un balcón tras una especie de persiana hecha de hilos de esparto. Me acerqué poco a poco. En una mecedora, con el cuello desabrochado, la bragueta semiabierta y la camisa por fuera de los pantalones, había un señor sin afeitar, con una pinta enorme de basto, que aplaudía descompasadamente. Una mujer se revolvía a su alrededor, desgreñan-

do lo mismo contra el techo que por el suelo una negra
y grasienta cabellera. Era una mujer que no se sabía si
era joven o vieja, guapa o fea, pero que brincaba, se
retorcía y se estiraba como una alimaña. Estaba loca,
loca de remate, y miraba al hombre desabrochado sa-
cándole la lengua, escupiéndole, dándole de vez en cuando alguna patada de refilón en los tobillos. El hombre
sentado en la mecedora soltaba la baba. Pero ella no se
cansaba, estaba como dispuesta a caer muerta. Cogía
las faldas y se las subía hasta el cuello y, de vez en
cuando, se cubría con las manos hasta los pies. Todas
las personas que había en la habitación, dos mujeres
viejas, y otro hombre al que descubría por la voz, pero
no porque lo viera, resollaban fuerte, y casi hasta mí
llegaba un jadeo animal y caliente.

Nunca creí que en Hécula pudieran existir conciliá-
bulos de este género. No eran hombres refinados. Eran
labriegos que acababan de llegar del campo y que olían
seguramente a cabras, a pana y a perros.

Había entrado en una calle que ofrecía un espectáculo irreal, irreal y maldito. Había que seguir. Mi madre siempre me había dicho: "Ahí viven los socialistas."
Sin embargo, aquella casa de socialistas tenía muy poco,
seguramente.

Me paré junto a un ventano por cuyas rendijas se
filtraba una línea de luz como una serpentina. Un tío
con el pelo muy peinado, que le caía muy liso por sobre
toda la calva, que era inmensa, moviendo las manos
con ademanes de marica, le decía a una mujer altísima,
de cutis muy blanco y bigotes muy negros:

— Y toda esta mierda para nada.

Lo que tenía entre las manos y volcaba como si fuera viruta encima de la cama eran billetes de cien y de
quinientas pesetas. Pero eran billetes nuevos, billetes
rojos. Ella miraba al hombre con desprecio, lo miraba
como si mirase a una silla o a la estera.

— Tú es que has sido memo toda la vida.

— ¿Yo?

— Sí, tú. Has tenido en la mano el hacerte rico y te has dejado engañar. Mira Quico. ¡Ese sí que guardó los que valían! Tú...

— ¿Me vas a echar la culpa a mí?

— Tú... — y se ausentó de la habitación con un gesto de asco y de compasión que a mí mismo me hizo sentir una gran repugnancia por aquel tipo que se pasaba las manos por los tirantes insistente y nervioso.

Un gato maulló como si le pisaran el rabo. El señor del pelo tan bien peinado hizo ademán de venir hacia el ventano. Me escapé.

Durante varias calles más, todo era silencio. Parecía como una ciudad muerta. Sólo a lo lejos se escuchaba un rumor de motor que daba la impresión de un avión que estuviera dando vueltas sin saber por dónde aterrizar. Era seguramente algún camión que recorría las curvas de la carretera que hay saliendo de Hécula para Pinilla.

Pero todavía me quedaba por ver otra escena bien extraña. Ahora no era nada que ocurriera en una planta baja, sino algo que me era dado contemplar mirando hacia arriba y a través de un gran espejo viejo, con vetas negras de desconchado. Un viejecito con el pelo muy corto y en flequillo estaba leyendo un libro muy gordo y diminuto ante un cuadro de las Ánimas. A su lado había una mujer con un camisón larguísimo. Mientras él leía, ella se pasaba las manos por las nalgas y, de vez en cuando, se restregaba el camisón por la espalda. Cuando hubo terminado de leer, cerró el libro y lo puso con mucho cuidado en una mesilla, se rascó la pelambrera del pecho como un mono, se tiró un pedo fenomenal y se tumbó en la cama quedándose al instante rígido como un muerto.

Entonces, como si no viniera a cuento, me acordé de mis primas y de la serie de advertencias que ellas me repetían al acostarme y al levantarme: "Lleva cuidado, hay mucha gente que había pensado en que tú estuvieras muerto."

Aquella calle que venía ahora la recordaba. Era el sitio donde "el novio mató a la novia", lugar más que famoso en la historia de Hécula. Yo mismo, de pequeño, asistí a aquel tremendo drama. Los niños nos agolpamos en la puerta viendo cómo sacaban a la novia muerta.

Enfrente había una casa que me gustaba. Tenía un patio de larga tapia sobre la que se adivinaba otro patio enjardinado con algunas bombillas. Hasta parecía presentirse un rincón húmedo con su pozo y su higuera.

Pensaba que mis primas ya estarían acostadas, pero no era así. Mis primas se acuestan muy tarde y se levantan tempranísimo. Lo que a ellas más les encanta de la vida es recibir gente después de cenar. A veces me encontraba hasta diez vecinos. Parecía aquello una clínica o el despacho de un abogado "picapleitos". Denuncias y avales eran la orden del día.

— Venid a verlo después de cenar — era seguramente lo que ellas le decían a todo el mundo. Porque lo que más les gustaba es que vinieran a verme gentes de una punta del pueblo y de la otra, de las cuevas y de los campos. Mientras no los identificaban, preguntando y repreguntando sobre sus abuelos, cayendo, por fin, en la cuenta de que las familias se conocían ni se sabe el tiempo, no eran felices. La identificación se llevaba a cabo morosamente, entre preguntas y exclamaciones consabidas. Todo esto era para ellas un placer. A mí casi nunca me sonaban los apellidos ni descubría parecido alguno en todos aquellos rostros alargados, resecos, surcados de rayas negras como cicatrices curtidas.

— Es que te esperan...

— ¿Quién?

— Unos pobres que quieren que tú les digas lo que tienen que hacer y que nos han traído unos quesos...

Estaba cansado ya de reñirlas. Pero habían terminado por entenderme. En determinadas ocasiones, yo mismo había mostrado un gran regocijo al poder hacer un favor a aquellos infelices.

Aquella noche no era sino un matrimonio que había dejado que se llevaran al único hijo que tenían a una guardería infantil. ¿Y si se lo habían llevado a Rusia, como les habían dicho por ahí?

Mis primas se sentaban, se levantaban, salían, volvían. Lo corriente era que yo saliese al pasillo a esperar que Micaela me explicara el asunto. Si tardaba mucho tiempo en volver también salía Apolonia, que se conocía perfectamente la casa y sabía hallarnos donde nos encontrábamos. Se guiaba por el oído y por un olfato especial. Aparecía con el cuello muy estirado, con ese gesto de los ciegos.

Regresé al comedor y firmé unos papeles. Pero después, cuando me quedé con mis primas, les dije:

— Que sea la última vez.

— Yo lo conozco. Respondo por él — decía, muy contrita, Apolonia.

— Yo no sé quién es.

— Tu madre sí que lo conocía. Estuvo mucho tiempo llevándole la viña al tío Frasquito — intervino Micaela.

— Pero ¿tú no te acuerdas de Paca la *Perdiz*? Pues con ella está casado — proseguía Apolonia.

— Y es muy religiosa.

Yo firmaba. Más de una vez, sin embargo, detuve excitado y revuelto la mano. Tenía como el presentimiento de que con una de esas firmas pudiera encubrir, inconscientemente, a los verdugos de los míos. No podía evitarlo. Acaso con el tipo más pacífico y bueno, me entraban aquellos escrúpulos atroces que me paralizaban la mano. Pero también en más de una ocasión rasgué los papeles y mandé a la calle a aquellos quietos y tristísimos campesinos que lo que buscaban de mí era, a lo mejor, que les firmara un papel para que pudieran trasladarse con la familia. La sospecha de alejar de Hécula a un delator o a un criminal me quitaba el sueño. Sin embargo, era inhumano, imposible cerrarme a cal y canto y no hacer caso a nadie. Porque también ocurría que después de atender a alguno de aquellos apergaminados labriegos tenía por dentro el convencimiento de que había hecho una obra buena. La misericordia y la caridad deben de ser un gran riesgo para los que quieren ser justos con sus semejantes. ¡Produce tal sensación de serenidad y de consuelo el hacer un poco feliz a cualquiera de estos desdichados! Por todas partes veían peligros y temores.

Otro día mis primas, con mucho sigilo, me habían colocado sin previo aviso en mi misma alcoba a una mujer toda pitañosa y sucia, a la que Micaela, al verme entrar, le ponía la mano en el hombro y le arengaba:

— Y ahora ya puedes desembuchar todo eso que nos estabas contando.

La mujer no sabía por dónde empezar, y mis primas la apremiaban. Mis primas gozaban y sufrían al mismo tiempo de un modo tremendo oyendo referir todo lo cruento que había ocurrido en Hécula. La mujer, después de sacar un pañuelo muy guarro, limpiarse los ojos, las narices y la barbilla, rompía a llorar y decía:

— Es todo su madre. ¡Cómo se le parece!

Mis primas decían que sí, aunque los ojos eran más bien los de mi padre. A mí todas estas referencias a mis padres me llevaban invariablemente al cementerio donde, por fin, se habían juntado en una horma ajustadísima de sepulcro; donde, además, como haciendo una guardia traidora, estaba aquel espía de muerto que se había metido allí por propia voluntad, o ajena, pero sin permiso de los dueños y sin ningún derecho. Inevitablemente las alusiones a mis padres me hacían distraerme. La mujer proseguía:

— ¡Cuántas veces su madre de usted, cuando usted

era pequeño, me habrá dado su ropita para mi Primitivo!

Después empezaba un relato confuso. Ella había escuchado palabras en una esquina. Eran dos hombres que estaban parados. Habían dicho:

— Con un escarmiento que se dé, las demás sabrán a qué atenerse. Hay que sentarles la mano.

No recordaba cómo eran los hombres. No sabía dónde había oído aquello. También era posible que no fuera aquello lo que había oído. Tampoco sabía si eran jóvenes o mayores. Hasta era posible que lo hubiera soñado.

Era para enloquecer. Porque la escena se repetía un día y otro. Y cuando no era una mujer, era un sacristán de unas monjas, y cuando no, era un barbero, un farmacéutico chismoso o una mujer que vendía en la plaza pepinillos y cebollas en vinagre. Era cosa de no acabar nunca.

Para quitarme este peso de encima, lo que hacía era marcharme algunos días a la capital. En la capital había varios compañeros de promoción, y allí bebíamos como cubas y armábamos algún follón en casa de la *Plegable,* una mujer de la vida que, sólo para los conocidos, hacía el experimento de encerrarse perfectamente doblada en una maleta de viaje.

Pero cuando regresaba, todo era mucho peor que antes. Revivía el gran conflicto, aquel conflicto que sólo se resolvería el día que me levantase dispuesto a cortar por lo sano, cayera quien cayera. También podía ser cuestión de que un día me acostara algo más tarde de lo habitual. Después de cenar, lo más corriente era que me entrara sueño y no había fuerza capaz de sacarme de casa. Alguna vez que fue Diógenes a recogerme, le dije que no podía, que me dolía la cabeza.

— Chico, pero si pareces una ursulina — decía.

Cada día estaba más irascible, y la tormenta se estaba cuajando muy dentro de mí, de un modo lento pero inevitable. Llegaría un momento en que estallaría. Estaba seguro. Esto me tranquilizaba un día y otro día, y lo que hacía era encerrarme en mi cuarto y tenderme en la cama mirando al techo. Esta huida de la gente, sobre todo de los correligionarios, a veces no podía menos de producirme risa. Pero necesitaba de este aislamiento para madurar mi decisión y hacerme fuerte. Entre la gente me sentía desperdigado, indeciso por completo.

"Terminarán diciendo que soy rojo, no me extrañaría nada", me decía mientras repasaba los nombres de los que se habían hecho cargo de los puestos dirigentes del pueblo.

Mis primas estaban un poco asustadas y había días que permanecían calladas y encerradas en un rincón, suspirando levemente. Yo gozaba, creo, haciéndolas sufrir un poco, manteniéndolas en vilo, y después de cuatro o cinco días de permanecer taciturno y hosco, salía corriendo por el pasillo de la casa, mostrándome de pronto entusiasta y bullanguero.

Alguna noche, a las tantas, creyendo que yo dormía, ellas dos se ponían a hablar.

— Como siga así, acaba loco — decía Apolonia.

Entonces yo, a lo mejor, tosía y ellas se ponían a rezar con un frenesí cómico. La ciega era siempre la última en dormirse. Aun al amanecer se la podía oír hablar sola murmurando palabras que no era fácil descifrar. Estábamos tabique por medio, pero las palabras llegaban sordas, enormes, vagarosas...

Hécula había entrado en una fase de religiosidad clamorosa.

Las misas de campaña se repetían y los viacrucis recorrían las calles del pueblo todas las tardes. Ante cualquier cruz o el sonido de una corneta, los heculanos levantaban el brazo inmediatamente. Los brazos esqueléticos de las mujeres del campo, en alto, eran como los sarmientos de las cepas.

Los desfiles patrióticos se mezclaban y confundían con las procesiones y los actos de desagravio.

La paz había llegado. Pero la paz entra en los pueblos muy lentamente, aunque se la invoque y se la pregone por las calles con cánticos y gritos.

Nuestra paz no tenía reproche: era una paz justa. Si había algún desatino o desequilibrio, era el que acarreaban justamente los más celosos sostenedores de la paz. Ellos eran los que dividían y separaban sin quererlo. El amor propio, la obstinación y la ambición eran los peores enemigos de la paz. Tan difícil como había sido ganar la guerra era ahora el mantener y conservar la paz; pero algunos entendían que la paz era como un legado personal, y administraban la justicia por su cuenta y riesgo, creando desesperación donde no debiera haber más que remordimientos y alimentando el odio donde sólo debiera haber generosidad.

Quien venía a verme a todas horas era Miguel. Miguel era un amigo de la infancia. Había entrado en casa, sobre todo, por mi hermano, de quien era inseparable. Era el hijo de unos labradores necesitados, con fama de socialistas. Mi madre nos dejó juntarnos con él sólo cuando Miguel dio pruebas de una sumisión casi enfermiza a nuestra causa. Miguel, que no había ido a los Escolapios porque su madre y sus tíos no le dejaban, tan pronto encontraba el más ligero escape ya lo teníamos en casa. Y de mi casa salía para ir a la novena, al teatrillo del Círculo Católico, a los "Tarsicios", al mitin derechista, a lo que hiciera falta. Probablemente esto, por lo menos en un principio, a Miguel le costó más de una paliza. Pero Miguel era terco como un mulo y en cuanto tenía un rato libre se venía con nosotros como un perro fiel.

¿Cómo le había entrado a Miguel aquel extraño entusiasmo por las cosas religiosas? En realidad, no se comprende. Y bien pronto todos nosotros, a su lado, resultábamos como casi paganos, a tanto llegaba su fervor y su adhesión a todo lo católico. Lo más admirable de todo aquello es que siempre tuvo que hacerlo todo escondiéndose, disimulando. Por fin, después de la liberación, su piedad se había impuesto en su casa y su familia giraba toda alrededor de él, como una manada de corderos. Miguel, con su carácter blando, pacífico, torpón, era penetrante como una barrena y más seguro que un fusil con telémetro. Hacía siempre su santa voluntad, y a costa de lloros, pataleos, escapadas, manías, había logrado convertir y convencer a toda su familia.

Yo sabía que Miguel había prestado a mi hermano Enrique algunos servicios importantes entre febrero y julio del 36. Los había prestado, además, sintiéndolos, porque Miguel era feliz con que le enseñaran a cantar el "Cara al sol" o le diesen una foto dedicada de José Antonio... No era fácil comprender cómo Miguel había llegado a compenetrarse con aquella cosa tan separada y distante de su educación como era la Falange. Pero él gozaba y estaba dispuesto a todo por defender la puerta de una iglesia o la integridad de unas flechas pintadas en la pared. Esto era antes del 18 de julio.

Todavía recuerdo aquella tarde del 17 de julio, cuando Miguel estaba con mi hermano en el patio de casa. Dentro de las macetas del patio, cubiertas con trapos perfectamente engrasados, escondieron una docena de pistolas con sus cajas de cápsulas. En el patio teníamos nosotros grandes plantas en tinajas, lebrillos y tonelitos pequeños. Miguel era feliz ayudando. ¡Cómo sudó arrollando la imagen de San Pancracio dentro de una estera!

En cierto modo, yo sentía envidia de Miguel porque en mi casa todos lo querían por su entusiasmo y su fervor por nuestra causa.

Y, sin embargo, a Miguel nadie lo había considerado enemigo. Ni los unos ni los otros. Esto era lo que a mí me parecía; aunque acaso él, para subsistir, tuvo sus dificultades, como yo las había tenido para pasarme al enemigo tirándome al agua en el puerto. Que cada vez que ahora me acuerdo de aquello se me ponen los pelos de punta. Que yo me tiré al agua no ya tanto para llegar al barco y salvarme como para tener una justificación de suicidio. Porque ya no había nadie que me recibiera en su casa. Porque yo, un muchacho de diecinueve años, comprometía a todo el mundo. Porque todos estábamos entre la espada y la pared. ¿Cómo pude tener tripas para echarme al agua, yo, que apenas sabía nadar, que lo más que había cruzado era la balsa de los Ortesa, de catorce metros por dieciocho, y que cuando íbamos al Balneario no me alejaba ni dos metros de la cuerda ni de la escalera? Para Miguel la guerra debió de ser heroica, pero un heroísmo de poca compensación. A lo último, todos los obreros de su taller ya le aclamaban como carca y beato.

Miguel venía ahora detrás de mí a todas horas. Seguía siendo como cuando niño, pesado como las moscas. Y yo no podía despedirle. No tenía valor para hacerlo. Sobre todo, recordaba que mi madre había llegado a sentir por Miguel una gran debilidad. Mi madre se trataba con sus padres y con sus tíos muy fríamente; sin embargo, a Miguel lo protegía, lo defendía, y creo que lo quería de verdad.

Miguel era un tipo delgaducho, con grandes ojeras. Los ojos los tenía hermosos y muy grandes, pero lentos, casi quietos. Su cutis no era como de hijo de campesinos; era pálido, tenue y casi delicado. La boca era lo que le perdía, porque la tenía siempre un poco abierta, lo cual le daba cierto aspecto de bobo o simplón. Tenía los brazos muy largos, demasiado largos, y unos dedos interminables. Parecía que en cada mano hubiera por lo menos tres dedos de más. Había crecido desde pequeño un poco cargado de espaldas. Pero el rasgo más peculiar de Miguel era que tartamudeaba cuando menos lo esperaba uno.

— ¿Qué se dice por ahí?

— Nada — me contestó.

— Algo se dirá.

Miguel tragó saliva. Ni aun acoquinándolo contra la pared era capaz de soltar lo que sabía si creía que era algo que podía disgustarme a mí.

— Entonces, ¿todo está tranquilo y conforme en el pueblo?

Siguió callando. Lo que hizo fue pedirme un cigarro. A Miguel le gustaba el tabaco liado. Yo creo que no quería liarse los pitillos por si se armaba un lío con sus exagerados dedos.

— ¿Sabes lo que voy a hacer? — le dije —. Me voy a marchar del pueblo.

— Pero volverás en seguida.

— No; me voy para no volver.

Miguel sudaba. La mano le tembló al encender el cigarrillo. Por no mirarme a la cara repasaba atentamente los cuadros y los cachivaches que mis primas tenían por la pared.

— ¿Qué se dice por el pueblo? — repetí.

— Se dice que ya están convictos y confesos los que mataron a tu madre.

— ¿Y qué más?

— Que uno de ellos se ha suicidado en la cárcel, colgándose con su correa de un barrote del ventanillo.

— Pero eso es mentira.

— No, no es mentira. Ahora mismo acabo de llegar yo de la cárcel y lo he visto.

— ¿Quién ha sido?

— Uno que llaman el *Cejas*.

Traté de recordar. No caía en quién pudiera ser. A todos los recordaba con unas cejas largas y espesas. Y cerraba con gran esfuerzo los ojos para imaginarme al sujeto. La noticia más bien me dejó apesadumbrado.

— ¿Tú qué piensas de Diógenes? — le pregunté.

— ¿Yo?

— Sí, tú.

— Diógenes aprovecha — respondió —, pero se ha quedado muy solo. Es una lástima que falten Rafael, Jesús y Telesforo. Hubiera sido mejor. Sobre todo tu hermano esto lo hubiera resuelto bien.

— ¿Qué crees que hubiera hecho mi hermano?

— A mí no me hagas caso, pero tu hermano se habría dedicado más a hacer cosas que a pensar en lo pasado.

Miguel era un alma de Dios, un hombre tímido con las mujeres, atento a pequeños detalles, las procesiones, la Adoración Nocturna, el prestigio de nuestro pueblo sobre los pueblos cercanos, preferencia que, según él, había de basarse en los grados del vino, la pureza del aceite y algún dato más como el color de las brevas y la dulzura de los "apéndices de novicia", que son unos dulces que hacen las monjas con una técnica que parece que sea la condensación de toda la confitería europea. Miguel era como un niño, y para él las cosas de más importancia eran todas estas pequeñeces.

— Miguel, ¿qué se dice de mí por el pueblo?

— Nada. ¿Qué quieres que se diga?

— Algo se dirá.

Miguel es vergonzoso y a mí me tiene un respeto exagerado, un respeto que no me corresponde ni por la edad ni por vecindad. Miguel debería tener más confianza conmigo.

— Algo se dirá por ahí — repito.

— Pues sí, se dicen muchas cosas.

— ¿Qué cosas?

— Ya sabes tú que siempre se habla mucho, pero yo siempre te defiendo.

— Lo sé.

Miguel traga saliva. Miguel se ha puesto pálido. Miguel, además, está deseando decir lo que tiene dentro. Pero lo quiere decir en voz baja, como con miedo. Primero, antes de hablar, mira a uno y otro lado y, cuando se da cuenta de que no hay nadie, se pasa repetidas veces la mano por la frente.

— Habla, Miguel.

— Pues unos dicen que tú no estuviste en el frente y que te has pasado la guerra enchufado. Yo les he dicho...

— Los otros, Miguel, los otros... ¿qué dicen?

— Los otros dicen que a lo mejor tú te has hecho masón.

Era cosa de reírse o de estallar. Pero la cara de Miguel era como un sepulcro. Se había quedado serio, asustado, como idiotizado.

— Pero ¿quién ha podido decir todas esas cosas?

— Pues ya sabes tú, ellos. No te ven por allí. Creían que tú ibas a reaccionar de otro modo.

— ¿De qué modo?

— No sé. Como tú no quieres saber nada de nada, pues dicen que tú lo que vas a hacer es meterte a cura.

— ¿Eso dicen también?

— Sí.

— Pero ¿quién ha dicho eso?

— No puedo decirte. Lo han dicho.

— Alguien lo habrá dicho.

— Todos.

— ¿Todos dicen eso?

— No, todos no. Algunos.

— Y los demás ¿qué dicen?

— Hay muchos que no dicen nada. Dicen que tú estás aquí de paso y que para volver así no debías haber vuelto.

— ¿Qué querían que hiciera?

— Referente a ti hay apuestas. Hay algunos que dicen que tú cualquier día haces un escarmiento general...

— ¿Quién ha dicho eso?

— Uno lo dijo.

— ¿Quién?

— Alguien.

— ¿No me lo quieres decir?

— Tú ya sabes que yo a ti...

— ¿No me lo quieres decir?

— Lo ha dicho Diógenes; pero, por favor, tú...

— No te preocupes, Miguel.

Miguel no hace más que apretarse las manos y darse golpes en las rodillas. Está nervioso.

— Micaela — grito.

— ¿Qué? — contesta desde la cocina.

— Tráenos unos vasos de vino y unas olivas.

Saco tabaco y le ofrezco a Miguel. Las manos le tiemblan.

— ¿Tú qué crees que debo hacer? — casi se lo dije gritando.

— Yo no digo nada; yo, tú ya sabes muy bien que yo siempre...

— Lo sé, Miguel, lo sé. Por eso — y el tono de mi voz ya era casi cortante.

Micaela tiene simpatía por Miguel. Miguel tiene una personalidad en Hécula, no una personalidad influyente, sino esa personalidad infeliz y bondadosa con la que todo el mundo cuenta aunque muchos, muchísimos, la desprecien y se mofen de ella. Miguel es blando como la manteca, pero machacón como un faro de puerto.

— Tú, Miguel, en mi caso, ¿qué harías?

Miguel querría que yo me hiciera cargo de todas las cosas de Hécula, por lo menos para resaltar las cuatro cosas que son la obsesión de su vida: las bodegas de San Pancracio, las cofradías y las procesiones de la Semana Santa, la verbena de Santa Cecilia, patrona de la Banda Municipal, y, por encima de todo, la fiesta de los arcabuceros, que para Hécula tiene un relieve especial. A Miguel le gustan las velas de la Adoración Nocturna, las ferias y los conciertos en el jardín. Miguel es pacífico, pero las escenas de violencia, los golpes de audacia y estrategia, los procesos sumarísimos, las misiones de los padres redentoristas y jesuitas, son para él el summum de la felicidad. De momento, a Miguel lo que le sacaba de quicio eran los desfiles. Aquellos desfiles de niños pequeños, de niñas, de hombres maduros y de muchachas casaderas, sobre todo cuando los desfiles terminaban en una misa de campaña o en una bendición sobre los campos de la comarca.

— Tú, Miguel, ¿qué crees que yo debo hacer?

— Muchos se preguntan por qué todavía no has traído a tu hermano.

— ¿Les parece que tardo?

— Sí.

— Y de Pablo, ¿qué dicen?

— De Pablo no dicen nada.

¡Cómo me hería aquello! Aquella desenfrenada preferencia por Enrique mientras sobre Pablo había como una consigna de silencio, me sublevaba. Para mí los dos eran hermanos y tan hermano era el uno como el otro. Y si me apuraban mucho, por dentro, más buen hijo y más buen hermano había sido Pablo que Enrique. Ésta era la verdad. Recordaba, hasta sin quererlo, las cuatro o cinco escenas en que los dos habían hecho sufrir a mi madre, y no se me podía olvidar cómo reaccionaban de tan distinta manera. Enrique de una manera fría y Pablo todo sentimiento. Pablo nos hacía a todos más familia y más buenos. Aunque él no hubiera sido nunca tan valiente como Enrique.

Yo, mejor que nadie, sabía el mérito de cada uno. Aquella exaltación de un nombre mientras el otro no exigía rehabilitación alguna y hasta podía pasar inadvertido con el tapujo de un muerto cualquiera que había venido a ocupar su lugar, me ponía furioso. ¿Hasta cuándo sería capaz de disimular aquella suplantación con la que yo mismo echaba tierra y ceniza sobre mi misma sangre? Porque quizá trayendo a Hécula a Pablo muchos recordarían que, ante todo, fue desde niño a muchacho y desde muchacho a hombre un tipo bona-

chón, tranquilo y servicial. Si por Pablo hubiera sido...
Y ahora, yo mismo había cerrado la posibilidad de
devolverlo, aunque fuera muerto, al lugar que le correspondía.

— ¿Sabes lo que vas a hacer?

— Tú dirás.

Y de momento me arrepentí de lo que iba a decirle.
Miguel era de confianza, pero yo tenía que seguir man-
teniéndome lo más reservado posible referente a determinados planes.

Salimos a la calle. Llegaba un personaje político de
relativa importancia y el pueblo se estaba concentrando
en la carretera. A Miguel el uniforme de falangista le
caía mal. Parecía que lo acababa de estrenar y las telas
parecía que estuviesen almidonadas. Miguel, con su
cuello largo y sus manos más largas todavía, caminaba
como encogido, pero al mismo tiempo dando la sensación de que se iba a salir del uniforme.

— Es una lástima — dijo — que no viva tu hermano.

— ¿Por qué lo dices?

— El pueblo lo necesita. Él habría sabido imponerse y las cosas marcharían.

— Las cosas marchan, Miguel.

— Pero no es lo mismo.

— Las guerras, Miguel, tienen que llevarse por delante a muchos. La gente tiene la idea de que después
de la guerra deben quedar los mejores. Y es todo lo contrario. Después de la guerra, Miguel, todo lo que queda
es escoria, porquería, restos, basura.

— No digas eso.

— Es la verdad, Miguel, aunque nos duela. Todo lo
mejor, de uno y otro bando, ha muerto.

— Eso lo dices porque tú en Hécula has encontrado...

— Todo lo contrario, Miguel. Lo digo porque en
Hécula no he encontrado...

El personaje político llegaba. Traía delante cuatro

motoristas y varios coches particulares. Detrás venían
varios camiones, uno con la guardia civil y otros con
muchachas de la Sección Femenina y muchachos de las
Organizaciones Juveniles.

El personaje, al bajar, saludó con el brazo en alto.
Se levantaron a un mismo tiempo cientos, miles de brazos. Miguel se había emocionado. Estaba a punto de
llorar.

Diógenes, mirando al gentío, gritó:

— ¡Arriba España!

— ¡Arriba! — respondieron cientos, miles de voces.

Mientras la comitiva ascendía por la calle de San
Francisco hacia el Ayuntamiento, yo me entretuve en
hablar con unas muchachas. Una de ellas, en uno de
los momentos de apretura, no había tenido inconveniente en apretarse contra mí de un modo que me hizo
olvidarme del personaje y de todo. Era una de esas
muchachas de pueblo con vocación decidida de buenas
madres, pero, que en un momento determinado de la
vida, deciden probar la cercanía de un hombre al que
saben muy bien que no han de tener por marido. También pudiera ser que sobre ella influyera un poco mi
uniforme y, sobre todo, el apuntarse un tanto ante sus
amigas.

De todas maneras aquella noche, en el postigo de
su casa, los dos fuimos de una puntualidad asombrosa.
Y me dio un gran susto aquella muchacha porque, aun
siendo fuerte, fuerte como un toro, se me quedó desma-
yada en los brazos y no sabía qué hacer con ella. Por
más que le daba palmadas en la mejilla, no se reco-
braba.

Por la calleja solitaria se escucharon unos pasos.
Cerré la puerta del postigo y ella, con gran tiento, echó
la llave. Después me cogió de la mano y me metió en
un inmundo retrete que había junto a la cuadra. Cogida a mí y temblando vimos cómo una llave abría la
puerta y una sombra temblequeante, parsimoniosa, tur-

bia, atravesaba el inmenso patio donde dos o tres galli-
nas se removieron en los gallineros. También algunos
palomos zurearon blandamente.

— ¿Quién es? — pregunté.

— Es mi padre.

Entonces la levanté en alto, demostrándole que tenía muchas fuerzas, y la saqué del retrete. La condenada
pesaba. Una vez que me hubo abierto la puerta, salí
corriendo. Pero antes de echar a correr le di un formi-
dable pellizco. Estaba dura como el lomo de los caballos
y como el jamón bien curado. No creo que los toreros
tengan más duras las nalgas que las que tenía aquella
muchacha.

Antes de llegar a casa de mis primas, dos calles antes, tuve que echar a correr. Llovía. Caían unas gotas
como melocotones. Cada gota levantaba una nubecilla
de polvo y calle adelante parecía que fuera saltando un
diablo saltarín y travieso.

AL día siguiente recibí un nuevo anónimo. Ojalá lo hubiera roto, pero había una advertencia en el sobre que excitó mi curiosidad. Era muy breve. Decía:

Amigo, ¡qué bien se va sobre el machito! Para ti la guerra ha sido la gran solución. Te han dejado el camino expedito y bien amasado. Te has quedado dueño de todo y además ahora te caerá de propina la Medalla de Sufrimientos por la Patria. ¡Qué dolor, has perdido a los tuyos, te han dejado solo! Los hay con suerte, como los hay castrados, como los hay consentidos, como los hay...

No leí más. Lo rompí como había roto muchos. Estaba visto que lo que mi pueblo no podía tolerar era que yo no matara. Verme muerto a mí hasta acaso les gustara más que comprobar que no iba siendo capaz de matar. Pero matar, lo que se dice matar en frío, no es tan fácil como parece. Puede ser cosa de un momento, pero hay que tener cierta preparación.

"Tengo que descubrir al cobarde que no hace más que pincharme", me dije. De momento sentí por este ser anónimo un odio mucho más concentrado, yo creo, que el que sentía por aquella patrulla de miserables que habían disparado contra mi madre.

Cada vez salía menos a la habitación donde se pasaban las horas muertas mis primas. No había manera de que dejaran de recibir visitas. Eran mujeres que iban al mercado o volvían, que entraban diciendo alguna insignificancia; pero que, poco a poco, iban bajando la voz hasta que yo comprendía que ya estaban con el mismo tema. ¿Por qué había de preocuparle a ellos más que a mí el cumplimiento de la justicia? Tenía maldita la gracia que todos aquellos que más bien en los momentos de peligro se habían amasado con el enemigo ahora estuvieran tan listos para la venganza. Que ellos hablaran tanto de colgar y hacer pedacitos era algo que desfiguraba mi propia idea de la justicia. Porque nada deseaba tanto como que, después de haber actuado, todo el pueblo pudiera decir: "Así se hace", "Ha estado bien", "Ojo por ojo, diente por diente".

Pero no había modo de que me dejaran en paz. Al volver a casa siempre me encontraba a seis o siete personas, algunas veces hasta quince. No era fácil saber por las caras si venían a pedir que les firmara el salvoconducto o si venían a hacerme una denuncia. Avales y delaciones eran el pan de cada día.

Mis primas iban y venían por la casa dándose importancia. Procuraban entonces aparecer más solícitas conmigo, más duras, más quejosas, más indulgentes de lo que en realidad eran. Ellas vendían con frases los favores que yo podría hacer y consolaban, increpaban, perdonaban, herían, según se les antojara. Delante de la gente me prodigaban más cuidados y atenciones de los que a solas me proporcionaban. Cuando estábamos solos eran más que nada respetuosas conmigo. Pero a mí cada día me ponían más nervioso con tanto aparato y con tanta visita.

Un día debí de insultarlas casi. Me ponían en una tensión y me planteaban unos problemas que renovaban minuto a minuto mi conflicto interior.

Uno de los días, no pudiendo resistir más, me fui a la calle y dormí fuera de casa dos días. Cuando regresé estaban más suaves que un guante. Durante casi una semana la casa estuvo más tranquila.

Sin embargo, no era aquello ya lo que más me sacaba de mis casillas; lo que más empezaba a preocuparme era que los días se me pasaban y que pronto tendría que abandonar el pueblo.

"Estoy perdiendo un tiempo precioso", me decía a mí mismo mientras entraba en las tabernas o pasaba frente a las rejas de la cárcel. Mi instinto me decía que ya era tiempo, que la oportunidad para quedar bien y cumplir incluso con los escrúpulos de mi conciencia la tenía a la mano y que si la dejaba pasar, muy difícilmente volvería a encontrar otra.

Pero siempre hallaba una razón para acallar los remordimientos y frenar mis planes. "Después, cuando obre como no lo esperan — me decía —, les causará mayor sensación. Será mejor cogerlos de sorpresa. Tiene que ser un golpe de efecto. Tiene que ser inesperado hasta para mí mismo." Todos estos pensamientos me infundían una serenidad extraña. La paz que me invadía con estas reflexiones era una paz deformada y siniestra que iba ennegreciendo las paredes de mi espíritu. "Ojalá lo hubiera hecho nada más llegar — me decía otras veces —. Eso hubiera sido lo mejor. Ya estaría hasta olvidado." Pero, echara por donde echara, siempre había una figura que se interponía, para bien o para mal. Diógenes era la clave del asunto. A la larga todo sería contar con él o mandarlo al diablo. Esto lo sabía yo mejor que nadie. Lo que me pasaba es que intentaba engañarme y huía, como sonámbulo, del centro de gravedad.

Algunos días también salía dando una vuelta por los caminillos que rodean los huertos, en las afueras de Hécula. Persiguiendo a pedradas una urraca o esperando a la puerta del agujero a una lagartija, lograba aquietarme y casi era feliz. Los campesinos que me veían entretenido cruzando las secas acequias o parado bajo un olmo, siguiendo con los ojos el clamor de una cría de cagarneras, al verme se quitaban la gorra y decían:

— Buenos días nos dé Dios.

— Buenos días — respondía yo.

Y sin saber por qué la sangre se me inflamaba. "¿Por qué, Señor, se habrá acabado la guerra, por qué no habrá durado la guerra una docena de años más para haber llegado aquí después de la destrucción total?" No me importaba nada pensar que podía haber caído. Lo prefería a tener que caminar por las calles de mi pueblo bajo la mirada expectante de todos. Todos vivían pendientes de una decisión mía. Parecía que me iba a ser imposible obrar según mi conciencia o según mis sentimientos. Y lo peor era lo de aquel cadáver metido allí. Me avergonzaba ante cualquier vecino por haber encubierto aquella profanación de lo más sagrado de la familia.

Era ridículo que no hubiera sido yo mismo el delator de aquello.

Y nadie en Hécula se preocupaba, por lo visto, de aquel cadáver. Nadie.

Un día el teniente auditor me hizo llamar. Me necesitaba para firmar una declaración. Esto es lo que me dijo el cabo que me trajo el recado.

— ¿Y para qué es? ¿No lo sabe?

— Creo que es algo sobre el levantamiento de un cadáver.

"Esto se complica", me dije. Y me llamé tonto en varios tonos por suponer que el descubrimiento de aquel misterioso muerto podía dilatarse mucho. No era ya lo peor que aquello permaneciera en el silencio, sino que me hicieran reconocer entre varios asesinados el cadáver de mi hermano. ¿Iba a tener fuerzas para decir que el aparecido no me pertenecía y que era un extraño? ¿Hasta qué punto esto era posible?

Caminando hacia la Auditoría temblaba, igual que un niño que va a examinarse. Para colmo de desesperación el teniente auditor me hizo esperar un rato, cosa que no me había ocurrido hasta entonces, a pesar de haber estado allí varias veces para dar algunas declara-

ciones referentes a la muerte de mi madre. El auditor
era muy campechano, casi parecía un muchacho. Im-
ponían mucho más los dos brigadas que iban y venían
por las oficinas. Tenían los dos una cara siniestra. El
sargento, en cambio, parecía un bendito. Con el pelo
corto, en forma de cepillo, muy gordito y sonrosado,
tenía unos ojos luminosos y casi dulces.

— ¿Y para qué es? — le dije.

— Es simplemente un informe de Turena. El *Tieso*
pide el reingreso en el cuerpo y esto depende en parte
de ti.

— ¿Quién es el *Tieso*?

— Por lo que yo he visto, era uno de los guardias
civiles que acompañaban a tu hermano cuando lo mataron.

En seguida me lo imaginé sentado en una mecedora,
congestionado, resoplando, con la barba un poco crecida
y una gran tristeza en los ojos. Me lo imaginé frente a
su hermana loca, y diciendo: "Lo que quieras, lo que
quieras" a aquella mujer con cara de resignada que había salido a la calle y me había invitado a una ensalada. Tenía dentro de mí la figura un poco turbia y también todo lo que se habló aquella tarde me llegaba como
envuelto en nubes. ¿Era cierto que aquella noche había
dormido en el Monasterio y que al amanecer habían
matado junto al atrio a otro guardia civil? ¿Dónde le
habían dado el tiro, en el cuello, en el entrecejo, o en
la barriga? No recordaba. Hacía tres semanas, casi cuatro, y ya todo aquello me corría por la conciencia como
humo de una pesadilla.

— Yo iré a Turena — dije muy serio.

— Pero el teniente tendrá orden de cubrir el expediente con lo que sea.

— Pues que de momento lo suspenda.

No hubo necesidad de que lo repitiera. Al auditor
mi idea no le desagradó. La cosa merecía un poco de
estudio. En Turena se habían dividido las opiniones,

sobre todo después que el otro guardia civil, al día siguiente del desfile, se había ahorcado.

— Es que ellos debieron morir defendiendo a los presos — dijo un brigada.

— Era su obligación — dijo el otro.

— Pero no habrían adelantado nada. El hermano del señor, de todos modos, habría muerto — aclaró el sargento.

— Ellos nunca debieron tirar las armas.

— Hay quien dice que se las arrancaron a la fuerza. Ellos, bueno, el *Tieso,* tiene unos informes excelentes. Era un guardia civil de los buenos.

— Pero debió morir al pie del cañón — repitió el brigada.

— ¿Qué quiere? ¿Que ahora, encima, lo asciendan? — añadió el otro brigada.

— Tiene hijos — matizó el sargento.

— Que no los hubiera tenido.

— Se dicen muy bien las cosas ahora — añadió el sargento un poco picado —. Pero ¿qué habríamos hecho nosotros en su lugar?

— Yo sí sé lo que hubiera hecho — le atajó el más bajo de los dos brigadas.

Ya estaba allí el teniente auditor. Era joven, pero lo parecía mucho más por sus movimientos y por unos lentes que llevaba que le alegraban la expresión. Se había quitado la guerrera y llevaba subidas las mangas de la camisa y el cuello completamente desabrochado. Esto, que a otro lo hubiera hecho quizás un poco plebeyo, a él le daba hasta distinción.

— Pasa — me dijo, y cerró la puerta. Su despacho daba al jardín municipal. Me ofreció un cigarrillo rubio. Los tenía dentro de una caja de piel que llevaba en relieve las figuras de Don Quijote y Sancho.

— Ya sabes de lo que se trata, ¿no?

— Algo me han dicho.

— Es que en Turena han querido seguramente conocer tu opinión sobre el caso. No se trata del reingreso en el Cuerpo ni nada parecido. Se trata de que al *Tieso* lo quieren "empaquetar" y lo quieren meter en el sumario de la muerte de Enrique.

— Yo pienso ir a Turena.

— Entonces contesto que tú irás personalmente a aquella auditoría.

— Eso.

— El alférez jurídico que lleva aquello es un vaina. Yo creo que no hace nada a derechas.

Dejamos aquel tema. Entonces yo le pregunté su impresión sobre Hécula. Me dijo que para él era un pueblo como muchos otros que había conocido, quizás algo más religioso que cualquier otro. Al parecer, en Hécula, según él, todo giraba alrededor de unas cuantas familias que se dedicaban a murmurar y que no dejaban a nadie tranquilo.

— Me tienen frito — concluyó diciendo.

— Pero ¿por qué?

— Porque siendo, como parece, un pueblo que tiene un gran temor y respeto por la justicia, sin embargo todos piensan que la justicia claudica y se vende. ¿Sabes dónde paro?

— En Casa de los Palaos, ¿no?

— Si por ellos fuera, tendría que dejarles los sumarios para que les dieran el visto bueno.

— Ya me lo figuro.

Me despedí del teniente auditor. Era hijo de un diplomático español de bastante nombre. Era un chico muy correcto y parecía ecuánime, pero en su despacho, cuando tenía a su lado a los brigadas, al sargento y a los soldados, soltaba unos tacos horrorosos.

Aquella tarde me fui al cementerio y, sentado en una silla de tijera, bajo un pino, estuve repasando las listas de ingresados en los últimos años. Delante de cada nombre ponía el número de nicho o panteón que ocupaban; pero no pude descubrir el menor rastro de aquel familiar advenedizo que había caído en nuestra sepultura.

El sepulturero iba y venía, muy preocupado, rascándose la cabeza.

— Pero si es algo que yo le pueda decir... — murmuraba.

— Me temo mucho que no. Si supieras algo, como tú te quieres bien, ya me lo hubieras dicho.

La mujer del sepulturero estaba nerviosa y asustada, y a los niños les daba cada grito que los hacía llorar.

No fue posible sacar nada en claro. El sepulturero no recordaba, y lo juró repetidas veces, haber abierto nuestra sepultura para nada. Cuando lo de mi madre, él no era todavía el sepulturero oficial, sino un peón ayudante que estaba haciendo méritos para ganarse la plaza. En los primeros meses de la guerra, a los sepultureros sólo los dejaban pasar al cementerio cuando los necesitaban para algún trabajo.

Volví al pueblo y me fui derecho a casa de Miguel. Él no estaba, pero su madre me dijo que no tardaría en llegar. La familia de Miguel no sabía qué hacerse conmigo.

— Ni come ni duerme con todo este jaleo — dijo el tío, un campesino con la cara alargada y unos dientes grandísimos, muy blancos.

Me dio la impresión de que en casa de Miguel estaban pasando hambre todos.

Cuando llegó Miguel, salimos en seguida a la calle y, sin esperar a más, le dije:

— ¿Quién mató al *Lorito*?

Miguel se quedó blanco como la cera. No se esperaba ni por asomo una pregunta de este género.

— El *Lorito,* el *Lorito*...

— Sí, hombre — le aclaré —, el antiguo sepulturero.

Quiso empezar una frase de muchos rodeos que no decía nada. Tartamudeaba un poco. Por fin pudo decir:

— Pero ¡si lo sabe todo el pueblo!

— Pues yo no lo sé.

— Tú sabes, o por lo menos tu hermano Enrique sí que lo sabía muy bien, que el *Lorito* nos guardaba las armas en el cementerio, en una sepultura totalmente camuflada. Las dos cajas de pistolas que recibimos de Madrid, las dos ametralladoras que nos mandaron de Valencia, las bombas de mano y la media docena de petardos que teníamos para hacerlos estallar a una misma hora, cuando nos echáramos a la calle. Todo eso lo guardaba el *Lorito,* que era un buen truco. Nadie sospechaba de él. Ni de nosotros. Nuestras visitas al Castillo terminaban bajando de noche al cementerio. Allí celebramos dos o tres reuniones.

— Él cobraba por eso, seguramente.

— Ni pensarlo. El *Lorito* se había hecho de los nuestros porque sí, porque lo sentía.

— ¿Y cómo era el *Lorito*?

— ¿Cómo que cómo era?

— Sí, de aspecto.

— Pues un hombre normal, como otro cualquiera.

Me quedé pensativo unos instantes. Indudablemente allí estaba el principio del fin. Por este camino se podía llegar a dar con la punta de aquel enredado ovillo. Lo que más me extrañaba es que nadie en Hécula hubiera hecho la menor reclamación de aquel muerto. Tampoco yo en Turena había planteado la cuestión, pero no era lo mismo. Todo el mundo sabía que aquello era cosa que yo habría de resolver en el momento oportuno. Igual lo de Pablo. Claro que lo de Pablo era mucho más delicado, porque cuando me decidiera me sobraría aquel otro falso Pablo...

— ¿Y por qué sales ahora con ésas? — se atrevió a preguntar Miguel.

— Por algo que me interesa mucho.

— ¿Y has hablado de esto con Diógenes?

— Todavía no — contesté.

Noté que Miguel respiraba un poco más aliviado. Era como si momentáneamente le hubiera quitado un gran peso de encima.

— Yo en tu lugar ¿sabes lo que haría?

— ¿Qué harías? — y le cogí del brazo afectuosamente.

— Pues lo dejaría todo como está.

— ¿Qué tengo que dejar como está?

— Todo eso del *Lorito*.

— ¿Tú sabes algo? — y me encaré con él.

— ¿De qué? — replicó más bien tranquilo y burlón, cosa que a Miguel no le iba nada. Miguel era el tipo ingenuo, bondadoso. Pero pude notar en aquel momento una frontera en su bondad que dejaba como vislumbrar algún abismo de doblez. ¿Sería posible que aquel tipo, a quien yo tenía por tan simplón y servicial, estuviera en el secreto de algo tan verdaderamente importante para mí?

— Yo no te pido que me digas nada — le dije más bien humilde y dolido.

— Pero ¿qué quieres que te diga?

— Yo lo aclararé todo. No pararé hasta saber las cosas.

— No sé a qué te refieres.

— Ya lo sabrás.

Seguimos andando un buen rato, en silencio. Yo notaba que Miguel estaba como atenazado por un juramento. Pero yo estaba deseando dejarlo. De momento lo que más me urgía era localizar a la familia del *Lorito*. De allí también podía venirme un poco de luz. Al despedirse, Miguel, con voz como limosnera y suplicante, dijo:

— ¡Si Enrique viviera...!

Aquella frase no me amortiguó nada, sino que vertiginosamente se me echaron encima todos los muertos, no como una losa, sino como una nube que no tiene fin, como algo oscuro, denso, terrible que me caía sobre la cabeza. No eran sólo mis muertos, sino los cientos y miles de muertos que, si vivieran en aquel momento, hubieran hecho de mí y de Hécula una persona y un pueblo distintos. Los muertos pesaban, pesaban como plomo, pesaban como debe de pesar encima un toro muerto o el casco de un barco. Los muertos estaban arriba pesando.

Me separé de Miguel casi dándole a entender que estaba incomodado con él. Miguel era como un niño y este procedimiento pensé que me podía dar resultado. Yo sé hasta qué punto estaba rendido enteramente a mí. Y no solamente a mí por amigo de infancia y por hermano de Enrique, sino por mi uniforme y por mi estrella y por mi medalla, cosas que a él le chiflaban en aquellos instantes. Yo sabía muy bien que se pasaba el día hablando fervorosamente de mi familia. Es cierto que me dio pena dejarlo tirado en medio de la calle, pero lo hice con toda conciencia de que ponía una piedra fundamental para esclarecer lo que me preocupaba.

Fui andando calle adelante. Varias veces tuve la intención de volver la cabeza, pero me contuve. Yo sabía que Miguel estaba parado en la esquina de San Francisco...

En casa de mis primas había gente. Yo no quería ver a nadie. Me encerré en mi cuarto, pero al rato salí de nuevo a la calle. Era necesario que cuanto antes despejara de algún modo la incógnita: ¿qué relación había entre el *Lorito* y aquel muerto intruso en nuestro nicho? Sospeché que había alguna relación y que Diógenes tenía que saber mucho.

En ningún sitio en los que busqué a Diógenes pude encontrarlo.

— Estuvo por aquí hace un rato — me dijeron en el Ayuntamiento, en el bar *Cocodrilo,* en su casa, en el edificio de la Falange y en la cárcel incluso.

Supuse que a Miguel le habría faltado tiempo para

buscarle y hablar con él y por alguna razón especial se escondía o adoptaba posiciones para cuando yo le saliera al paso.

Hécula, más que adormilada, era una ciudad muerta. Apenas transitaba nadie por las calles, pero donde menos se lo esperaba uno asomaba alguna cara vigilante y curiosa. No era posible para mí dar marcha atrás en Hécula; esto estaba claro. Yo no había entrado en el pueblo pregonando ideas de perdón; no podía ahora hacerme el loco. Tenía que actuar de alguna manera delante de mis paisanos. No se trataba tampoco de organizar ninguna matanza; quizá mi pueblo se iba a considerar satisfecho tan pronto como llevara a cabo una venganza más o menos brusca. Más que el hecho en sí, lo que mi pueblo esperaba y no estaba dispuesto a perderse, era el símbolo de una acción de mi mano que tuviera la virtud de rehabilitarme. Aunque lo pareciera, yo no era ni sería libre en Hécula en tanto no rompiera el hipócrita silencio que se iba espesando a mi alrededor.

Oí que me chistaban y volví la cabeza. Era Diógenes.

— Te he estado buscando — le dije.

— Ya lo sé. ¿Qué querías, mi alférez?

— Tenemos que hablar — y en cuanto usé esta fórmula me di cuenta de que Diógenes arrugaba un poco las cejas y sonreía casi provocativamente.

— Me alegro, me alegro de que podamos hablar — y una vez más, por el tono de su voz, comprendí que Diógenes cultivaba conmigo un sigilo especial.

— Vamos al *Cocodrilo* — le dije.

— Allí estaremos bien. Muy bien pensado.

Había presentido muchas veces que Diógenes y yo tendríamos que mantener algún día un diálogo sumamente revelador. Diógenes creo que también lo había presentido.

En las Cuatro Esquinas había varios grupos de jornaleros con trajes de pana, conversando. De vez en cuando cruzaba alguna mujer con un velo de crespón cayéndole sobre los ojos. Fuimos bajando hacia el Parque.

— ¿Y hasta cuándo tienes permiso? — me preguntó con insólita solicitud.

— Desde luego me queda muy poco ya, pero podré volver en seguida.

— Tú, en realidad, has tenido mucha suerte.

Por una calle transversal venía un soldado rodeado de mujeres y niños. Dos hombres, detrás, se turnaban en cambiarse una enorme maleta de un hombro al otro. Tan pronto como me vio el soldado, los dejó a todos y se vino derecho hacia mí. Se cuadró el muchacho dando una lección de marcialidad y después me tendió la mano como vergonzosamente. Diógenes estaba impresionado.

— Pero ¿es que os habéis conocido en el frente?

— No — murmuró el soldado —; es que el alférez me avaló al pasarme. Estaba en Burgos en un campo de concentración cuando le escribí una carta y me destinaron a una división de italianos.

El soldado se iba poniendo colorado conforme hablaba. La familia nos contemplaba desde lejos.

— ¿Cuántos días? — le pregunté.

— Doce nada más, mi alférez.

El soldado dio un taconazo flamante y se acercó a los suyos, que en seguida lo rodearon para preguntarle sobre mí. Los hombres con la maleta en el suelo me miraban embobados.

Diógenes y yo continuamos andando. Me daba cuenta de la envidia que estas escenas producían en su ánimo. Sobre todo, Diógenes había deseado poder entrar en Hécula vistiendo un uniforme del ejército victorioso. El no haber podido realizar estos sueños le habían creado cierto sentimiento de amargura y un despotismo que probablemente no hubiera tenido de no haberse pasado tantos meses en la tremenda soledad de un escondrijo.

El *Cocodrilo* no podía estar más solitario y abandonado. Pero la penumbra del bar era grata y confortante. Nos sentamos en una habitacioncita que daba al jardín municipal. La cortina se movía de un lado para otro produciendo de vez en cuando un extraño chasquido.

— ¿Qué quieres con el vino? — me preguntó Diógenes.

Iba a responderle que aceitunas cuando ordenó al muchacho que se había parado en la puerta:

— Tráenos unas tiritas de bacalao. ¿Conforme?

— Conforme.

— ¿Va un purito?

Se lo acepté. Él mismo me ayudó a encenderlo. Cerca del bar debía de haber una fragua y se escuchaban con regularidad unos martillazos rudos y sonoros. El eco los repetía más apagados.

Se espesó un largo silencio que rompió Diógenes con una voz más bien imperiosa y socarrona. Vestía una chaqueta negra de alpaca brillante y debajo llevaba la camisa azul con corbata negra.

— Me han dicho — comenzó, al tiempo que se ponía el vaso de vino en la punta de los labios — que me estuviste buscando.

— Sí, estuve en tu casa y en Falange.

— Me han dicho que estuviste también en la cárcel.

— Sí, también estuve en la cárcel.

Cogía muy pulcramente las tiras de bacalao y las hacía hebras finísimas y luego se las echaba a la boca levantando mucho la mano y haciendo que le cayeran desde muy alto.

— Es que no le dejan a uno — dijo dándose cierta importancia. Pero antes de seguir hablando se levantó, se quitó la chaqueta y después de sentarse, estiró los pies sobre una banqueta. Luego dijo —: Vengo hecho cisco. Porque no sé si sabes que acabo de llegar del cementerio.

— De algo de eso quería hablarte.

— Pues tú dirás — prorrumpió sin dejarme termi-

nar —. Seguramente será sobre el traslado de tu hermano. También de eso quería yo hablarte. Es preciso
que la traída de tu hermano sea un acontecimiento.
Para nosotros eso es tan importante como para ti.

— No comprendo lo que quieres decir.

— Pues sí, hombre. Tu hermano murió dando la cara
por la causa y es justo que no se traiga a escondidas.

— Nadie piensa traerlo de tapujo.

— No, pero es necesario algo más. Sería conveniente
y muy oportuno hacer ese día en Hécula un acto de gran
afirmación falangista. Él cayó como los buenos; es muy
justo, por lo tanto, rendirle un gran homenaje.

Sin quererlo me puse a pensar en lo que mi madre
y mi propio hermano hubieran opinado sobre aquello.

Diógenes parecía empeñado en no dejarme meter
baza. Seguía perorando.

— Tú te has batido el cobre, pero tú no podrás darte
nunca una idea de lo que nosotros hicimos aquí del
34 al 36. La broma fue de bigote. Tú eras entonces un
niño, pero si hubieras visto a tu hermano en aquel
mitin que dimos que revolucionó todo el pueblo... A un
socialista se le ocurrió gritar desde el gallinero: "Eso
es mentira." Entonces tu hermano subió por él y, como
si fuera un crío pequeño, lo bajó al escenario y lo hizo
arrodillarse y besar la bandera. Después le dio una patada en el culo.

Diógenes seguía bebiendo. No había terminado el
vaso cuando ya se estaba sirviendo otro de la botella.
También a mí me hacía beber. Entonces fue cuando se
me ocurrió decir:

— ¿Y el *Lorito* estaba realmente con vosotros?

— ¿El *Lorito*? ¿Te refieres al sepulturero?

— Sí, al sepulturero.

Diógenes se quedó un poco cortado. No es que me
lo pareciera a mí, sino que realmente noté en él que la
pregunta le resultaba totalmente inesperada. Lo vi arru-
gar la frente y concentrarse. Estaba tramando algo.

— Ya sé que has estado por el cementerio más de una vez.

— ¿Quién te lo ha dicho?

— El propio sepulturero. ¿Y sabes lo que te digo? Que yo no me metería en líos ni follones.

— No entiendo nada de lo que estás diciendo.

— Ya lo entenderás, ya lo entenderás.

— ¿Cuándo?

— Algún día.

Diógenes estaba excitado y nervioso. Se había puesto pálido y las venas se le marcaban duras y gordas sobre la frente.

Había llegado a un punto clave. Si yo al llegar a Hécula y destapar el nicho familiar y descubrir aquel enigmático pasajero de la eternidad hubiera dado con la sospecha que ahora comenzaba dentro de mí, las cosas acaso habrían sucedido de distinto modo. Pero ya no me quedaba más remedio que meterme en el engranaje de los acontecimientos. Yo me sentía tranquilo e intenté jugar con la excitación de Diógenes.

— Esto es todo lo que quería decirte — le dije con cierta ironía.

Diógenes se levantó como un basilisco. Mi frialdad le contuvo. Yo no estaba nada turbado. Simplemente había tocado una veta preciosa capaz de proporcionarme hallazgos muy valiosos.

— Pero tú estás un poco chalado — dijo muy serio.

— Y no lo digo yo solo.

— Ya sé lo que dice todo el pueblo.

— Nadie ha tenido todas las puertas más abiertas que tú para hacer todo lo que le diera la gana, y te pasas el día de allá para acá, como espiando.

— ¿Espiando yo? ¿Qué tenía que espiar?

— Eso tú lo sabrás, pero has ido a hacerle preguntas al sepulturero. Y, sin embargo, los interrogatorios de la cárcel, para dar con quien disparó sobre tu madre, no te corren prisa. No comprendo — y puso un gesto deses-

perado que revelaba un profundo sentimiento —. Cada
vez lo entiendo menos — añadió.

— No hay nada que entender. Todo está claro.

— ¿Qué es — dijo un poco fuera de sí, casi aira-
do —, qué es lo que está claro?

— Todo — dije yo dando a mi voz una calma que le
hizo el efecto de un pinchazo. Diógenes se levantó nervioso y se puso a pasear por la habitación. Hablaba sin
ton ni son.

— Si quieres que te diga la verdad, te diré que hablar contigo es como si uno estuviera trompa. Yo te
quería hablar hace mucho tiempo de lo importante que
sería, por ejemplo, que tú te encargaras de las Milicias.
Tú mejor que nadie podías darles la instrucción. Podías hacerte cargo de las Organizaciones Juveniles. Es
lo que a ti más te va y en cierto modo tienes la obligación...

— Pero tú olvidas que yo tengo sólo un permiso
extra para estar en el pueblo. Estoy movilizado y tendré que incorporarme rápidamente a mi Unidad.

Estoy seguro de que no fue una ilusión mía. Cuando
Diógenes se convenció de que mi estancia en Hécula
no se iba a prolongar demasiado, aún disimulando, no
pudo menos de expresar cierta satisfacción.

— Pues entonces, déjate de todas esas manías, incluso lo del *Lorito*, y ve a lo tuyo, a lo tuyo que está todavía pendiente.

— ¿Cómo murió el *Lorito*?

— ¿Qué cómo murió el *Lorito*? Parece que hayas
caído de un nido. ¿Tú eres de Hécula y no lo sabes?
Todo el mundo lo sabe. A los nueve o diez meses de
empezar la guerra fueron al cementerio unas patrullas
y le dijeron: "Levántate, que tienes que cavar una fosa."
Él ya debía de estar acostumbrado a estas bromas. Pero
no creía que los tiros iban con él. Tan pronto como se
vio en el hoyo se dio cuenta de que lo habían descubierto y se negó a seguir cavando. Allí mismo lo rema-

taron. Su mujer y sus niños pudieron escuchar muy bien los tiros desde la cama.

— ¿Y qué hicieron con él?

— ¿Qué iban a hacer? Lo que hacían con todos: dejarlo allí en el montón para que se pudriera. Lo que hubieran hecho conmigo o contigo si nos hubieran pillado.

— Entonces, Diógenes, hay una cosa que no me explico. Por más vueltas que le doy, no me la explico.

— ¿El qué no te explicas?

— ¿Quién enterró a mi hermano Pablo en nuestro nicho?

Tardó un poco en contestarme.

— Yo estaba encerrado. Tú sabes que todo lo que ha pasado estos años es como un misterio. Unas cosas están claras y otras no lo están. ¿Estás seguro de que han puesto allí a tu hermano?

— Lo vi con mis propios ojos.

Diógenes no se inmutaba. Ahora era él quien por primera vez ponía en duda que aquel aparecido fuera mi hermano. Pero al instante repuso:

— Eso es lo de menos, eso es lo que tiene menos importancia. Todo lo de la guerra ha sido anormal y laberíntico. Yo en tu lugar no me preocuparía de las cosas pasadas. Si los demás nos dedicáramos a ello, nos volveríamos locos. ¿Tú sabes cómo yo me salvé?

— Sí, sí, lo he oído.

— Pues haciendo correr la voz de que me habían matado. Fue precisamente el *Lorito* quien hizo correr el rumor de que me habían visto tumbado en el camino del cementerio.

— A lo mejor se lo cargaron por eso — comenté añadiendo una bagatela a otra bagatela.

— No, a él se lo cargaron porque Telesforo cantó. Lo martirizaron mucho y, por fin, habló. Cuando fueron a la fosa y encontraron las armas que no habíamos podido emplear, la sentencia contra el *Lorito* fue evidente.

Todo parecía claro, lógico y comprensible.

— Pero por más que hago, no caigo en la cuenta de *cómo era* el *Lorito*.

— ¿Cómo que cómo era?

— Sí, de aspecto.

— Pues un hombre como tú y como yo.

Diógenes llamó al muchacho y pidió otra botella. Ahora pidió unos tomates cortados, con sal y un poco de pimienta.

Yo no estaba ya en su conversación. Estaba impaciente por irme a casa del *Lorito*. Por allí debía de haber empezado.

—¿Y qué ha dicho de todo esto la familia del *Lorito*?

— ¿Qué tenía que decir? Nada. Para ellos, como para los mismos rojos, lo del *Lorito,* que estuviera conchabado con nosotros, era un secreto. Si Telesforo no habla, se hubiera salvado. Pero es que creo que le dieron unas palizas horrorosas. Una de ellas cómo sería que le dio un vómito de sangre. Lo tuvieron que meter en el hospital. Pero una noche se presentaron tres bárbaros en el hospital y mientras dormía lo acribillaron. Pero ¿es que no te has enterado de todo esto?

— Sí, algo he oído. Pero cada uno lo cuenta de una manera.

— Eso ocurre siempre. ¡La cantidad de bulos que se han contado de mí! Y de ti mismo. A ti te daban por muerto. Sin embargo, a Pablo lo dieron siempre por vivo. Y, francamente, que fue canallería lo de Pablo. Porque a Enrique y a mí nos hubieran hecho picadillo, de habernos cogido, se explica, pero Pablo...

Por un momento hasta me asaltó la idea de que Pablo pudiera no estar muerto. Sin embargo, que yo no hubiera visto su cadáver no era razón suficiente. Estaba muerto y bien muerto. Los labradores que lo habían recogido habían conservado incluso algunos objetos, que habían entregado a mis primas.

Diógenes había ido adquiriendo dominio y cada vez hablaba más seguro y más lúcido. A mí con el vino me sucedía lo contrario. Tenía unas enormes ganas de chillar, de llorar, de pegar a alguien. Pegarme a mí mismo. Sobre todo sentía la necesidad de gritar hasta enronquecer.

No sé por qué, mientras Diógenes hablaba interminablemente, comencé a recordar el momento preciso en que hice mi segunda aparición en el frente. El capitán, un tío corpulento y untuoso, me recibió sentado. Le estaba afeitando su asistente. "Perdone que le reciba así", me dijo. "No se preocupe", contesté. Yo llevaba la prisa y el miedo del hombre que acaba de llegar al frente y cree que nada más llegar le tocará asaltar un parapeto. "Tome asiento", continuó. En su cámara había unas cuantas sillas de tijera. Cogí una de prisa y corriendo y al quererla abrir me pillé un dedo. No tuve más remedio que chillar. Me había hecho sangre. "Y usted ¿qué era antes de irse a la Academia de los provisionales?", me preguntó. "Estudiaba." A todo esto el asistente le pasaba y pasaba la brocha por la barba con una lentitud y un remilgo que me crispaban los nervios. Fuera, algo lejos, sonaron algunos cañonazos. También se escuchaba el traqueteo de una ametralladora que podía parecer una máquina de escribir en manos de un muchacho de Banco. "Pues ahora a curtirse, amigo — prosiguió —. Le recomiendo ante todo — y el tono de su voz era cada vez más pomposo y rimbombante — mucha tranquilidad. Lo primero que tiene que hacer es situarse, conocer a sus muchachos, dominar sus nervios. No quiero impaciencias. Porque me figuro que usted no será un *héroe*." El asistente sonreía como un conejo a la puerta de la madriguera. "A mí los *héroes* me dan cien patadas en la barriga. Además, aquí no hacen falta *héroes*. Aquí lo que queremos son... — dirigiéndose al asistente —: Dame otra pasada por aquí." Llegué a pensar que la tranquilidad del capitán era absurda, como si fuera un pérfido al servicio del enemigo. Me estaba imaginando que entraban los rojos y nos cogían prisioneros. Incluso pensaba en lo fácil que les iba a ser identificarme y mandarme en seguida a Hécula para hacer un escarmiento ejemplar. ¿Cómo aquel hombre, responsable de la vida de tantos otros, podía estar allí tan tranquilo mientras zurría el cañón y taladraba la ametralladora la paz de la colina?

También ahora Diógenes me tenía frito. Porque era imposible, en un momento del mayor apremio para mí, mayor explanación sobre asuntos triviales.

— Tú piénsalo — decía —. Tu prima Micaela podía muy bien llevar ese barullo del Auxilio Social. Las muchachas que hay son buenas y lo hacen con entusiasmo, pero hace falta una persona mayor que controle y saque adelante aquello. Ella puede hacerlo mejor que nadie.

Yo sabía que podíamos estar discutiendo tres horas más y no llegaríamos a nada concreto. Diógenes, mientras discurseaba — porque su diálogo había adquirido un tono altisonante y oratorio —, cazaba moscas al vuelo. Yo me dormía.

En un arranque de voluntad me levanté y medio le di un abrazo.

— Eres una gran persona.

— No diría yo tanto — agregó —. Pero te quiero. Te quiero por tu hermano y por todo. Y eso sí que es verdad.

Salí de allí aparentemente reconciliado, pero con todos los demonios dentro del cuerpo. Debía de estar algo mareado porque al abandonar la salita fui derecho hacia la cortina de chorrillos — hechos de madera y relucientes de tan pintados — y me di un golpe contra el tablero central de la puerta. Estaban abiertas las dos hojas laterales, pero en el centro, como un centinela, había un madero. Me hice daño, pero me aguanté. De ningún modo quise llevarme la mano a la nariz, a pesar de que sentía un frescor que presumí sin equivo-

carme que era sangre. Seguí derecho hacia el Parque.
En medio del jardín, algunas palomas medio adormi-
ladas se sacudían y arrullaban. Las palomas estaban
tan infladas que de una se podían hacer dos.

Fui subiendo costosamente la calle de San Francisco. El cuello me sudaba. Los murciélagos que venían
rectos por la calle, al llegar a mí, daban una especie de
viraje y se escapaban a derecha e izquierda. Otros volvían conmigo y a mi espalda parecían pelearse o jugar.
Los casinos de Hécula estaban llenos de gente. Sonaban
las fichas de dominó con un estrépito infernal.

— ¿Está Diógenes en el *Cocodrilo*? — me pregunta-
ron unos falangistas que iban patrullando.

— Allí se ha quedado — repliqué.

En la calle de San Francisco, cuatro o cinco radios
estaban puestas a toda potencia. Debían de estar trans-
mitiendo un acto importante. Las marchas militares se
sucedían ininterrumpidamente.

En casa de mis primas me encontré un telegrama
del juez militar de Turena. Me esperaba uno de aquellos días.

— ¿Sabéis dónde vive la familia del *Lorito*? — les
pregunté un poco confuso.

— ¿Del sepulturero? — dijo Micaela.

— ¿Por quién pregunta? — añadió Apolonia, que
siempre repetía las preguntas aunque se hubiera enterado perfectamente. Era una especie de truco suyo para
tomarse tiempo de pensar sobre lo que se había hablado.

— Deben de vivir por las Cuevas — contestó Micaela.

— ¿Y para qué se le ocurre a éste ahora preguntar
por la familia del *Lorito*? — dijo Apolonia como para
sí misma, levantando sus inútiles ojos.

Creyeron las dos que mi pregunta tenía que ver con
el telegrama que acababa de recibir. De acuerdo, mis

dos primas comenzaron a apiadarse y a lamentar la muerte del *Lorito,* que, aunque tuviese un oficio tan macabro, era conocido en todo Hécula, según me dijeron, por su carácter campechano y bromista. La familiaridad con la muerte debe de crear este tono irreverente y frescachón ante la vida. El *Lorito* tenía fama de hombre jaranero y sirvergonzón.

— Menos mal que Dios le habrá perdonado, por aquello de la muerte tan horrorosa que le dieron al pobrecito — comentó Apolonia.

— Al final dicen que era de los nuestros.

— ¿Y no se ha dicho por el pueblo por qué lo mataron? — insistí.

— Cada uno ha dicho una cosa — dijo Micaela.

— Yo creo que lo mataron porque sabía demasiado.

— ¿De qué?

— Los fascistas parece ser que se reunían en el cementerio — añadió Micaela.

— Pero puede que fuera también porque sabía demasiadas cosas de los crímenes de los rojos y ellos se lo quitaron de encima para que después no lo contara.

Saber lo que supieran mis primas era saber todo lo que se podía saber en el pueblo. Porque ellas no sólo se enteraban de las cosas según les llegaban las noticias, sino que después las repasaban y cavilaban mucho sobre ellas.

Mi prima Micaela salió a la calle y preguntó a una vecina en dónde vivía la viuda y los hijos del *Lorito.* Aquélla no lo sabía, pero se lo preguntó a la de al lado. Tampoco aquélla lo sabía y acudió a la de enfrente. Antes de cinco minutos había cinco o seis mujeres en la acera queriendo indagar el paradero de la familia del *Lorito.* Al cabo de un rato no se escuchaba otra cosa en mi calle.

— ¿Tú sabes dónde vive la viuda del *Lorito?*

Por en medio de la calle venía un aguador. El carro se iba hundiendo en los tremendos baches del carril y el agua metida en el tonel sonaba como un vientre lleno después de un colosal banquete. Venía gritando:

— ¡Agua del Caño!

Cuando oyó lo que las mujeres preguntaban, respondió como si la cosa no fuera con él:

— Vive en la calle de la Veleta — y sin esperar ni a que le dieran las gracias siguió calle adelante hablando con su burro.

No sabía exactamente dónde estaba la calle, pero podía presumir por dónde caía. Me tracé el plan para el día siguiente.

Aquélla era otra Hécula muy distinta. Tan pronto como dejé atrás las calles más urbanizadas, entré en unos recovecos de calles estrechas, malolientes, infectas. La miseria pululaba allí como las caparras en la piel de un perro vagabundo. Se veía que la pobreza allí es en algunas familias algo que se va haciendo, algo que crece y se alimenta de pobreza y más pobreza. Las caras famélicas y los niños esqueléticos y desnudos eran como los gallardetes de aquella horripilante verbena. Los viejos que se asomaban desde las ventanas parecían muertos recién resucitados. Tenían las carnes de estos viejos un color negro como de enfermedades antiguas adheridas a la piel. Y las mujeres, con los brazos remangados, lo mismo espulgaban a una niña que conducían al marrano hacia los apestosos estercoleros. Las moscas zumbaban como locas encima de los residuos de los charcos y sobre la costra de los excrementos produciendo un ruido de panal nauseabundo.

— ¿Dónde vive la mujer del *Lorito*? — preguntaba.

Pero sólo nombrar al *Lorito* despertaba a mi alrededor como una ola sorda de hostilidad y silencio. De todos modos, aquellas gentes querían ser cumplidas con mi uniforme y murmuraban unas cuantas palabras de excusa o disimulo.

— Se refiere usted al que fue sepulturero — me dijo una muchacha.

— El mismo.

La muchacha salió corriendo y se metió en un corral. No volvió a aparecer. Además de la pobreza en aquel mundo heculano, que tan poco conocía yo, reinaba y dominaba el miedo, un miedo difuso, contagioso, dañino.

"Debe de ser cerca", me dije, y seguí preguntando.

— Creo que es más arriba — me contestaron en un corro de mujeres que estaban sentadas en sillas bajas.

Entré en pleno desfiladero. Aquellas calles no eran más que vertientes de la parte trasera del Castillo y las casas eran como agujeros para alimañas. De vez en cuando había alguna que tenía la fachada encalada y una fila de macetas adornaba el desmonte que le servía de entrada. Las chimeneas brotaban de la tierra y se podía ver dónde estaban más que por la salida del humo porque la tierra se veía a su alrededor totalmente ahumada.

"Viviendo así es fácil matar", pensé. Y me asusté de mi mismo pensamiento. Porque ello equivalía a pensar que todas aquellas gentes que me iban siguiendo con los ojos eran criminales, formales o teóricos. Si no habían seguido matando es porque no podían, porque no los dejábamos. Ahora había en Hécula guardia civil y soldados en cantidad.

Yo procuraba poner una cara benigna y bondadosa a pesar de que, acordándome de mi tragedia, de vez en cuando me entraban ganas de pisar fuerte y mirar con odio. Tenía que vencerme para no mostrar un gesto de crueldad y de dureza. Es posible que yo sintiera algo de miedo también.

De un postigo salió una rata enorme con los pelos en punta y mojados. Varios niños salieron corriendo detrás de ella con palos y piedras. La rata se metió en otro postigo. Las mujeres reían fuerte dándose tremendos cachetes en los muslos.

— Ahí es — me dijo un niño con cara de asustado y lleno de mocos.

— ¿Se puede? — dije en la puerta.

Nadie contestaba. Seguí avanzando. Se olía a excusado nada más entrar. La casa estaba completamente a oscuras. Parado en aquella especie de porche, seguí gritando:

— ¿Quién hay aquí? ¡Oiga, oiga!

Escuchaba mi voz, que resbalaba por la casa como una pelota en un barrizal. Mi voz tenía un eco lamentable en los últimos rincones de aquel casucho. Cuando me quise dar cuenta, un hombre que venía de la calle, y al que se notaba visiblemente advertido, me preguntó:

— Mi cuñada no está. Ha ido a lavar. Se dedica a lavar ropa. Tiene cuatro niños.

— ¿Su cuñada era la mujer del...?

— Y yo su hermano, para servirle.

— Hombre, muchas gracias. Yo no he venido nada más que para vuestro bien.

— Nosotros no somos políticos — murmuró afligido.

Fueron entrando niños. Venían sudorosos, respirando con fatiga, ávidos de verme de arriba abajo. Llevaban unos baberitos negros recién estrenados.

— ¿Venís del colegio? — dije por decir algo.

— Venimos del Auxilio Social. De cenar — y los cuatro se miraron relamiéndose.

¿Cómo aquellas criaturas, viviendo en aquel inmundo cubil, no se morían? Sin embargo, estaban sonrosados, sanos, hasta alegres. El tío de los niños los miraba como avergonzado.

Aquel hombre me conmovía. No parecía posible con una apariencia tan humilde dar una sensación tan fuerte de grandeza y de bondad. Tenía la cara triangular, los dientes muy blancos y salientes y el pelo más negro que el hollín.

El niño pequeño comenzó a llorar y los otros tres

se pusieron a reñirle por turno. Ellos estaban encanta-
dos de que yo estuviera allí.

El hombre los espantaba como a las moscas.

— ¿Tardará mucho en llegar su cuñada? — le dije.
— Debe de estar al llegar. Ya debía estar aquí.
— ¿Puedo esperarla?
— Por mí puede hasta sentarse — y el que se sentó
fue él, procurando quedar frente a mí.

Por decir algo, agregué:

— ¿Los niños van al colegio?
— Esas cosas no son para nosotros.
— ¿Por qué no han de serlo?
— Porque no.
— ¡Es que viven tan lejos! — comenté, y en seguida
me di cuenta de que había dicho una tontería.
— No sólo por lo lejos; es también por los cuartos.
— Pero ellos tendrían derecho a ir gratis.
— Derecho, derecho...

Los niños vaciaron sus bolsillos encima de una mesa
cubierta con hule que tenía los dibujos raspados e in-
completos. Cayeron varios trozos de pan y unas cuantas
ciruelas.

El hombre sonrió como disculpándolos. Su físico,
que era bastante desgraciado, se alivió y hasta se her-
moseó con aquella sonrisa.

Estábamos casi a oscuras. El sol debía de haberse
puesto hacía un rato bastante grande. Los niños se es-
caparon a la calle. El hombre y yo permanecíamos en
silencio, frente a frente.

"¿Cómo no se me habrá ocurrido antes?", me dije,
y saqué la pitillera. Aquello me sirvió, con la cerilla,
para verle la cara un poco más despacio.

— También lo de su hermano fue mala pata, porque, según me han dicho, fue de los últimos que mataron.

Noté que ponía los ojos huidizos y que se distraía
aposta. Sin embargo, ponía los oídos muy atentos a lo

que ocurría por la calle. Se escuchaban sin parar voces un tanto palurdas de hombres que volvían del campo o del taller arrastrando su desgana y su mal humor.

— ¿Y dónde lo enterraron? — me atreví a preguntar sin más preámbulos.

Hizo como que no me había oído. Volví a repetir la pregunta aunque de distinto modo, y tampoco aquella cara de piedra o de palo se inmutó lo más mínimo. Parecía no interesarle nada el paradero de su hermano.

Entonces oímos a una mujer que gritaba en la calle.

— Ya viene.

— ¿Es ella? — pregunté.

Apareció una mujer con los ojos muy negros y fijos, que olía a lejía y a azulete. Contrastaba el color amarillento de la cara con lo coloradas que tenía las manos. Estaba embarazada de por lo menos seis meses.

— ¿Usted es...? — y no llegué a terminar la frase.

— La misma. Lo que yo no sé es por qué no me dejan en paz de una vez. Ya estoy harta. ¿Lo sabe? Estoy harta.

Aquella pálida cara se puso roja. El hombre se puso a pasear por la habitación con las manos atrás. En esto los niños, que estaban escondidos detrás de una cortina, se pusieron a llorar furiosamente.

— Pero si yo no vengo... — comencé a decir — más que a ayudarles en todo lo que pueda, y si hubiera sabido antes...

— Ustedes todos tienen la culpa de lo que me pasa a mí — y me señalaba con el dedo de una manera casi agresiva.

— En mi caso le digo que se equivoca.

— No he pedido nada ni quiero nada. Me basto yo sola, nos bastamos para salir adelante. Bastante nos hicieron ya.

Con las manos sobre el vientre hinchado, moviéndolas a compás, sin darme tiempo ni a hablar, iba dejando escapar sus exabruptos.

— Son todos ustedes iguales — continuó —. Usted y Diógenes, que también ha venido varias veces ofreciendo el oro y el moro. Y yo, dígaselo también a él, no necesito nada. Por ustedes mataron a Paco; pero, puesto que ya pasó, dejemos la fiesta en paz.

— ¿Ha venido Diógenes por aquí?

— Sí, no se haga usted el loco.

El hombre se estaba poniendo nervioso y daba fuertes pisotadas en el suelo. Los niños seguían llorando, pero blanda y suavemente.

— Tú no te tomes disgustos — le dijo el hombre casi con ternura.

— Pero si yo venía...

— Un disgusto para ti puede serte fatal. Déjalos que hablen y que prometan — y el hombre le puso la mano en el hombro con un gesto protector y bondadoso.

Entonces fue cuando me di cuenta de que aquel hombre estaba ocupando enteramente el lugar del marido muerto. Me senté en una silla y puse la frente entre las manos, como meditando. Ella iba y venía por la casa hablando a una velocidad increíble. Varias vecinas se llegaron hasta la puerta, descorrieron la cortina, echaron un vistazo y se fueron.

Tuve intención entonces de sacar la cartera, dejarles algún dinero y salir pitando; pero me convencí de que para aquella mujer iba a ser como un insulto y se iba a tirar poco menos que a arañarme.

— Ella no quiere que le hablen de eso — musitó el hombre sentándose en una sillita pequeña a mi lado —. Usted no puede figurarse cómo vivimos aquí. Todos los de este barrio son de la cáscara amarga y nosotros tenemos que vivir aquí entre ellos. Nosotros no queremos que se castigue a nadie. El tonto fue él por meterse donde no le llamaban.

— Él fue siempre un pánfilo y ustedes lo compraron. Porque yo estoy segura de que lo compraron — y gritaba como una loca desde la habitación vecina.

Me levanté para irme. Me puse cerca de la puerta y acaricié a los niños con un gran desconsuelo. Uno de ellos se dejaba acariciar en la cabeza. Los otros huyeron como animalillos espantados.

De todas maneras, el hombre se había suavizado algo. Estaba junto a mí y me aceptó un cigarro.

— No me habéis entendido — le dije con un tono de gran paciencia y afecto —. Si he venido es porque yo os necesito a vosotros. Podéis sacarme de una gran duda.

Pero su mirada se iba distanciando. Volvía a desconfiar de mí. La oía a ella, que desde dentro sermoneaba:

— Y tú igual, lo mismo. También tú te dejarás engatusar. ¡Si no os conociera yo! Pero como hagas o digas algo sin contar conmigo, por éstas que me voy y os dejo. Como no me hagas caso, yo te digo que haré una barbaridad.

Y la mujer rompió a llorar de un modo desconsolado y patético.

— ¿No oye? — murmuró él —. Será mejor que la dejemos. Será mejor que se vaya. Contra usted no tenemos nada, pero lo que nosotros queremos es vivir tranquilos.

Como hablando conmigo mismo, se me ocurrió decir:

— Ha sido una pena. Yo venía con buena intención. ¡Me podían haber hecho tan gran favor!

— Pero ¿qué es lo que quiere de nosotros?

La mujer seguía gritando:

— Y te estarás dejando embaucar. Todo porque ellos son los que mandan y pueden meternos en la cárcel.

— ¿Te callas? — le atajó él.

— Yo no quería más que saber dónde está el cuerpo de él.

— ¿De quién? — y le dio a su pregunta un acento misterioso.

— El marido.

— ¿Mi hermano?

— Sí.

— Pues ¿dónde va a estar? Con todos.

— ¿Con qué todos?

— Con mis otros hermanos.

— ¿Está seguro?

— Como que hay Dios — se le escapó.

— ¿Se lo han dicho, o lo vio?

Me echó una mirada de arriba abajo, como si fuera un loco o un enfermo incurable. Bajando mucho la voz, más que nada porque era imposible que yo le oyera, aun estando a dos pasos de él, por el griterío que armaba la mujer en la pieza contigua, respondió con un aturdimiento extraño:

— Yo mismo ayudé a meterlo. Nosotros, aunque no lo parezca, tenemos nicho propio.

De repente se me había hundido todo un mundo de sospechas y suposiciones.

— ¿No me miente? — le dije con gran dureza, pero al mismo tiempo suplicante. Él ya no me miraba con temor sino más bien conmiserativo.

— Ya le hemos dicho que no queremos nada con la policía ni con el juzgado.

— Pero, por Dios, que se vaya ya. Échalo, hombre. Si no lo echas tú, tendré que echarlo yo — bramó la mujer. Los niños volvieron a llorar escandalosamente.

— La está poniendo nerviosa, se me va a poner mala. Yo no sé nada. Nosotros no sabemos nada. Déjenos, por lo que más quiera. Déjenos en paz.

— Una última cosa, por favor. ¿Me quiere enseñar algún retrato de su hermano?

— ¿Para qué?

— Para verlo nada más.

— ¿Si se lo enseño me promete que se va?

— Se lo prometo.

Con gran tiento fuimos pasando hacia dentro hasta llegar a una habitación que estaba unos cuantos escalo-

nes más baja. La penumbra le daba cierto aspecto de
bodega, pero en vez de barriles y cubas lo que allí había
eran unas arcas y varios colchones en el suelo.

Ella se había sentado en un cofre antiguo, con un
porrón de vino en una mano y en la otra una sardina
entre dos rebanadas de pan. Un candil colocado en el
suelo proyectaba su sombra en el techo dándole un aspecto mucho más temible y extravagante. Desde fuera
no era posible que yo me la imaginara así, comiendo,
mientras me atacaba tan fieramente. Al contrario, la imaginaba, no sé por qué, dando vueltas frenéticas alrededor
de la habitación.

El cuñado, que estaba claro que hacía ahora de marido, cogió el candil en una mano y lo levantó en alto
hasta iluminar un retrato gris y medio apagado en el
que parecían vibrar dos ojos fascinadoramente fijos y
negros.

— Es él — dijo.

— Sí, enséñaselo todo, no seas tonto. Déjalo que
mire bajo los colchones.

— Cállate, Petra.

Seguí mirando el cuadro. Momentáneamente cerré
los ojos para compaginar aquel rostro con aquel otro
que había visto en fase bastante adelantada de descomposición. Pero no podía establecer relación alguna entre
los dos. Era el *Lorito* un tipo menudo y cenceño que no
podía nunca ni compararse con el corpachón que estaba
empotrado entre los féretros de los míos.

— ¿Y llevó siempre bigote? — dije, por decir algo.

— Sí, llevó bigote siempre, y tenía un par de esos
que no tiene este que me está escuchando.

El hombre dio un manotazo a los niños, que salieron corriendo y llorando por toda la casa.

Yo estaba mareado. Tuve que agarrarme a la puerta.
Seguramente era el olor fuerte a retrete mezclado con
el de la sardina. O también podía ser que no me había
sentado bien el vino que había tomado con Diógenes.

— ¿Se siente mal? — me preguntó el hombre.

— No es nada.

De momento pensaba que ya lo único que me quedaba por hacer era irme derecho al nicho, sacar de allí dentro al intruso y preguntarle con toda seriedad quién era y por qué estaba allí.

Al hombre se le ocurrió decir:

— ¿Quiere que le hagan una taza de tila?

— Gracias, gracias — y me fui hacia la calle.

Al hombre le di la mano y a ella la miré profundamente a los ojos y le dije:

— Si necesita algo de mí...

Pero no pude acabar la frase. Se entró hacia dentro llorando y los niños volvieron a la exagerada llantina. El hombre salió hasta la calle detrás de mí. Tuve que medio arrollar a unos cuantos vecinos que estaban pegados a la puerta, me figuro que escuchando.

La calle de la Veleta está en cuesta y cada casa es un tramo pronunciado formado por piedras que sólo allí donde el escalón se junta a la fachada aparece encalado, como una valla de nieve. Desde arriba es como una escalera dilatada y casi preparada para una fantástica representación teatral. De vez en cuando la calle se interrumpe brevemente y, en medio del carril o a los lados, surgen grandes bloques de piedra resplandeciente donde brillaba la luna.

Salí dando traspiés, y ya llegado a lo más agudo de la pendiente, corría sin poder detenerme. Mis botas resonaban sobre los trozos de asfalto o los breves filos de ladrillos que bordeaban las aceras de las casas más apañadas.

Había vecinos, sentados en el suelo o en sillas de esparto, que al verme volvían la cabeza, y mujeres que salían corriendo del corro en donde estaban sentadas y se iban flechadas a una casa de la vecindad.

"No es él, no es él"; esto era todo lo que a mí se me ocurría decir. Había esperado casi con certeza que el muerto que estaba pegado al féretro de mi madre fuese el sepulturero. Pero no era. Desde que vi el retrato tuve la certeza de esto, más que nada basada en una especie de intuición súbita.

Llegué a casa de mis primas bastante cansado.

— Te estamos esperando para cenar — dijo Micaela.

— Cada día vienes más tarde — comentó Apolonia.

— Vamos — les contesté en un tono fingidamente optimista.

En medio de la cena les dije, y sin que yo antes lo hubiera pensado ni en serio ni en broma, que tenía determinado hacer un panteón para los míos. Era lo menos que podía hacer por ellos. Así estarían todos juntos.

Apolonia no hizo más que repetir hasta los postres:

— Esa buena acción Dios te la pagará. Y ellos te lo agradecerán desde el cielo.

Micaela, por su parte, musitaba:

— Di que sí, hijo, y así le taparás la boca a más de uno.

Sin quererlo me venía la sonrisa a los labios. Ya me estaba imaginando la escena. A Enrique lo traíamos con todo clamor y resonancia, procurando que Pablo descansara esa misma noche en la capilla del cementerio, para dar sepultura a los dos al día siguiente. Naturalmente, me iba a sobrar un muerto. Entonces yo no querría nada con el intruso y lo iba a dejar en el depósito para que se hiciera cargo de él el juez. Bastante tenía con los míos para cargar ahora con un muerto extraño y desconocido.

— ¿De qué te ríes? — me preguntó Micaela.

— De nada.

— Por cierto — le dije —, ¿te gustaría ponerte al frente del Auxilio Social?

— Pero ¿es para trabajar? — intervino Apolonia.

— Algo tendrá que hacer.

— Pues no me gusta — aclaró la ciega —. Tú podías

darle eso mismo u otra cosa, pero sin que tenga que ir. Micaela hace falta en la casa.

— Bueno, bueno, ya se arreglará todo.

— Como se arregló lo de Caparrota y lo ahorcaron — exclamó la ciega.

Me levanté de la mesa silbando y canturreando. Ellas dos se quedaron susurrándose inexplicables secretos. Probablemente estaban criticando mi buen humor. Para ellas mi buen humor era tan molesto o más que mi pesimismo y mi aislamiento.

Volví al comedor y les dije:

— Conrado vendrá a recogerme mañana muy temprano. Llamadme a las siete.

Y me acosté. Pero no podía dormirme. Las caras de Diógenes y del *Lorito* me daban vueltas en la cabeza y se me aparecían como máscaras grotescas encima de los muebles, en el espejo y tras la ventana.

Miguel llamó a la puerta y preguntó por mí. Mis primas le dijeron que ya debía de estar dormido hacía más de media hora. Lo escuché alejarse lento y pesaroso. Sus pasos me parecían pensativos, indecisos.

"Quizá Miguel sepa algo más... Quizá", pensé.

Y me dormí.

AL día siguiente, a las seis de la mañana, llegó a casa de mis primas Conrado con su coche. El coche de Conrado era un coche formado de más de una docena de coches de los que los rojos habían dejado abandonados en Hécula. Él había cogido una pieza de uno y otra de otro y había logrado formar un coche estrafalario y pintoresco que era la diversión del pueblo. Conrado era el veterinario de más prestigio de Hécula y a veces lo llamaban a Turena.

— ¿Cuánto tardaremos? — le dije.

— A las ocho estamos en Turena — contestó con una precisión de sabio veterinario que adivina la hora en que la vaca parirá los dos ternerillos.

Paramos un rato en una venta que hay entre Hécula y Turena.

— ¿Qué quieren los señores?

— Anisete perfumado — dijo Conrado.

— Una infusión de manzanilla — dije yo.

Los labriegos que había en la venta estaban arrinconados y examinaban mi uniforme con curiosidad y temor. Entre ellos discutían en voz baja, como los niños cuando en plena clase de física se cuentan un chiste.

Al salir, Conrado dijo:

— ¡Y arriba el campo!

A lo que todos ellos, como si fuera una consigna obligada, respondieron:

— ¡Arriba!

El resto del viaje me fue hablando de que los campesinos de toda esta comarca eran unos tíos cazurros a los que había que darles "del pan y del palo", pero más "del palo que del pan". Yo le decía que no, que lo que pasaba era que los campesinos heculanos habían estado más abandonados que hongos y que eran ignorantes y sucios como indios.

— Estos tíos son capaces de matar a su padre y luego sonríen — terminó diciendo.

En medio de la carretera tuvimos un zorro parado un instante.

— ¡Para! — le dije muy exaltado.

El zorro se metió entre las cepas y corría como un condenado. Saqué la pistola y disparé unos cuantos tiros. Por supuesto que no le di. Conrado se reía en medio de la carretera. Este incidente nos puso de buen humor.

— Eres un mal tirador — decía Conrado.

— ¿Tú crees?

— No has matado al zorro. O a la zorra — gritaba.

— ¿A que no te pones a la distancia que yo te diga sin moverte?

Cuando le dije esto adoptó un continente más grave y apretó las manos al volante. Noté que pisaba el acelerador con más fuerza. Conrado había sido radical socialista y ahora gastaban muchas bromas en Hécula acerca de sus comuniones diarias.

Cuando llegamos a Turena vimos que todas las calles principales estaban repletas de gente que iban calle adelante, pero con un aire festivo que nos hizo parar el coche y preguntar:

— ¿Qué es lo que pasa aquí?

Hombres, mujeres, muchachas, muchachos y niños respondieron todos a una:

— Hoy subimos a la *Abuela*.

— ¿A qué *Abuela*? — insistió Conrado.

— ¡Cállate, hombre! — le dije —. Es la *Abuelica*, la Patrona.

Nos fuimos derechos a la puerta de la parroquia,

dejando el coche justamente en la plaza donde asesinaron a mi hermano. La gente pasaba por allí como si tal cosa. A lo más, algunos se detenían un instante y señalaban el suelo. Yo los veía.

Las campanas repicaban. En Turena habían dejado al menos las campanas. En Hécula las habían tirado abajo diciendo que serían para material de guerra. En el aire estallaban cohetes.

— ¡Qué pueblo este pueblo español! — comentó Conrado.

— ¿Por qué?

— Aquí lo tienes. ¿Tú crees que es posible arrancar la fe al pueblo español...?

Pero Conrado no continuó. La mayoría de las mujeres llevaban velas en la mano. Las muchachas se habían preocupado de ponerse un pañuelo vistoso en la cabeza. Los muchachos iban en mangas de camisa. Por turno se pasaban las cestas y los paquetes con la comida. Al salir la *Abuela* se dispararon tracas y, entre una banda militar y la municipal, hicieron una versión nueva del himno nacional.

Detrás de la *Abuela* fueron poniéndose en fila infinidad de penitentes: labradores con los brazos en cruz, mujeres con los cabellos sueltos y descalzas, y algunos gitanos.

— Vamos a dejar que pase la procesión — dijo Conrado.

— Lo malo será que hoy va a estar aquí todo cerrado.

— Anda, pues es verdad.

Lo que pasó entonces frente a mis ojos me dejó cortado. Un hombrón alto, rígido, como electrizado, caminaba entre las filas de los penitentes.

— Es el *Tieso* — dije.

— ¿Qué? — preguntó Conrado.

— Que aquel que va allí con la vela en la mano y con la mirada fija es el *Tieso*.

El *Tieso*, de vez en cuando, doblaba un poco su humanidad. Se le veía como avergonzado. El estar allí en medio de todos le estaba costando sudar mucho. Sobre todo, se le notaba impresionado por el rumor de voces que se escuchaba al pasar él. Detrás de él iba la loca. Su mirada, fija y medio extraviada, asustó al propio Conrado.

— La mujer es un caso — comentó.

— No es su mujer — aclaré —. Es su hermana.

Sin poder evitarlo, yo estaba deprimido. Conforme el pueblo se iba dando cuenta de la presencia del *Tieso*, fue escuchándose a lo largo de las filas un cuchicheo que en algunas partes debía de ser misericordioso, pero en otras se advertía un acento de burla. La figura del *Tieso* entre las filas de mujeres desgreñadas, y casi escoltado por unos labriegos pequeñajos y magros, tenía un aspecto siniestro, como de condenado que va al suplicio.

— Vámonos — dije.

— Hombre, espera que pasen los últimos.

Me alejé poco a poco. Me encontraba en la peor de las dudas. Notaba una total ausencia de emoción. Sobre todo, no sentía aquella ira que había tantas veces imaginado y sentido y que ahora, creía yo, me era absolutamente necesaria.

— A las doce — le dije a Conrado —, en la puerta del Banco Popular.

Me fui derecho a la Auditoría. El cabo me pasó a un despacho y tan pronto como me reconoció, llamó por teléfono varias veces hasta que, por fin, pudo comunicar:

— Mi alférez, que está aquí... — y le contó brevemente mi llegada.

El alférez, por lo visto, se estaba afeitando. Venía en seguida. Mientras tanto, yo podía ir leyendo tranquilamente el expediente.

Una vez más me sumergía en el foso del crimen. Saltaba las páginas secundarias a toda prisa buscando el nervio del suceso, que había ocurrido de la siguiente manera: mi hermano, que se vio perseguido como alimaña, no sabía ya qué hacer, y se fue derecho al Cuartel de la Guardia Civil para entregarse. Los guardias, en cuanto lo vieron, se echaron a temblar. La chusma de Turena rodeaba y vigilaba el cuartel de una manera desafiadora. Los guardias se podía decir que estaban detenidos. Aunque forzosamente los guardias se habían puesto al lado del pueblo, las milicias eran absolutamente dueñas de las armas y de los guardias. En vez de ir al cuartel directamente por mi hermano, la estratagema que forjó el Comité del Frente Popular fue sacarlo hacia la cárcel para provocar una revuelta en medio de la calle y matarlo. Al *Tieso* y a otro guardia muy antiguo les tocó en suerte, y tuvieron que hacerse cargo del detenido. Salieron por el postigo camino de la cárcel, evitando los lugares concurridos. Pero todo estaba hábilmente preparado y no habían andado cuatro calles cuando ya eran seguidos por una muchedumbre amenazante, que por momentos caminaba en silencio y en otros se revolvía en gritos e insultos. Muy pronto empezaron a caer algunas piedras cerca de los guardias y de mi hermano. Los guardias iban apretando el paso y escabulléndose por callejas accesorias. Pero no sabían que allí, frente a la cárcel, los esperaba una chusma airada. Y allí el preso y sus guardianes se encontraron ante el más espantoso de los cercos. Los fueron rodeando como a fieras. Los guardias se resignaron con pedir clemencia. Ni siquiera se atrevieron a levantar los fusiles. Los cogieron, los separaron del preso y comenzó la matanza, una matanza lenta y que fue proporcionada no por una ni por dos manos, sino por muchas docenas de manos, de hombres y de mujeres. Los guardias fueron retirados de allí entre burlas y silbidos. Los guardias llevaban un mono, un correaje y gorro, pero, para inspirar un poco de respeto, el *Tieso* se había puesto el capote encima. El capote se había quedado en medio de la plaza, lleno de sangre y atravesado de pinchazos. Según había declarado el *Tieso,* lo peor de todo era que, al regresar al cuartel, el sargento que se había hecho cargo de la tropa, que era un carabinero expulsado del Cuerpo, les había dicho:

— ¿Y ustedes por qué no han defendido al preso como mandan las ordenanzas?

— No hemos podido.

— Fíjese cómo venimos.

— ¿Y si ahora yo mandara fusilarlos? Su deber era dejarse matar — fulminó, y aparentando un rigor castrense exagerado, hizo como que empezaba a instruirles un sumario.

Al entrar el alférez me cortó la lectura. Todavía no había empezado a leer las declaraciones de los presos. Pero seguramente había detalles mucho más monstruosos, contados por los pocos testigos que habían podido declarar.

— Vaya *paquete-muestra* — dijo nada más sentarse a mi lado en un sofá desvencijado y ruin, cogiendo el sumario entre sus manos. Luego dio unas palmas y acudió un ordenanza.

— Ve al *Comercial* y tráenos dos cafés. ¿Lo quieres con leche o sin leche? Dos sin leche, uno muy cargado — dijo muy expedito.

A lo lejos se oían cánticos y vivas. Era una mañana muy tranquila y todo resonaba en el despacho. Estaban los balcones abiertos y de vez en cuando se nos colaban abejas y moscardones. Entre los barrotes del balcón se balanceaban las ramas de una antigua enredadera.

Yo creo que el juez militar estaba como defraudado. Seguramente había pensado encontrarme más colérico o comido por el dolor.

— ¿Cuántos detenidos hay por lo de mi hermano? — le pregunté.

— Más de treinta.

— Pero criminales ¿cuántos?

— Criminales casi todos.

— Sí, ya sé; pero no es eso lo que quiero decir. Yo lo que quiero saber es si se sabe quiénes fueron los que le pusieron la mano encima.

— Pues ya te he dicho: entre hombres y mujeres, unos treinta, aunque hay algunos en rebeldía, alguno que logró escaparse y algún otro que ha muerto accidentalmente — y sonrió como si le doliera el hígado.

— ¿Quién fue el que le dio el primer golpe?

— Eso no es fácil saberlo. Se sabe, sin embargo, quién fue el que con una hoz le dio un tajo por la espalda.

— ¿Lo ha confesado?

— *Convenientemente interrogado,* lo ha confesado. También está detenida una mujer que le dio unos cuantos pinchazos en los ojos con una aguja del esparto.

— Y el *Tieso,* ¿en qué situación está?

— Está en libertad vigilada.

— Por mi parte quiero que sepas que lo eximo de toda responsabilidad.

Iba a contarle que lo acababa de ver siguiendo a la patrona del pueblo con un cirio en la mano, pero me arrepentí.

— Entonces, por tu parte, ¿lo perdonas? — y se puso a mirarme con mucha curiosidad.

— Yo del *Tieso* no quiero saber nada.

— Tendrás que decirlo en el juicio.

— ¿Y para cuándo será el juicio?

— Para dentro de dos semanas o tres. Ya te avisaremos.

— No pienso venir. Mi única recomendación es la siguiente: si sale con menos de una pena de muerte alguno de los que se cebaron con mi hermano, yo haré justicia; pero no empezaré quizá por ellos, sino por los que han llevado el sumario.

El joven juez, al principio, no aceptó aquello como un reto y casi se estiró sentado como estaba y se frotó las manos. Pero mi voz y mi mirada le demostraron bien claro que yo no galleaba. Y para que no se llamara a engaño, añadí:

—Yo te juro que si queda la posibilidad de que algún día pueda salir a la calle alguno de los que martirizaron a mi hermano...

El juez se levantó de un salto y se fue a la ventana. Iba a estallar, pero se contentó con decir:

—No dramatices.

—No dramatizo lo más mínimo.

—Está bien eso de que guardes todo tu furor para nosotros.

—Para vosotros y para ellos.

—Pero tú no puedes en este despacho hacer una amenaza de ese género.

—No es de ninguna manera una amenaza. Es una advertencia.

—Pero ¿es que estás descontento de la forma en que se lleva el sumario?

—Yo no quiero saber nada del sumario. Sé que deben morir. Yo no quiero verlos ni que me vean. Pero si no caen ellos, otros caerán en su lugar.

El juez sacó su pitillera y me ofreció un cigarro. Lo acepté. Después se puso a hablarme con mucha calma de los graves inconvenientes que tenía su misión judicial en aquellas circunstancias. Le contesté que todos teníamos y habíamos tenido inconvenientes y dificultades.

—¿Has aguantado un bombardeo dentro de una trinchera? ¿Tú tienes madre?

—Pero no te pongas así... — y me miraba como a un loco peligroso.

Yo en aquel momento estaba lleno de rabia, pero ni siquiera contra los asesinos de mi hermano. Yo creo que a quien más aborrecía en aquel momento era al juez. Me ponía fuera de mí tanto papel y la sospecha de que no servía para nada.

—Me pongo como me pongo — le contesté —. No

soy ningún caníbal. Pero si se escabulle alguno de los que, por placer de pinchar, me liquidaron a mi hermano, ojo por ojo: alguien suplirá al indultado.

— Si yo diera parte de esto al coronel auditor, no le gustaría un pelo.

— Y yo te digo, porque lo conozco, que si el coronel auditor se enterase de lo lento que va el sumario, acaso pensara que eres un buen administrativo, pero acaso pensara también que yo soy un tío flojo. Y él sabe muy bien que no.

El coronel auditor, yo lo sabía muy bien, estaba harto de expedientes inútiles. ¿Por qué sesenta días antes el mismo caso había sido resuelto de un modo expedito y ahora había que estar dándole vueltas a testigos y comprobaciones ridículas?

Entró un soldado con una bandeja y los dos cafés. El juez militar volvió a sentarse a mi lado.

— Sí, yo estoy contigo en que muchos casos palmarios nos los debían haber dado ya resueltos. Sobre los encartados en lo de tu hermano es cierto que no había lugar a demasiados esclarecimientos judiciales. Se sabía, y las cosas estaban claras. Está además todo el pueblo por testigo.

— Yo no trato de suprimir legalidades. Lo que quiero es que cuanto antes los culpables den, no sólo una explicación a los jueces, sino una satisfacción al pueblo. El pueblo necesita saber que existe la justicia.

— La justicia existe, pero un fallo que no quiera atenerse a la mecánica judicial sólo puede hacerse bajo un concepto…

— No entiendo.

— Pues, sí. El de la propia responsabilidad.

— No sé lo que quieres decir.

— Pues está bien claro.

Estaba visto que aquel hombre tenía recursos para el cinismo y la pedantería. No tenía nada de vaina, que era lo que me había dicho el juez militar de Hécula.

Ni tampoco se veía la masonería por ninguna parte.
Se podía decir que había calado, al menos en parte, el
conflicto que yo llevaba dentro. Lo que no ofrecía la
menor duda era que se me estaba imponiendo un poco
hasta en el tono de voz. Y para mayor sensación de
seguridad, empleaba unos gestos que le ponían al borde
de lo afeminado. Fumaba con una boquilla muy larga, de
marfil y ámbar, y tan pronto como le caía una brizna
de ceniza al pantalón, se ponía de pie y se sacudía el
uniforme de arriba abajo.

— Entonces — tomé la palabra — queda algo bien
claro: por mi parte el *Tieso* puede circular, pero de los
que intervinieron en lo de Enrique, si alguno saliera
libre por cualquier clase de misericordia, entonces alguien saldará esa cuenta.

— Te refieres concretamente a mí. Me estás amena-
zando otra vez...

— Me refiero a quien sea.

— Los jueces no podemos ser nunca verdugos — y
recalcó la última palabra.

El cabo se asomó al despacho. Al asomarse, su cara
descubrió un asombro casi teatral. ¿Sería posible que
nos estuviéramos peleando? El juez militar le hizo un
elegante ademán para que cerrara la puerta. Más que
ponerse en mi trance y discutir conmigo, lo que parecía encantarle era decir frases ingeniosas. Pero las decía
sin ardor ninguno, sin pizca de entusiasmo. Las decía escuchándose a sí mismo, en el summum de las compla-
cencias.

Me levanté. Mi brusca separación de su lado le irritó visiblemente. Cogí mis guantes, que estaban encima
de la mesita, al lado de las tazas de café. Al cogerlos,
una nube de moscas se levantó de alrededor de las tazas.
Pero en seguida cayeron de nuevo sobre partículas de
azúcar desparramadas.

— Tienes que tener en cuenta que yo he de dejarme
llevar por un código que tiene marcado...

—Lo sé, lo sé. Nadie te ha dicho que vendas tu alma a nadie y también yo tengo mi código. Lo que te pido es el cumplimiento exacto de la justicia lo más rápidamente posible.

—Pues eso es lo que se va a hacer. Eso es lo que se hará.

—Entonces todo lo que hemos dicho está de más.

—Para eso estoy yo aquí precisamente.

—Pues no he dicho nada — concluí, dirigiéndome a la puerta.

En realidad, todo nuestro diálogo había sido absurdo. Sin saber por qué, el tipo de aquel juez me había sublevado desde el primer instante y también él había experimentado una extraña reacción.

Salió acompañándome hasta la puerta y no se despidió, sino que echó a andar a mi lado, después de decirle al centinela de la puerta. "Si pregunta alguien, vengo dentro de un rato."

Turena estaba como abandonada. Había momentos en que, a lo largo de las calles, no se veía ni una persona.

— Y ahora — tomó la palabra de nuevo, pero más sumiso — quiero también enterarte de una cosa. Dentro de una semana, lo más tarde, tendremos que hacer el desenterramiento de un grupo de "paseados". Será el momento para que puedas recoger el cadáver.

— ¿Y no podría ser antes?

— ¿Te interesa que hagamos las diligencias más aprisa?

— Me interesaría llevármelo cuanto antes, mañana mismo, pero sin darle al asunto ninguna clase de publicidad.

— Me parece un error. Porque la Falange local tiene sus proyectos sobre el caso. Supongo que sabes que donde lo mataron se va a levantar la Cruz de los Caídos.

— Ya lo sé.

— Pues quieren celebrar allí una misa... Luego, según tengo entendido, la Falange heculana se haría cargo de los restos y harían en Hécula algo parecido.

— Lo sé, lo sé, pero todo eso no me hace mucha gracia. — Tendría que abrir de nuevo la tumba familiar y de nuevo encontrarme frente a aquel muerto extraño y misterioso.

— Ya sabes que me tienes a tu disposición.

Nadie podría decir que hacía unos instantes habíamos mantenido una discusión en un tono de violencia tan peregrina.

— ¿Entonces a los detenidos no quieres verlos?

— De momento, no.

De seguir así casi tendría que pedirle perdón. Estaba rendido. Casi hasta empalagaba su docilidad. Apareció el coche de Conrado por un callejón y vino calle adelante. Le hice una seña con la mano. Conrado fue arrimándose a la acera.

— Hasta luego — le dije al joven juez.

Pero todavía no había arrancado el coche cuando él se acercó a la ventanilla y con voz confidencial me dijo:

— ¿Es cierto que estuviste — estaba surgiendo en él otro hombre, un hombre que usaba de la sonrisa con una frialdad casi perversa — en el pueblo horas antes de ser liberado y que dormiste en el monasterio?

— ¿Quién te lo ha dicho?

— Eso se dice por el pueblo.

— Pues es verdad.

Me había vuelto la tirantez y la dureza. Pensé que únicamente en los que habían sufrido más podían surgir ideas y sentimientos de comprensión y hasta de perdón. Me crispaba por eso la fría disposición de espíritu de aquellos frívolos administradores de la justicia. Tenía encima como la sospecha y el miedo de ser culpable de algo.

— Vamos al monte — le dije a Conrado.

— Vamos.

Pero por la carretera no se podía dar un paso y no había más que una. La caravana de carros y devotos que iban detrás de la *Abuelica* era interminable. A mí aquello no dejaba de impresionarme porque Turena había sido un pueblo con fama de indiferente y frío en las cosas religiosas. Sin embargo, la muchedumbre aclamaba a su patrona con delirio.

— Mucha de esta gente es supersticiosa — dijo Conrado.

— Es religiosa, pero a su manera.

— Yo estoy completamente seguro de que entre estos miles de romeros hay más de ciento que se han manchado las manos de sangre.

— No han matado tanta gente en Turena como en Hécula.

— Aunque no haya sido en Turena. Tú no sabes de lo que es capaz esta gente cuando se trata de demostrar que uno es hombre y que no se asusta por nada.

— La conozco, la conozco.

La guerra había multiplicado el fervor religioso, aunque en aquel fervor había seguramente impuras mezclas y aditamentos extraños. La desconfianza y el miedo habían hecho que muchos cayeran de rodillas simulando una conversión que no habían sentido nunca. Sin embargo, impresionaba la carretera cubierta de una muchedumbre enfervorizada, y los pies descalzos y llagados de muchos penitentes decían de muchas promesas espontáneas y sinceras.

— No podemos seguir — dijo Conrado.

— Pues volvámonos.

— Si quieres, puedo dejar el coche y vamos andando. Podemos ganar terreno yendo por los atajos.

— Vamos.

Pero tampoco por allí se podía dar un paso. En la sombra de cada olivo y de cada pino había una o dos familias alrededor de una enorme sartén. De las laderas del monte se elevaban numerosas columnillas de humo.

Se sabía por dónde iba en cada momento la *Abuelica* por el incesante golpeteo de los cohetes que dejaban también en el aire hoguerillas de humo. De tarde en tarde se escuchaba un cántico devoto. También sonaban aplausos.

Sudando como descargadores de muelle, llegamos al monasterio. Tampoco era fácil entrar. Las muchachas se cubrían como podían los hombros y la espalda con el pañuelo de la cabeza y se ponían encima del pelo un pañuelito diminuto o simplemente las manos. Se veía que muchas de ellas gozaban con las apreturas y los sofocos y denunciaban en sus voces y gritos una excitación entre gozosa y turbada.

— ¡Chico, qué éxito con tu uniforme! — dijo Conrado —. Está esto para hartarse.

Noté que me ponían una mano encima. ¿Y si fuera el *Tieso*?, pensé. Pero no. Era el fraile del monasterio, el mismo que me había hospedado cuando regresaba a mi pueblo, todavía con olor de pólvora en la guerrera.

— Me alegra verle por aquí. Ha tenido muy buena idea con venir.

Me seguía teniendo la mano encima. Yo estaba molesto.

— Es enorme la cantidad de gente que hay — dije mirando hacia las revueltas del camino, donde se apelotonaba el gentío alrededor de las andas de la Patrona.

— Es Dios quien le ha inspirado que viniera.

El cordón del fraile pasaba de mano en mano y de boca en boca. Romeros de todo el contorno — se notaban diversos acentos — se habían congregado allí, para dar gracias al cielo por la terminación de la guerra. A los pies del fraile había un perro lobo.

— Y Dios se lo pagará. Dios no se deja vencer en generosidad por nadie. Dios ha sido muy bueno con usted.

— Yo creo, Padre, que usted me confunde.

— ¿Por qué había de confundirlo?

— ¿Usted sabe de veras quién soy yo?

— Pues claro que lo sé. El hijo de Rosica la Mayordoma. ¿No es usted de Hécula?

Las madres le ponían delante a sus hijos para que los bendijera, y muchos campesinos al pasar frente a él inclinaban la cabeza o se santiguaban.

Aquel fraile que yo había visto casi esquelético, se había repuesto rápidamente. Pero lo que más me extrañaba era la suavidad y facilidad con que hablaba a unos y a otros sin quitarme los ojos de encima.

— Tan importante como salvar la vida — prosiguió — después de una guerra es sacar puro el corazón. Y usted lo ha sacado.

— ¿Cómo lo sabe?

— Lo estoy viendo con mis propios ojos y en los suyos.

Aquella frase me confundió un poco. El fraile agregó:

— Además, ellos lo tienen que estar pidiendo desde arriba.

Hablábamos casi a gritos. Nuestro diálogo, en cierto modo, era ridículo. A nuestro lado mismo un aficionado dejaba volar docenas de cohetes. Conrado no hacía más que mirar hacia arriba temiendo que le cayera encima alguna caña. Delante de la Patrona subía desperdigada la comparsa de los músicos.

— Usted, Padre, debería ponerse en lugar suyo — y Conrado me señaló fijamente al mismo tiempo que extendía la mirada a las vigas del convento, que empezaba a ser restaurado.

— Me pongo, hijo, me pongo. ¿Y sabe lo que yo haría en su lugar? — dijo el Padre dirigiéndose a Conrado.

— Meterme fraile, por lo visto — le atajé.

Pero no se inmutó. Tragó un poco de saliva y mirando a la anchura del monte por cuyas laderas escalaban las muchachas en alborozado griterío, dijo, bajando un poco la voz:

— Yo en su lugar buscaría una buena muchacha y me casaría.

En otro momento semejante salida me habría hecho reír, pero ahora la presencia del fraile me contuvo. De todos modos, debí de poner una cara bastante rara y Conrado me cogió del brazo.

— Contra un hogar destruido — continuó el fraile muy solemne, casi teatralizando — no hay sino levantar uno nuevo y según las leyes divinas.

Creo que besé la mano del fraile, pero salí de allí dando codazos a derecha e izquierda, empujando, insultando, soltando tacos. Que la consecuencia de la guerra fuera para mí encontrar una buena chica y casarme era algo irrisorio. Conrado notó que estaba descompuesto y dijo:

— Hombre, tú ya sabes que los frailes todo lo arreglan casando a la gente. No hagas caso.

Descendíamos a trompicones. Conrado me llevaba cogido del brazo. Yo iba exaltado. La gente seguía subiendo hacia el santuario con prisa y algarabía verbeneras. Viendo yo concretamente cómo todo el pueblo me miraba y me señalaba, sentí ganas de aturdirme y desaparecer. Estaba quedando como un ser indeciso y cobarde. Poco a poco Conrado me fue llevando a un puesto donde vendían frutas, frituras y bebidas, todo en un gran revoltijo.

— Anís, dos copas, en un vaso de agua.

— Una *palomita* — dijo la mujer.

— Una paloma o un cuervo — repliqué.

A Conrado le oscilaba su ya respetable tripa de tanto reírse. Y de la primera copa de anís pasamos a la segunda y después a la tercera, mezclando coñac, ginebra y cerveza. No hacíamos sino sudar todo lo que bebíamos. Al cabo de una hora, ya un tanto mareados, bajamos las laderas como en volandas y nos metimos en el coche. Allí echamos una siesta. Conrado roncaba como un pescador de ballenas.

Al caer la tarde regresamos a Hécula, pero desde la salida de Turena tuvimos que caminar despacio. Una fila variadísima de camiones cubría totalmente la carretera. No había modo de que nos hicieran paso. Eran soldados.

Aquellas tropas no se agitaban ni con el bullicio ni con la modorra que da la guerra. Cada uno iba envuelto y enfundado en su mundo, un mundo cuajado de interrogaciones para muchos que habían empezado la juventud jurando la bandera y ya pintaban canas sin esperanza inmediata de recibir la hoja de licenciamiento. A aquellos soldados se los veía tristes, resignados, a veces un tanto airados y rebeldes contra todo.

Por mi parte cobijaba un humor de mil pares de demonios. Que todo el mundo quisiera intervenir en mi caso, aconsejándome, advirtiéndome, recriminándome, era algo así como aceptar que no tenía voluntad ni iniciativa propias, que estaba a merced de las sugestiones e injerencias extrañas. Y esto me fastidiaba.

"Si yo hubiera comenzado, me decía, actuando por mi cuenta, no me encontraría en este estado tonto de vacilación."

— Cuidado, no te duermas y nos peguemos el cachiporrazo — le decía en cada curva.

— No tengas cuidado.

Me apenaba íntimamente volver a mi pueblo. Hécula me enloquecía. "¿Cuándo juzgan a los de tu madre?" "¿Se sabe, por fin, quién fue el primero que disparó?" Esto cuando no me requerían una y mil veces para que hiciera un recuento de los peligros que había corrido en el frente. Pero, sobre todo, lo que entretenía y cautivaba a mis paisanos era que les contara cómo había logrado pasarme. "Oye, ¿es cierto que mientras ibas nadando hacia el barco te pasaban rozando las balas?" Todo esto como simple entremés, porque el plato fuerte era el de la venganza, aquella venganza que yo iba difiriendo, pero que de algún modo tendría que cumplir, porque no era mi venganza, sino la venganza de todo un pueblo que caía sobre mí.

— Debe de costar un riñón mantener un ejército — dijo Conrado.

— Claro.

— Sobre todo la gasolina.

— La gasolina sale cara.

— ¿Y cuánto es, por ejemplo, tu sueldo?

Cuando se lo dije, Conrado comenzó a silbar, soltó por unos instantes sus manos del volante y dándome unas palmadas muy protectoras en la espalda, exclamó:

— Ahora que tienes la sartén por el mango, yo de ti lo que haría sería coger algo que dejara dinero.

— ¿Coger qué?

— Las hay, hay cosas que dejan dinero.

No debí de poner muy buena cara, porque Conrado se aplicó al volante y cortó radicalmente su retahila de consejos.

Aunque era de noche hacía mucho calor. Sólo de tarde en tarde nos encontrábamos con algún carro. Los campesinos marchaban al lado de las varas en mangas de camisa y con un pañuelo atado al cuello. En los amarillentos focos del coche, se estrellaban las raras mariposillas y los peludos bichejos.

Me iba entrando sueño. Un sueño pesado y definitivo.

No me hubiera importado en aquel momento que el viaje durara años o siglos.

— Ya estamos — dijo Conrado.

Las luces lejanas de Hécula se encendían y se apagaban incesantemente. Hécula parecía un enorme ciempiés luminoso que se arrastrara culebreando por la llanura reseca.

El sueño me desapareció de repente. Las luces de Hécula me recordaron la tarea que tenía pendiente. Había que actuar como fuese.

En casa de mis primas me esperaba Miguel, más paciente y resignado que nunca.

— ¿Has estado en Turena? — me preguntó.

— Sí.

— Si me lo hubieras dicho, me habría ido contigo. Tenía una cosa que hacer allí.

— No habrías podido hacer nada seguramente; era fiesta. Subían a la *Abuelica*.

Miguel entonces se enredó en una larga conversación con mis primas sobre la patrona de Hécula. Según Miguel, en la capital había un buen escultor que se había comprometido a hacer de nuevo la imagen de la patrona de Hécula de tal modo que no se notara diferencia alguna con la que habían quemado. Mis primas seguían esperando que la Virgen apareciera. No se resignaban a admitir que hubiera ardido. Después de esto, Miguel remachó que las fiestas de Turena no podían ni compararse con las de Hécula.

Pero se veía que Miguel quería decirme algo más. Lo notaba yo en el modo de mover los pies, levantarse a medias y volverse a sentar, en la manera encogida y un tanto temerosa con que se frotaba las manos.

— Vamos a tomarnos un cafetito — dije a mis primas.

Ya en la calle, apenas habíamos bajado el escalón de la casa, me dijo:

— Ya se sabe quién fue el que disparó contra tu madre.

— ¿Estás seguro?

— Segurísimo.

— ¿Cómo se llama? — y puse mucho interés en saber el nombre, como si aquello hubiera podido librarme de mis pesadillas.

— Fue Rufino, el *Pelao*.

— ¿Y cómo ha confesado?

— Ha sido una estratagema de Diógenes.

— No sé quién es Rufino el *Pelao*.

— Sí, hombre, eran dos hermanos mellizos y tenían un puesto de carne en la plaza. El otro, Silverio, murió en la toma de Albacete, nada más bajar del camión. Eran comunistas.

Quise recordar a estos dos hermanos, que estaban en el cobertizo del mercado entrando a mano derecha. Eran dos mocetones altos y gruesos, con una calva enorme los dos, pero que tenían los brazos y el pecho cubiertos de pelos negros que se pegaban a la carne como untados de grasa. Poco a poco los iba recordando.

— ¿Y por qué ha dicho que disparó?

— Ha dicho que se emborrachó para olvidar lo de su hermano y que tu madre era la madre de Enrique...

A fin de cuentas, se me quitaba un peso de encima. Ya sabía quién había sido, ya sabía quien había disparado aquella bala que seguía clavándoseme a mí con el mismo poder mortífero con que dejó caída a mi madre. A mí se me clavaba día a día, con una lentitud tremendamente dolorosa.

Entramos en el bar *Los Labradores,* donde cómodamente sentados en flamantes butacones había siempre unos señores que tenían cara de no haber visto un arado de cerca en toda su vida. Nos sentamos frente a un espejo que cubría toda la pared. El humo flotaba entre el espejo y las personas creando un ambiente de espectral somnolencia. Cerca de allí, en algún salón cerrado, debían de estar jugando al billar porque, de vez en cuando, sonaba el rebote de las carambolas.

Estaba dispuesto, por fin, a abordar el tema del muerto camuflado con Miguel. Alguna vez tenía que soltarlo y con nadie mejor que con él podía sincerarme. Le exigiría el más estricto secreto. Y, como si hubiera leído en mi pensamiento, Miguel dijo:

— ¿No te dijo nunca nada tu hermano Enrique?

— ¿Nada de qué?

— De cómo aquí nosotros preparamos el dieciocho de julio.

— Yo sólo recuerdo que él estaba muy nervioso e impaciente por aquellas fechas. Quería a toda costa llevarse a mi madre fuera. Sabíamos, además, que os reuníais e incluso que teníais armas. Aquellos días Enrique estaba muy excitado, como loco. Sé también que recibía cartas o paquetes de Madrid, pero no sé si por el correo o por alguna agencia. A veces venían a verlo forasteros.

— Si le hubiéramos hecho caso a él, es posible que saliendo el dieciocho en un coche hacia Granada hubiéramos podido unirnos a los falangistas. Después, ya viste tú, se nos echaron encima y nos acorralaron como a bestias.

La conversación se perdía en incidentes que no conducían a donde yo quería. A Miguel le agradaba evocar los detalles preliminares del levantamiento y se hacía interminable cuando contaba el asalto a la cárcel, de donde se había salvado por los mismísimos pelos. El próximo en la lista al suspender la *razzia* era él. Y ya hasta se había confesado y todo.

— Debe de haber muchos muertos sin que las familias sepan dónde paran. ¿No te parece? — le solté a boca de jarro.

Miguel tragó saliva y se calló. Estuve a punto de agarrarlo por los hombros y zarandearlo. Aquella calma suya me ponía frenético. Lo vi que se abismaba en una pesadumbre disimuladora. Pero al mirarle de frente y con insistencia, lo veía disolverse en una blandura cándida y bonachona. A veces Miguel ponía unos ojos de carnero degollado que daban risa.

— ¿Y has escrito tú a la novia de tu hermano Enrique?

— ¿Yo? ¿Para qué?

Era la primera vez desde que había llegado a Hécula que persona alguna me hablaba de Marina. El noviazgo de Enrique había sido el disgusto más gordo que yo había presenciado jamás en mi casa. Ella era de Pinilla, hija de un coronel retirado que tenía fama de descreído y hereje. Tampoco de Marina se contaban cosas muy ejemplares, por lo menos para el criterio un tanto cerrado de mi madre. Ella, en estas cosas, era de una firmeza y de una terquedad invencible. Mi madre estaba convencida, no sólo de que Marina no le convenía a Enrique, sino de que era, además, una medio aventurera, una fresca. Este concepto lo había formado, de una vez para siempre, cuando se había enterado de que montaba a caballo, bebía y fumaba. A veces la habían visto en Pinilla atravesar el pueblo con las botas de montar. En algunos viajes de propaganda Marina no había tenido inconveniente en prestarle a Enrique un coche bastante viejo y acompañarlo. El día en que mi madre vio la primera foto de Marina en la cartera de Enrique, mientras éste se bañaba, armó el gran escándalo. En la foto, Marina tenía la mitad de su larga cabellera rubia cayéndole por delante hasta taparle media cara. Llevaba también los hombros al aire. A mi madre aquella foto le pareció que tenía que ser de una golfa más o menos. Siempre recordaré aquella escena. Mi madre estaba indignadísima y le decía a Enrique cosas tremendas. Enrique permanecía serio y muy callado. Se veía bien que seguiría haciendo su santo capricho, pero nunca he visto un respeto y un silencio tan desconcertantes para mí. Mi madre le había anticipado que si continuaba teniendo relaciones con aquella mujer llegaría a no querer saber nada de él. Yo creo que lo que unía a Enrique con Marina era precisamente la política. Ella era igual de entusiasta por la Falange. Por eso creo que hubiera llegado a casarse con ella, a pesar de mi madre.

— Quien sabe más cosas de todo, seguro que es ella — volvió a afirmar Miguel, y esta vez dando a la frase cierto sentido confidencial.

— ¿Qué fue de ella durante la guerra?

— Ella se pasó muchos meses en la cárcel de mujeres. Es una tía muy valiente y se hubiera dejado matar por tu hermano. Ayer estuvo aquí y preguntó por ti. Por eso te lo he dicho.

— ¿Para qué me quería?

— Dio a entender que quería hablar contigo.

— ¿Hablaste tú con ella?

— Habló con Diógenes también.

Hasta que no lograra saltar la barrera de Diógenes siempre me encontraría entre las cosas que más me afectaban y yo una muralla insalvable. Lo había advertido al cuarto de hora de llegar a Hécula. Sin embargo, en cierto modo, Diógenes me era necesario. Acababa de encontrar nada menos que al asesino de mi madre.

Intenté con Miguel una nueva emboscada.

— Oye. ¿Tú has pensado si mi hermano Pablo viviera?

— ¿Qué quieres decir?

— Que si no lo hubieran matado.

— ¿Y cómo se te ha ocurrido eso ahora? Si viviera, ya habría aparecido. ¿No te parece?

— Claro, claro; tienes razón.

No intentaba sino perturbarlo, ponerlo en el límite de mi misma desesperación. Pero Miguel permanecía como sumergido en un humo inalterable. Parecía hecho de pulimento de espejo. En aquella oscuridad, el rostro de Miguel aparecía hasta hermoso. Sin embargo, su expresión tiraba un poco hacia la simpleza y la bobería.

La gente que pasaba por la calle caminaba casi a la carrera. Un viento desatado barría la calle levantando caprichosos remolinos junto al tronco de los árboles.

— Tendremos tormenta en seguida — dije.

— ¡Ojalá! Tú no sabes cómo está el campo. Tú vives mejor que quieres — contestó.

El uniforme se me pegaba al cuero de los butacones. El calor iba en aumento. Algunos de los señores viejos dormitaban. De pronto sonó un trueno lejano y la calle se iluminó dos o tres veces seguidas con el trallazo de los relámpagos. Seguía pasando gente que gritaba y corría. Debían de estar saliendo de un cine. Caían gotas como mantecados.

De vez en cuando Miguel sacaba un pañuelo bastante sucio y se lo pasaba por el cuello. Luego se metía dos dedos por entre los botones de la camisa azul y se rascaba la pelambrera del pecho.

— A fin de cuentas — empecé a hablar como discurseando conmigo mismo —, lo mismo da estar enterrado que no estar enterrado. ¿Y los que mueren en alta mar? ¿Dónde están, cómo se quedan los que han sido arrastrados por las corrientes marinas? De ésos sí que no es posible saber nada. Nunca ya será posible encontrarlos.

Los ojos de Miguel mostraban una extrañeza peregrina. Más que miedo lo que expresaban sus ojos era una emoción o una piedad, como de campesino que cura a una bestia querida.

— ¡Camarero! — grité —. Una botella de coñac.

Miguel entonces hizo ademán de levantarse, pero yo le puse las manos en las rodillas y le dije:

— Espera, hombre, espera. Hoy estoy contento, y no sé por qué tú estás deseando irte.

— ¿Yo?

Las gotas de agua, enormes, al caer sobre el suelo, levantaban como sarpullidos en la tierra. Cada gota era como un impacto de ametralladora en los sacos terreros de un parapeto recién levantado. Cada una levantaba una nubecilla de polvo.

Los viejos labradores iban saliendo hacia la puerta y, después de mirar a derecha e izquierda y menear la cabeza mirando al cielo, se volvían a meter dentro. Era como si a todos les hubiesen entrado unas prisas enormes y, de pie o sentados, lo que hacían era dar golpecitos con el bastón y con los zapatos en el piso de madera del café.

Los truenos ya no eran lejanos y vagos como al principio, sino que a cada minuto se hacían más rotundos y avasalladores. Hasta el bar habían entrado, no se sabía por dónde, un aluvión de esencias del campo, esencias fuertes de matas y de tierra mojada, que hacían la respiración profunda y anhelante.

— Deje ahí la botella, Rafa — dije.

Miguel murmuró una frase que no pude captar del todo. Yo, sin hacerle pizca de caso, le serví y me serví, las copas rebosantes.

— Y mucho peor todavía, Miguel, están los muertos quemados. ¡Si vieras los soldados que tuvimos que quemar en el frente rociándolos con gasolina! Los había a montones. ¿Qué ha quedado de ellos? Nada.

— ¿De los rojos?

— Y de los nuestros, Miguel. Había que quemarlos porque tú no sabes cuál es el olor de un cuerpo humano a los tres días de muerto, cuando se te entra por las narices y se te aloja en las sienes. Se te mete dentro ese olor y no se te va, lo llevas contigo días y semanas. Solían tardar en arder unos cuarenta minutos si se esponjaban bien de gasolina. Después de la media hora ibas allí, le dabas con la punta de la bota o con la culata del fusil y todo se deshacía y volaba como si fuera la ceniza de un gran cigarro.

Miguel hacía unos guiños exagerados al tragar las primeras copas de coñac, pero después de la tercera lo que hacía era respirar muy hondo y soltar un asomo de suspiros que parecían mimos de niño pequeño.

— Y las madres y las novias, venga a preguntar con telegramas y cartas. "Desde tal día no sabemos nada de Fulano de Tal." "Quisiéramos saber el paradero de Zutano de Cual." "La última carta que recibimos..." Y ellos ya no eran nada. Nada de nada. Porque mientras quedan en la tierra (¿no te parece?), siempre queda algo de ellos. Y lo de menos es que ese pedazo de polvo lo conserve uno cerca de sí y que pueda visitarlo. Lo realmente importante es que estén en algún sitio, que descansen en la tierra.

Me entraron náuseas, pero las reprimí bebiendo durante un largo rato a pequeños sorbos. Bebía el coñac como si fuera tila.

Se apagó la luz. La tormenta estaba encima. Nos habíamos quedado casi solos. Rafa permanecía pegado al cristal de la pecera que daba a la calle y un farmacéutico de Hécula, al que se conocía por "el hombre de las barbas" y que era el motivo de muchas madres para inspirar miedo a sus niños, se paseaba con las manos atrás y silbando. Los truenos rebotaban secos al mismo tiempo que los chispazos se colaban dentro de nuestra sala multiplicando sus trazos en la retina del espejo.

— Lo peor será que traiga piedra — dijo Miguel —. Y seguro que esta nube hace daño — añadió con gesto derrumbado.

Por los costados de la calle bajaba una riada turbia que bullía como una jauría de perros en plena cacería. Los canalones vomitaban un agua amarillenta y calentuja. Comenzaron a sonar las campanas del conjuro. A Miguel, el toque de las campanas le alegró el semblante.

— Miguel, ¿tú crees en los milagros?

Estaba dispuesto a tentarlo de todos modos. Miguel siempre había admirado en los míos, sobre todo en mi madre, aquella fe contagiosa e intrépida que tan decisiva influencia había de tener en su vida. Hubo semanas y meses en que mi madre estuvo dispuesta incluso a conseguir una beca para que Miguel se fuera al seminario. Pero él era en su casa un par de brazos que traían pan. Además, la familia de Miguel nunca quiso intimidad ni trato frecuente con la Iglesia. Lo más que hacían era acudir a las fiestas, bautizarse y pedir el cura en la hora de las postrimerías.

— Y ahora, Miguel, pon atención, que te voy a contar un gran secreto.

Miguel se levantó y fue derecho al amplio mirador que daba a la calle casi a nivel del suelo.

— Yo creo que está amainando.

— Ven, Miguel, que te tengo que contar algo que probablemente tú no sabes y te va a poner los pelos de punta.

— No bebas más — dijo.

— Ven, anda, Miguel, que todavía queda media botella.

— Debemos irnos.

— Todavía no hemos celebrado la liberación ni nada. Esta noche es una buena noche. Con tormenta. ¿Tú te haces cargo de cómo lo estarán pasando los muertos a los que ahora mismo les irá llegando el agua como le llega una caricia a un ciego? Hay que beber, Miguel. ¿Bebes o no bebes? ¿Eres o no eres amigo mío? Si eres amigo mío, tienes que beber y, si no lo eres, ¡pero como lo eres...! ¡Miguel, a beber se ha dicho!

Había empezado dueño de mí, como jugando, y ahora me estaba exaltando por momentos. Comenzaba incluso a sentir dentro de mí un desgarramiento penoso que buscaba liberación, y para forzar más la tensión interna lo que hacía era precipitar sobre mi imaginación escenas de dolor y de rebeldía. Aunque por fuera parecía estar disparatando, por dentro un odio concentrado y sofocante me oprimía los pulsos.

La calle se llenó de vidrios rotos. Un balcón debía de haberse pulverizado por los manotazos del viento. Un perro pasó por entre la lluvia con el rabo entre las piernas y aullando. Cada vez que los relámpagos incendiaban la fachada de la casa de enfrente, se veían rostros asomados a los semientornados balcones, que se metían hacia dentro haciendo la señal de la cruz. De nuevo las campanas repitieron los conjuros.

— No suenan como las de antes — dijo Miguel.

— No.

— Las de antes sonaban mejor.

— Estábamos acostumbrados a ellas. Quizá sólo sea eso.

Pasó un carro por el centro de la calle. La mula andaba con una gran precaución y con las orejas tiesas, dando tres pasos largos y uno cortísimo, tanteando con las patas abismos imaginarios. Un hombre encapuchado con un capote pardo levantaba en alto una vara llena de nudos.

— Me las pagarás, Miguel. Tú algún día, te acordarás de mí. No eres un buen amigo. Yo creí que lo eras, pero no lo eres — exclamé entre desolado y cínico.

— ¿Qué quieres que yo haga?

— Yo no quiero que tú hagas nada. Quiero que hables.

— Pero ¿qué quieres que diga? Yo no sé nada.

— Tú sabes muy bien que puedes sacarme de una gran duda.

— No sé a qué te refieres.

— No te lo diré tampoco. No esperes nunca que te lo diga. Pero yo sé que tú sabes mejor que nadie lo que me preocupa.

— Creo que te complicas la vida inútilmente.

— Eso es lo que dice Diógenes.

Miguel permanecía con los ojos fijos en tierra y una especie de temblorcillo en los labios. Hasta entonces no me había dado cuenta de que Miguel tiene bastante torcido el puente de la nariz. Su voz siempre fue un poco gangosa.

— Pero, Miguel, vamos a ver. ¿Qué secreto puede existir que yo no pueda saber? ¿Tiene ese secreto que ver algo con los míos?

— Si me prometes...

No pudo seguir hablando. Diógenes había aparecido en la puerta con la gabardina empapada. Se la quitó con gran alboroto y, mirándose en el espejo, se secó con un pañuelo la frente. Luego se peinó cuidadosamente el pelo con un peinecillo que llevaba en el bolsillo trasero del pantalón.

— Una copa, Rafa — y vi que Rafa sonreía. La copa ya la tenía al alcance de la mano.

¿Habría llamado Rafa a Diógenes? Era posible. Diógenes se sentó y me dio un golpe cariñoso en la rodilla. Entonces Miguel respiró como aliviado. Canturreando, Diógenes se puso a llenar copas.

— Estuviste en Turena, me han dicho — dijo Diógenes.

— Dice que ha visto la romería de la *Abuelica*. De eso estábamos hablando — añadió Miguel.

— ¿Traes a Enrique esta semana, por fin? — prosiguió Diógenes.

— Sí, pero he pensado traerlo el mismo día que traiga a Pablo. Los dos son hermanos y los dos murieron por lo mismo. Cada uno de una manera, pero igual. ¿No te parece?

— Pero yo creía que Pablo... — y no terminó la frase.

— ¿Qué es lo que creías?

— Lo que tú has dicho por todas partes...

— Lo he dicho, eso es todo; pero tú sabes que mentí.

Diógenes cogió la botella y la miró al trasluz e hizo un gesto mientras meneaba la cabeza como dando a entender que yo deliraba. Luego comentó:

— De verdad que no te entiendo. Y lo más extraño es que no tengas confianza con nosotros.

— Sois vosotros los que deberíais tenerla conmigo y no la tenéis.

— Pero ¿qué diablos estás hablando?

Miré fijamente a Miguel y comprendí que sufría.

Sabía yo muy bien hasta qué punto los estaba inquietando y, haciendo esfuerzos por ser conciso, exclamé:

— Mañana mismo cogeré una buena cuadrilla de albañiles. En una semana me pueden muy bien construir un sencillo panteón en el camino central, antes de llegar a la capilla. Un panteón con cinco nichos nada más, y si me sobra algún muerto, lo tiro. — Esta última frase la dejé caer en un tono arrastrado y frío. Al ver lo secos que se quedaban, solté una carcajada.

A Diógenes se le avinagró la voz.

— Haz lo que te dé la gana. Dedícate a los muertos, si quieres, pero sería más justo que supieras que mañana por la noche va a haber un poco de fiesta en la puerta de tu casa.

— ¿Quién te lo ha dicho?

— ¿Quién lo va a decir? El juez en persona.

— Pero tendrá que contar conmigo.

— Contará, contará, por supuesto. Es más, mi consejo es que tú debes estar presente.

— Si estuviéramos todos presentes... — dije, recalcando la palabra.

Diógenes preguntó:

— Presentes ¿dónde?

— ¿Dónde va a ser? En la guardia sin relevo o en el infierno. Ya está uno harto.

— ¿De qué?

— ¿De qué va a ser? De estar borracho uno mismo, de verte borracho a ti, de ver cómo suda y se pone pálido Miguel...

Miguel estaba palideciendo visiblemente. Tenía los ojos un poco tristes, como si hubiera llorado. El coñac le iba poniendo taciturno y pálido.

De repente, Diógenes me tendió la mano, y aquel tono de voz que estaba empleando, que era agrio como el ajenjo, lo cambió por otro dulcificado y acariciante.

— Terminaremos amigos, además de camaradas — dijo —. Y una cosa importante: debías hablar con Marina. Si quieres, yo te acompaño a Pinilla. Tienes coche dispuesto cuando quieras.

— Gracias, gracias.

— Te lo digo porque, aunque no quieras saber nada de ella, lo cierto es que puede tener algún recuerdo de tu hermano, alguna carta, algún recado que tú pudieras agradecerle. Ella será como sea, pero a ti concretamente te aprecia.

Miguel a todo decía que sí con la cabeza.

Había parado de llover. Sobre el suelo de la calle se movían algunas hojillas tiernas y el viento arrastraba las ramas desgajadas. Los charcos que había junto a las aceras recogían de un modo oscilante y tembloroso el centelleo de los focos eléctricos. Algunos de aquellos charcos parecían unas islitas de nieve, porque el agua estaba cubierta por una costra de espuma algodonosa y movible. Sentía mis ropas empapadas por un sudor frío intensamente vivificador. Corría un viento fresco medio campestre y medio marinero. La tierra olía a inundación. Las estrellas brillaban.

— Bueno, mañana será otro día — dije poniéndome en pie.

— Quédate un rato más — pidió Miguel.

— Todavía quedan tres copas en la botella y está mal que te retires — sentenció Diógenes.

Me puse a pasear por la habitación. Hacía un gran esfuerzo porque mis pasos resonaran firmes y seguros. Pero las piernas me vacilaban un poco. La cabeza, sin embargo, la tenía lo suficientemente despejada, más lúcida que nunca.

Los tejados y las copas de los árboles brillaban a la luz de la luna. Era una luna ojerosa que salía y se colaba entre las nubes como esas bailarinas locas y hambrientas de los circos.

Rafa, desde el extremo del salón, miraba hacia nosotros de un modo imperturbable. Parecía una momia, aunque en sus pupilas había como un gesto burlesco.

No sé por qué se me ocurrió aquello, pero entonces lo que hice fue correr con mucho cuidado el cristal del amplio ventanal y sacar la pistola. Antes de que quisieran darse cuenta, ya había disparado. La calle quedó a oscuras. Al primer tiro había dado en el foco que se balanceaba en medio de la calle.

— ¡Hurra, hurra por el alférez! — gritó Diógenes, sarcástico.

— No debiste disparar — exclamó Miguel.

Rafa se fue murmurando hacia dentro. Se le oía discutir en la cocinilla del bar con otros camareros.

— Era sólo para demostrar el pulso — afirmé.

— Sí, sí, que tienes pulso y no estás borracho — añadió Diógenes.

Con la misma parsimonia que yo, o más, después de soplarle al cañón de su pistola minuciosamente, sin apuntar apenas, disparó sobre el globo del salón en que estábamos. Sobre nuestras propias cabezas y hombros cayó una repentina lluvia de cristalitos blancos que tenían la forma de jazmines, margaritas y estrellas.

— Vámonos — dijo Miguel.

Rafa y otros dos camareros aparecieron en la puerta del salón; pero al comprobar que era Diógenes quien se guardaba la pistola calmosamente, no dijeron nada y se escurrieron hacia la puerta de la calle. Al cabo de unos minutos apareció en la puerta un sereno mirando hacia todos lados y preguntando:

— ¿Han escuchado ustedes un ruido?

Los camareros se encogían de hombros. Entonces aparecimos nosotros. Diógenes dijo:

— ¿Es que ha ocurrido algo, Teódulo?

— Oí como si hubieran tirado un madero.

— A ver si ha sido algún tiro... — insistió Diógenes. Los camareros le rieron la broma.

— Pero si no hay nadie en la calle — dijo el sereno mirando a derecha e izquierda.

— Puede ser alguien que se haya suicidado.

Los camareros comenzaron a bajar el cierre. Miguel fue paseando hasta la esquina, cuidándose de no pisar las rayas de las losas de la acera. Abría un poco las manos, como un pájaro que va a levantar vuelo o un niño que juega. Diógenes le puso la mano en el hombro al sereno y comentó:

— No pase cuidado; lo que es los rojos no vuelven.
Echamos a andar. El piso de las aceras — perfectamente enladrillado en la calle principal — tenía un color verdoso y como de luz estelar. La lluvia había arrancado de los árboles multitud de hojas y ramitas que,
lavadas por la lluvia, producían la impresión de una al-
fombra fosforescente. Miguel y yo andábamos un poco
a trompicones.

Cruzamos la plazoletita donde se estaba levantando
la Cruz de los Caídos. Ya estaba encargada, según dijo
Diógenes, una enorme lápida con todos los nombres de
los Caídos. El monumento sería una cruz con un juego
de faroles a los cuatro lados.

— Habrá que añadir uno en la lista. Uno que se
os ha olvidado.

Diógenes no preguntó nada, pero Miguel fue más
ingenuo y dijo:

— ¿Quién?

— ¡Quién va a ser! El *anónimo*.

— ¿Quién has dicho?

— Parece que estés tonto; me refiero al "caído desconocido".

— No le hagas caso, Miguel. El ex-combatiente está
"trompa". — Y a Diógenes le entró una risa tremenda.
Se le saltaban las lágrimas diciendo:

— Tiene gracia: El "soldado desconocido", el "caído
desconocido", el "ex-combatiente desconocido"...

— Sí, sí, y el "criminal desconocido" también.

— Vamos, Miguel, vamos, que a éste — exclamó
Diógenes señalándome a mí — cualquier día terminaremos purgándolo. Habla mucho, demasiado.

— ¿Tú crees que hablo mucho? Más bien hablo
poco.

Miguel me cogió a mí. Había en su rostro una extraña marca de dolor. Por lo bajo me susurraba:

— Tú calla, calla, hombre. Todos callamos.

Habíamos llegado a la puerta de casa de mis primas.

Metí la llave con mucho tiento y me colé dentro. Me quité la ropa soplando y resoplando. Tan pronto como me eché en la cama, me entró un gran agobio en el pecho que me impedía respirar con tranquilidad. Por fin, sin poderme explicar cómo, nació el llanto en mí, y comencé a llorar de un modo desconsolador.

Mis dos primas se levantaron corriendo y rodearon mi cama al instante.

— Pero ¿qué te pasa? — decía Micaela.

— Dinos lo que te ocurre. Como si fuéramos tu madre, cuéntanos todo — suplicaba Apolonia.

Yo no respondía nada. No hacía más que llorar y llorar. Yo mismo me impresionaba de la angustia de mi llanto. También ellas gemían.

— Te haré un poco de tila — dijo Micaela.

— Sí, sí, hazla — dijo Apolonia a su hermana. Y luego, volcando su ceguera sobre la cama, repetía:

— No pienses en nada. Ya todo pasó. Dios lo ha querido así. La vida son cuatro días. Ellos, desde arriba, pedirán por ti.

De vez en cuando esta retahila de frases cortas que decía y volvía a repetir casi siempre en el mismo orden mientras la hermana trajinaba en la cocina, la interrumpía para murmurar para sí misma: "¡Criminales, lo que han hecho!"

No sé si llegué a tomarme la tila o no. Al otro día tenía un dolor de cabeza atroz y me quedé en la cama. Mis primas querían llamar al médico, pero yo me opuse. Quien se metió en mi habitación sin haberlo llamado nadie fue don Roque.

— Si quieres algo de mí..., si me necesitas... — dijo al irse.

— No creo que esté para morirme.

— Nosotros estamos en la vida para algo más que para dar la extremaunción — agregó sonriendo mientras salía de la alcoba.

Me volví de cara a la pared. Mi pueblo me estaba

disolviendo el ser y yo cada día estaba más desmoralizado. No había sabido imponerme desde el primer momento. Aquellos seres por los que yo había luchado me vencían en una batalla diaria llena de tapujos y ruindades. Sobre Hécula imperaba un miedo paralizador y terrible. Era como si los propios vencedores tuviéramos pavor del don de la victoria, y como si los vencidos nos desafiaran a ser justos, sabiendo que, ansiando serlo, íbamos a dar el espectáculo de no serlo. Personalmente yo me sentía abrumado. Sobre mis hombros aquel muerto ignorado, a quien no reclamaba madre ni mujer alguna, aquel muerto que no había dejado tras sí el más leve rastro, pesaba tanto como uno de los míos. Pero, echara por donde echara, lo verdaderamente ignominioso era que yo hubiera llegado a creer posible suplantar a Pablo por un muerto de no sabía qué tierra ni qué partido. No sabía ni siquiera si había muerto con palabras santas en los labios o con palabras blasfemas.

"El primero que ha de venir a Hécula, ha de ser Pablo", me juré a mí mismo mirándome al espejo. Y comprendí que el juramento quedaría cumplido. Y que aquello me costaría un gran disgusto.

A eso de las cinco de la tarde me levanté. Miguel me mandó recado. La reconstrucción de hechos se iba a llevar a cabo pasadas las nueve de la noche; prácticamente la hora en que asesinaron a mi madre.

Los presos, de dos en dos y muy espaciados, fueron saliendo de la cárcel custodiados por parejas de la guardia civil. También había algunos soldados apostados en las esquinas. Los presos iban esposados y tres de ellos con la chaqueta encima de los hombros. Al principio no fue fácil que la gente del pueblo se diera cuenta de lo que estaba acaeciendo, pero después los vecinos se colocaron en los quicios de las puertas y desde allí fueron siguiendo, minuto a minuto, nuestras idas y venidas. Había momentos en que salían a la puerta de la calle y se acercaban hasta el portal de mi casa, aunque la guardia los alejaba rápidamente.

A veces yo me movía como si todo aquello no fuera conmigo, y mis movimientos tenían como el prurito vanidoso de querer aparecer en una cosa que apenas me concernía. Pero era inevitable que yo estuviera en todo momento en primera fila, casi como si estuviera presidiendo un entierro.

Diógenes entraba y salía muy dueño de sí. Era como si hubiera decidido poco menos que suplantarme en aquel trance. Alrededor de él, con caras de velatorio, había permanentemente cuatro o cinco falangistas para quienes también aquello tenía tanta importancia como para mí o más. La cosa era un poco ridícula.

El juez militar me había dicho por medio del cabo de la auditoría:

— Dice el teniente que es muy necesario que esté usted delante.

Pero yo tenía no sólo miedo sino repugnancia a ver la cara de los asesinos. No quería volver a verlos. No quería de ningún modo enfrentarme directamente con el rostro de quien había disparado. Me preocupaba, como es natural, la liquidación del crimen, pero más que nada porque mis paisanos quedaran tranquilos. La primera vez que había visto las caras de aquella partida de estúpidos degenerados me había quedado desconcertado. En sus caras no había expresión de odio, sino la huella de una imbecilidad que más bien producía pena. Ojalá los sabuesos y los verdugos hubieran sido cazados como fieras sin necesidad de tener que esperar ahora a una discriminación legal que a mí, por lo menos, me resultaba tan deprimente.

Mis primas, seguramente aconsejadas por don Roque, me habían suplicado:

— Tú, cuanto menos intervengas, mejor.

Aquella misma tarde habían acudido a casa varias mujeres con los ojos amoratados de tanto llorar. Las había despachado como había podido, pero ellas casi querían exigirme que retirara toda acusación.

— No depende de mí — les había contestado secamente.

Los presos miraban hacia todos los lados con una extraña curiosidad, casi huyendo expresamente con la mirada de toda clase de consolación. Pero acaso repasaban interiormente, mientras tanto, en cómo ocurrieron los hechos y hasta es posible que experimentaran esa renovada ansia de repetir el crimen que dicen que sienten los verdaderos malhechores. Sin embargo, en algunos de ellos predominaba ese vago gesto vacío que deja tras sí toda horrenda culpa. Era su expresión la de los operados a vida o muerte cuando regresan de la soledad del anestésico.

A ratos yo me aislaba de jueces y acusados, y me

escondía en una habitación a hablar conmigo mismo. Me reprochaba entonces no sentir un odio agudo y punzante. Lo mismo recordaba las caras de las mujeres que pedían perdón y me inclinaba a sonreír particularmente a una de ellas, que me quedaba sentado fijo en las manchas del techo, como si nada de todo aquello fuera conmigo. Me distraía con detalles completamente insignificantes y pueriles.

El aparato judicial, a pesar de ser todo lo expeditivo que exige un Consejo de Guerra, no marchaba todo lo rápido que era de desear. Primero les leía un teniente recién llegado de la capital la recapitulación de hechos, que los presos escuchaban con cara tirante y enigmática, y luego se les iba escuchando en sucesivos y reiterados interrogatorios.

A cada preso se le hacían una serie de preguntas, casi las mismas, junto al quicio de la puerta. Al preso de turno, invariablemente, le costaba mucho ponerse en situación y lo que hacía era dar vueltas desconfiadas con los ojos hacia todos los que tenía a su alrededor. El preso sudaba ante la insistencia de los ojos que le rodeaban.

Los presos, en tanto no los sacaban a declarar, permanecían encerrados en aquella sala solemne donde yo de pequeño tuve que entrar casi siempre de puntillas. ¡Cuántas veces había pedido que me dejaran entrar allí mientras mi padre dormía la siesta, tumbado en un butacón, para desear en seguida escaparme! Me colocaban una sillita al lado de mi padre y si prometía formalidad me dejaban repasar los álbumes de fotografías. Me ponían al alcance de la mano una enorme fila de libros grandes con vistosas ilustraciones. Pero yo solía dormirme en seguida. Al despertarme los ronquidos de mi padre, me empezaba a acongojar y, sin hacer ruido, poco a poco, me escapaba. En cierto modo, ver a mi padre con la boca abierta, soplando de aquella manera, me producía cierto miedo aunque, si lo pensaba bien, la cosa me proporcionaba también unas ganas tremendas de reír. Pero yo escuchaba que mis hermanos andaban por el terrado entre los nidos de las palomas, y aquello era más fuerte que yo. A veces mi padre se despertaba justamente en el momento en que yo abandonaba sigiloso la sala, y gritaba enfurecido. Y ahora aquella sala la ocupaban unos presos que ni siquiera habían conocido a mi padre. Permanecían tumbados en el suelo y algunos de ellos parecían mutilados; al que se le veían los pies no se le veían las piernas.

— ¿Cuál es el que dicen que ha confesado...? — pregunté a uno de los ayudantes del juez militar.

— El del rincón.

— ¿El que tiene el esparadrapo?

— El mismo. Le llaman el *Pelao,* por la calva que tiene.

Hubiera dado cualquier cosa porque me ahorraran aquel trance. Estaba deseando que terminaran de una vez. Los secretarios tenían ciertamente un gran trabajo. Sobre la marcha comprobaban nombres, fechas y demás detalles. Todo iba contra algunos de ellos, porque no contentos con las muertes que habían sembrado por el pueblo, después habían marchado al frente distinguiéndose como comisarios políticos de lo más feroces.

Sentados en la escalera, viéndolos entrar y salir, estaban Diógenes y algunos de sus íntimos.

— ¿No ha venido Miguel? — le dije por decir algo.

— A Miguel estas cosas le sientan mal. No lo puede remediar — y se rió.

Una vez más, Miguel era lo más piadoso que yo tenía al alcance de la mano. Salí a la calle y, como si buscara a mis muertos, corrí a su casa. Me lo encontré tendido en la madera de una tarima.

— ¿Por qué no vienes?

— Todo eso me pone malo.

— Pero al menos estarás conmigo.

Se levantó pesaroso y como derrotado. Se lavó la

cara en una zafa pequeña, en el patio, y se peinó con un pedazo roto de peine grande de mujer.

— Lo que no puedo ver es que los golpeen.

— Allí nadie los ha golpeado.

— Ahora no, pero antes... — y en la cara de Miguel se asomó como el rastro de un dolor intenso.

— Vente, anda. Estando yo no pasará nada.

Atravesamos la calle y di dos aldabonazos suaves en la puerta de mi casa, que ahora estaba cerrada. Volví a dar uno un poco más fuerte. Pero no abrían. Entonces di unos cuantos golpes que escandalizaron a todo el barrio. Por fin, un soldado quitó la aldaba y abrió. Noté que dentro algunos protestaban por aquellos modales míos.

Nunca he sentido tantas ganas de llorar como entonces. Mi casa, vacía de los míos, no era ni siquiera mi casa; allí todos disponían y mandaban más que yo. Y mi presencia para lo único que servía era para dar a la máquina judicial un viso de ejemplaridad.

— ¿Por qué disparaste?

— Yo no disparé.

— Tus compañeros han dicho que fuiste tú.

El preso se cogía las manos y se las apretaba hasta hacerse daño.

— Que se muera mi madre ahora mismo si fui yo quien disparó.

— ¿Quién fue entonces?

El preso sacudía la cabeza, negaba y renegaba poniendo una cara casi cómica de puro atormentada.

— Yo juro que no fui.

— Si no fuiste tú, ¿quién fue?

Eran muchos ojos los que caían sobre el preso. Clavaba los ojos en una loseta con fijeza enfermiza. No respondía.

— Vamos a ver si ahora nos explica cómo estaban ustedes colocados detrás de la puerta cuando doña Rosa

la cerró. Concretamente, ¿que sitio ocupaba usted?
— fue repitiéndole a los presos el secretario.

El preso permanecía tieso e indiferente, o le daba
por tirarse por tierra, llorando, pataleando. Daba pena
verlo.

— Oye, ya está bien — intervenía el sargento —.
Como te pongas tonto, vas a saber lo que es bueno.

El preso se levantaba sumiso. Entonces a mí hasta
me entraban ganas de ayudarle. Por más que hacía,
no podía acostumbrarme a ver en ellos a unos desca-
rados criminales.

Hubo ratos en que me fui al patio y allí hablaba
solo; de haberme alguien escuchado, me habría llamado
majareta o mantellina. Me quejaba. Recuerdo que yendo
del pozo al retrete no hacía más que decir en voz alta:
"Dios mío, ¿por qué has querido colocarme en esta situación?"

Volví al porche en el preciso momento en que un
personaje extraño, que yo no conocía, un muchacho
rubio y pecoso, gritaba como un energúmeno:

— Yo los metía a todos en la bodega y los quemaba.

— Usted se calla — le dije.

— ¿Por qué? — replicó.

— Porque ésta es mi casa.

— En este momento ésta es la casa de autos — y se
rió frenéticamente, lo cual le provocó un golpe de tos
que lo puso encarnado como un cangrejo cocido.

Menos mal que el gesto y la actitud del juez eran
de lo más comedido. De vez en cuando me dirigía una
respetuosa mirada, pero yo le agradecía en el alma que
no se le ocurriera ni dirigirme la palabra.

Llevaban más de una hora de diligencias sin haber
conseguido nada. Luego comenzó el careo, que ya re-
sultó más inquietante. Los presos empezaban a recelar
unos de otros y se contradecían.

Luego los sacaron a todos a la calle y les hicieron
recomponer la escena. Por mucho que yo hiciera, no

era posible que impidiera el espectáculo callejero, y pronto empezaron a oírse comentarios que salían de los corrillos cercanos sin poderse precisar siempre de dónde surgían. La guardia civil se mantenía de espaldas a los presos.

— ¡Silencio he dicho! — ordenó el brigada a los guardias —. Y a quien hable, pasarlo dentro.

De quien más se preocupaban los vecinos era de mí. Tanto, que me veía forzado a cerrar los ojos. Sin embargo, escuchaba con gran atención todo lo que se decían unos a otros. "¿Qué es lo que hace él?", preguntaba una mujer pequeña que no alcanzaba a ver lo que ocurría dentro del corro. "Está como si tal cosa", le respondía un hombre con una voz que reflejaba, según me parecía, cierta sorna. "Pero ¿no es él el que está preguntando?", preguntaba otra mujer. "Qué va; él está callado." El rumor no cesaba. Sobre todo, no se perdían nada las muchachas. "Aquél de la orilla debe de ser el que disparó." "No, aquél no, el del centro." "Ése sí que tiene cara de criminal. Seguro que fue él." "Mira que si se escaparan..." También los niños se nos colaban por entre las piernas y se ponían delante de los detenidos mirándolos despacio, con la boca abierta.

A los presos les habían quitado las esposas. Dos de ellos habían pedido agua, y los soldados les habían sacado a cada uno un vaso del pozo de mi casa.

Cada nuevo hombre o mujer que se acercaba al grupo me producía un vivo malestar. Hubiera deseado que todo aquello pasara inadvertido. Sin testigos.

Noté que el preso del esparadrapo levantó los ojos al balcón central y al ver allí las tres banderas se pasó la lengua por los labios. En aquel momento me recordó una escena que había presenciado a los pocos días de llegar al frente. Un miliciano se había presentado espontáneamente en nuestras filas y el capitán lo sometió a interrogatorio. El sudor de aquel miliciano mientras veía la efigie de José Antonio y escuchaba al capitán, que no le ocultaba su desconfianza y hasta su desprecio, era un tormento que me dejó por muchos días conmovido y exasperado. Al principio creía que se trataba de un simple juego del capitán — y era en realidad de lo que se trataba —, pero no calculando hasta qué extremos el capitán estaba dispuesto a llevar el interrogatorio, al miliciano no se le ocurrió más que decir: "Si me he equivocado, coja la pistola y máteme ahora mismo. Se lo pido." "Todo se andará, muchacho", le contestó el capitán. Y lo dejó solo. Yo no pude resistir la locura que se iba apoderando de aquel hombre y le dije: "Antes de una hora estarás disparando contra los de enfrente." "¡Lo he soñado tanto...!", replicó. Cuando llegó el capitán, el miliciano se tiró a sus pies y se puso a besárselos. El capitán se volvió desde la puerta y me dijo: "Es tuyo." Al día siguiente, Teodoro se había hecho cargo de una ametralladora.

En este caso el preso sufría, pero parecía que estuviera fingiendo. Endurecía las mandíbulas y tenía las venas de la frente tan hinchadas que daba la impresión de que se le iban a romper de un momento a otro.

Algo se iba sacando en claro; el del esparadrapo era el único que llevaba arma. Él no lo desmintió. Casi se podía decir que en sus labios más bien se insinuaba una sonrisa de orgullo.

Un cabo de la guardia civil iba despejando los corrillos próximos, repitiendo monótonamente y con plena indiferencia:

— Ya es hora de irse a cenar.

— Aquí lo que hace falta es batuta y un poco de música — dijo un vecino.

— ¿Y si el que disparó no está ahí y anda tan tranquilo por la calle? — opuso una mujer.

El juez levantó los ojos del pliego escrito y miró lentamente a quien se había expresado de este modo. Las máquinas, dentro, seguían tecleando.

— ¿Cómo se puso para disparar? — preguntó el juez

al del esparadrapo —. Dígalo sin más. Poniéndose como se puso al disparar. Y los demás — ordenó a los otros presos — que se pongan también exactamente igual que estaban entonces.

— ¿Habéis oído? — gritó el sargento.

Uno de los presos inició un movimiento y ocupó su lugar. Los demás, aunque reculando, fueron acercándose a la puerta. Sólo el del esparadrapo se mantuvo despreciativo y rebelde.

— Haga de una vez lo que se le dice — exclamé más que nada porque deseaba que aquella prueba terminara para mí cuanto antes.

Cuando me quise dar cuenta, aquel bestia se había abalanzado sobre mí y me había sujetado la muñeca con los dientes. Debí de lanzar un grito espantoso. Con la otra mano me acuerdo que le cogí el pelo, pero esto no sirvió más que para que él hundiera más y más los dientes en la carne. Llegué a imaginarme que aquella boca sería capaz de tragarme entero. Hasta tal punto sus dientes intentaban saciar con mi carne como un hambre devoradora e inextinguible. Llegué a sentir verdadero terror y creo que pedí auxilio igual que un niño.

Sobre él se echaron los mismos presos intentando sujetarlo, y entre los presos y los guardias se formó un barullo bastante regular. Los vecinos, al ver la actitud que adoptaban los guardias, echaron a correr. Por encima de todos vi venir a Diógenes, y su brazo se abrió camino por entre el juez militar, su ayudante y los propios presos. Vi que levantó el brazo con la pistola puesta al revés. Vi cómo caía el primer golpe y deseé que el segundo fuera más fuerte. Al tercero los dientes de aquel chacal se ablandaron y el cuerpo, después de balancearse como si bailara una rumba, cayó redondo al suelo.

Todo había sido cosa de medio minuto, pero yo tenía arrancado de raíz un pedazo de carne y en el suelo permanecía quieto, inerte, el preso del esparadrapo. Los demás presos fueron esposados y metidos a toda prisa dentro de mi casa. Mi brazo sangraba sin parar. Parecía una cañería rota. Entre Miguel y un cabo me entraron dentro. Estaba mareado y tenían que sostenerme. Me ataron fuertemente un pañuelo a la muñeca en tanto un soldado salió corriendo hacia la Casa de Socorro.

El preso del esparadrapo se había quedado con un trozo de carne mía entre los dientes, pero también yo tenía en la manga de la guerrera y en el puño de la camisa unas salpicaduras medio rojizas y medio blancas con algunos pelos pegados.

Era como si me hubiesen desgajado toda la mano derecha.

El preso del esparadrapo estaba muerto. Vi cómo lo arrastraban hacia el porche después de tomarle el pulso repetidas veces. Los labios le babeaban un hilillo de sangre y parecía más bien un borracho que vomitaba el vino, ebrio de felicidad. El preso del esparadrapo sonreía. Parecía sonreírse justamente de la inutilidad de aquel trozo de esparadrapo que le cubría media barbilla.

Me entró un temblor irreprimible, desconcertante. Ni siquiera las piernas podía tener quietas. Era como un temblor de frío, y también me parecía a veces como el tiritar de los hombres a los que ha mordido un perro y luego salen rabiando. Me castañeteaban los dientes de un modo casi grotesco. Temía, además, desangrarme. Llevaba varios pañuelos empapados de sangre.

— La sangre es que escandaliza mucho — repetía Miguel.

Diógenes entraba y salía murmurando no sé qué palabras. El juez y él discutieron durante un breve rato y en medio de ellos dos se colocó el brigada de la guardia civil, que no cesaba de repetir:

— Esto tiene arreglo.

Fueron llevándose a los presos con las esposas puestas. Ellos buscaban con los ojos por todos lados a su compañero. Estaban asustados. Al pasar junto a mí el último, vociferó:

— Fue él quien disparó; fue él.

— ¡A callarse he dicho! — gritó el brigada.

— Siempre fue él. Y quiso que nosotros matáramos también. Pero el que mataba era siempre él.

— Ya está bien — dijo el brigada empujándole —. Eso lo podías haber dicho antes.

— Déjalo que hable — intervino el juez militar.

— Nos había amenazado a todos. Quería que muriésemos gritando: "¡Viva la República!"

— ¿Por qué disparó sobre doña Rosa?

— Porque quiso.

— ¿Quién te lo ha dicho?

— Lo vimos todos. Pregúnteselo a ellos.

Los demás presos, aunque contrariados, confirmaban con los ojos estas súbitas revelaciones, que no se puede decir tampoco que fueran del todo espontáneas. Aquel preso sufría un ataque de nervios y estaba dispuesto a confesar de plano.

— ¿Y a quién mató más?

— Pues mató a don Macedonio y mató al sepulturero.

Hasta entonces yo había permanecido alelado y como insensible a aquel nuevo alboroto. No es que deseara principalmente fijar en mí la atención, pero sí que ponía un gran empeño en resaltar la gravedad de mi percance. Pero al escuchar el nombre del sepulturero, me fui derecho hasta el preso y cogiéndole por los hombros, sin dejar de mirarle a los ojos, le rogué:

— ¿Y por qué mató al sepulturero?

— Nos dijo que era cómplice — aclaró otro preso.

— Cómplice ¿de quién? — insistí.

— De Enrique y de Diógenes.

— Nos dijo que era fascista — prosiguió otro.

Diógenes se echó encima del grupo de los presos, gritando:

— Sois unos cabestros redomados. ¿Por qué no habéis dicho todo eso antes?

Pero estaba claro que ellos ahora hablaban porque repentinamente habían empezado a perder el miedo.

— Ya seguiremos otro día — dijo el juez —. Que se los lleven.

Al salir todos miraban hacia donde estaba el cuerpo del jefecillo. Y todavía le temían. Sólo cuando se convencían de que estaba mudo y remotísimo, parecían cobrar un poco de confianza.

Los presos salieron. Fuera se escuchaban voces.

— Que los cuelguen — gritaban.

Llegó el médico, don Juan Pabeto. Y lo primero que hizo, acompañado del juez, fue inclinarse sobre el preso del esparadrapo.

— No hay nada que hacer — exclamó.

— Se le aplica la Ley de Fugas y en paz — comentó el brigada.

El médico volvió la cabeza para decir algo, pero en ese momento apareció por la puerta el médico militar. Don Juan se vino hacia mí y le descubrí el brazo. Tenía el brazo encogido del dolor y lo primero que hizo fue tirar de él con cierta rudeza que a mí me pareció mal humor. Al ver la herida hizo un gesto muy significativo, expresando como asco.

El médico militar traía una cartera con ciertos instrumentos y frascos. Al lavar la herida pudo verse desnudo el hueso de la muñeca.

— Prepárese — dijo don Juan.

Quizá si no me hubiera dicho esto no me habría ocurrido nada; pero lo cierto es que tan pronto como cayó sobre la herida el primer roce o la primera gota de lo que fuera, perdí el conocimiento.

— Tienes que ser fuerte, hijo mío — decía don Juan.

Pero aquello de sentirme mordido por un hombre,

por el que yo, aun suponiéndole asesino, había sentido un asomo de piedad, había terminado de derrumbarme.

Me quedé a un lado, sentado en un sillón. Tenía a Miguel al lado. Don Juan se fue. Los demás se habían reunido donde estuvo el despacho de mi padre. Discutían. Luego vino una patrulla de soldados de guardia y se llevaron en unas parihuelas al preso del esparadrapo. No pude saber si lo llevaban al cementerio o al cuartel.

Al salir el juez militar, me acerqué a él y le dije:

— Por mí, que se concluya aquí todo. Ha muerto el culpable y todo está ya en paz.

— Eso quien lo tiene que decir es el juez — intervino Diógenes. Y en su cara noté como una satisfacción cumplida.

— Me voy — dije, y agarrado de Miguel salí a la calle.

Ahora la calle era un hervidero de gente. La noticia había corrido de portal en portal, de esquina a esquina. Un soldado lavaba la acera, donde habían quedado algunos goterones de sangre.

— Ya te dije que no quería venir — dijo Miguel. Y al rato añadió —: Vine sólo por ti.

— Pero ¿quién podía imaginarse lo que iba a suceder?

La gente me rodeaba y nos seguía. Otros tantos debían de haberse ido siguiendo el cordón de los presos. Ya era de noche. Aunque reconocía los rostros de mis vecinos, veía los de todos ellos como máscaras confusas y un poco siniestras. Por una cara de pena o conmiseración sincera que veía, diez eran rostros aviesos que parecían rumiar mi dolor pensativamente y extraer de él cierto maligno regocijo.

Al llegar a casa de mis primas, entré sin hacer ruido. Miguel tropezó con una silla.

— ¿Quién es? — gritó Apolonia.

Estaban en la sala rezando. Habían encendido la

mariposa y rezaban de rodillas ante una pequeña imagen de la Virgen de las Tres Avemarías. Seguramente las habían enterado ya de lo sucedido.

Pasé a mi cuarto y me eché. Miguel fue saliendo despacio. Sólo yo, desde la cama, con el oído atento, pude distinguir cuando dejaba caer con gran tiento el picaporte. Ellas seguían rezando. De vez en cuando suspiraban y lloraban.

AL día siguiente la primera visita que tuve fue la del médico militar. Dijo que me convenía cuanto antes acercarme al Hospital Militar Base. La herida podía presentar cualquier complicación y lo mejor era que me viera un especialista. El brazo lo tenía hinchado. Había pasado la noche con bastante fiebre.

— Pero será más del disgusto que de la herida — le dije.

— Puede ser, pero no le cuesta nada que lo vean en la capital. Los dientes le han rozado el hueso.

De nuevo se me erizó la piel y sentí correrme un frío extraño por todo el cuerpo. Pensaba que si en vez de tirarse a morderme la mano se hubiera tirado al cuello, me habría degollado.

La segunda visita fue la del juez militar, que me trajo una carpeta con una serie de pliegos para que firmara. Era inconcebible cómo les podía haber dado tiempo a llenar tal cantidad de folios. Se leían mucho las palabras rebelión y fuga.

Apenas pude coger la pluma. No se me ocurrió tampoco leerme aquel informe.

— ¿No sabes lo que dicen ahora?

— ¿Qué dicen?

— Pues dicen que todo ha sido una combinación nuestra para cargarnos al *angelito*. Hasta los nuestros ven muy lógico que nos hayamos propuesto dar un escarmiento que tenga su influjo sobre los restantes presos.

— Diógenes no debió de darle tan fuerte.

— Fue un golpe con mala suerte. Eso es todo. El

cabrón no soltaba. Ni entre cuatro podíamos quitártelo de encima. Era un loco.

— ¿Dónde está él?

— ¿Dónde va a estar? En el cementerio. Fue un acto de agresión perfectamente claro. Y sobran testigos.

— ¿Qué ha dicho Diógenes?

— Ahora mismo acaba de estar en el juzgado. Está muy contrariado. Diógenes es capaz de cualquier cosa, pero no de matar a sangre fría.

Sin embargo, por dentro de mí, iba cobrando cuerpo la idea de una muerte estratégica y perfectamente premeditada por Diógenes. Y lo que más me violentaba era que hubiera sido defendiéndome a mí, y en un momento a fin de cuentas protocolario, cuando Diógenes hubiese cumplido un propósito quizá largamente madurado. Por alguna razón especial Diógenes odiaba al preso del esparadrapo particularmente.

— ¿Cómo va el sumario del *Lorito*?

— ¿Del sepulturero dices?

— Sí.

— Pues en marcha.

— ¿Se sabe quién lo mató?

— Hay dos o tres candidatos, pero yo creo que el que reúne más probabilidades es el salvaje de ayer. A mí, como puedes suponer, me ha dado la noche. No ha sido a ti solamente. Él sabía muy bien lo que le iba a salir en el juicio. Menos mal que al informar esta mañana al coronel fue de las cosas que vio claras desde el primer instante y nos hemos evitado una gran cantidad de papeleo.

Cerré los ojos. Quería fiscalizar interiormente todos mis movimientos durante los interrogatorios de la noche anterior. ¿Había sido yo culpable de algo? "No es posible que me lo hubieran preparado todo para hacerme hablar y, sobre todo, hacerlo callar a él", me dije. Tampoco era posible pensar que Diógenes y el juez militar se hubieran puesto de acuerdo.

El juez quiso ver mi herida, pero yo dije que el médico militar me había dicho que no la destapara, y no insistió.

— Pues adiós, mi general — dijo apretándome la mano izquierda. Y salió.

Mis primas recorrían la casa constantemente murmurando infinidad de jaculatorias. De la cocina a mi habitación y de allí a la puerta de la casa iban una detrás de la otra dando explicaciones en voz baja a visitantes desconocidos que preguntaban por mí.

— ¿Quién era? — gritaba yo.

— No era nadie — respondía Micaela mintiendo pésimamente.

— Tú no te preocupes por nada — añadía Apolonia.

Seguía teniendo fiebre. No me sentía bien más que cerrando los ojos y apretando fuertemente los párpados. Pero bastaba que me adormeciera un poco para que desfilaran por mi imaginación las más estrambóticas fantasías. Me sentía comido, mascado, triturado por unos grandes dientes afilados y enormemente grandes. El preso del esparadrapo se convertía en seguida en una especie de león rugiente que al morder se reía a carcajadas.

Una de las veces que abrí los ojos vi sentada a mi lado a una muchacha vestida con traje sastre color café con leche. Llevaba un collar de cuentas blancas increíblemente gruesas, y las uñas de los dedos parecían llamitas puntiagudas. La muchacha olía a perfumes caros.

— ¿Me permites que fume? — imploró como bromeando.

— ¡Oh, sí, por Dios! Puedes fumar — respondí.

Apolonia y Micaela cuchicheaban en la cocina. Probablemente no estaban solas.

La muchacha tenía el pelo tirando a rubio, pero también descubría algunos cabellos más blancos que acaso fueran canas que le apuntaban. Tenía los labios gruesos, rezumando una frescura y una suavidad como de fruta cubierta de rocío. Sin embargo, aquellos labios eran capaces de contraerse duramente y a veces adquirían un borde de dureza que daba al mentón y a la punta de la barbilla un carácter irónico y algo cruel.

Todo era extraño en aquella mujer. Porque también su voz había dejado en la estancia una vibración firme que no estaba en consonancia con las menudas florecillas del pañuelo que tenía en la mano.

"Está llorando", me dije, y acepté el hecho con toda naturalidad. Con un cuidado, que a mí me resultaba completamente trastornador, se pasaba el pañuelito por la punta de las pestañas y se lo aplicaba continuamente a la punta de la nariz. Aquella mujer, además, me miraba con una fijeza y una profundidad que casi me producían vértigo. Veía unas veces su rostro cerca, encima de mí, casi traspasándome el aliento; otras, se me alejaba a una distancia que yo me sentía incapaz de medir, porque tan pronto me parecía cosa fácil llegar a tocarla alargando la mano, como presentía que mis brazos estirados nunca llegarían a poder apresar ni siquiera los mechones de pelo que le caían hacia delante.

Me vencía un sueño que era más fuerte que yo mismo e incluso que el gesto medio suplicante de aquella mujer. "Debo de estar soñando — me dije —. Mujeres de éstas no hay en los pueblos." Pero ella seguía mirándome con toda atención y a ratos sonreía. Una fila salvaje de dientes dejaba paso a la lengua al escupir con gran coquetería las motas del tabaco rubio. Estaba sentada con una pierna encima de la otra. Sobre los sólidos muslos se le señalaban los botones de las ligas.

De pronto vi que la mano se alargaba y se acercaba hasta mí y noté que sus largos dedos, que parecían tan lejanos, me llegaban hasta la carne. Después los dedos se pasaron a mi frente y al pelo, y la mano, con fina torpeza, me fue acariciando suavemente los labios y las orejas. Reía. Parecía reírse de mí.

Quise levantar mi brazo para ponerle la mano en la frente o en el cuello, para comprobar también que no soñaba, pero vi que la mano me pesaba y que la tenía toda enfundada en vendas. Ella seguía riendo.

¿Será una enfermera? ¿Irán a operarme?, me preguntaba a mí mismo. Me entraron unas ganas enormes de llorar porque aunque aquella mujer, considerada por partes, no fuera para mí un prodigio de belleza, me tenía conmovido y había despertado en mí extrañas ternuras.

Tenía ya una de sus manos en la mía y los labios me ardían por besarle el brazo o la mejilla. No podía reprimirme ya. Llevaba muchas pulseras, todas de raras monedas de plata y de peregrinos amuletos. También llevaba sortijas y alguna de ellas era como las de los obispos, con grandes piedras de colores.

"Voy a besarla, tengo que besarla", me prometí. Pero tampoco me atrevía del todo. Tenía como el convencimiento de que todo era una broma y de que aquella mujer, tan pronto como yo me rindiera por completo, iba a desvanecerse y desaparecer. Había en sus ojos, que parecían tallados en trozos de cristal, un asomo de fría malicia. Lo que más me extrañaba es que mis primas no interrumpieran sin más nuestra soledad.

— Siéntate aquí — le supliqué.

Dejó el bolso en la mesilla y se sentó al borde de la cama. Ahora sus caderas casi inmovilizaban mi cuerpo dentro de las sábanas. Ella también estaba emocionada. Se veía.

"No tengo que preguntarle nada; no sería conducente. Si le hablo, a lo mejor se va", me decía. Dejó caer ella un brazo al otro lado de la almohada, quedando mi cuerpo bajo el túnel trastornador del suyo. La tenía que mirar de abajo arriba, humillando asombrosamente todo mi ser. Ella, entonces, me dio unas palmaditas en la mejilla y rozó su cara contra la mía con una insospechada tranquilidad. Pero, de repente, se puso de pie como nerviosa y sacudiendo la cabeza.

"Como se acerce otra vez la besaré aunque me pegue", me dije. Pero ella permanecía a los pies de la cama dando con los guantes en los barrotes y sonriéndome. Parecía que estuviera esperando de mí una decisión trascendental.

— También tienes ganas para haberte metido en el pueblo — dijo.

— ¿Qué iba a hacer? — exclamé.

— Sacudirte el polvo y marcharte bien lejos — repuso tajante.

— ¿Tú te has ido del pueblo?

— Del mío, claro está.

Forzosamente tenía que formularle una pregunta clave. Ella era algo más que una aparición de mujer de hombros bellos, cintura breve y senos altos. Ella debía de ser algo más que una risa, un pañuelito con florecillas y un perfume que casi hacía estornudar. Ella, cuando estaba allí, es que tenía algo que ver conmigo.

— Pero ¿tú quién eres?

— ¿Yo? — y lanzó una carcajada medio bárbara, medio infantil, que me dejó anonadado.

— ¿Yo? — repetía.

En esto dieron con los nudillos en la puerta, a pesar de que no estaba cerrada. Antes de que se me ocurriera responder volvieron a dar dos golpecitos más.

— Pasen — dijo ella —. Pueden pasar — y se dirigió a abrir la puerta.

Era don Roque. Nada más entrar, la habitación quedó llena de cura por todas partes. Ella se fue replegando poco a poco hasta que sólo pude ver sus manos enguantadas, que me decían adiós desde la puerta. Por más que quise estirarme y que me corrí hacia un lado y hacia otro, no veía ya más que el brillo opulento de la sotana de don Roque.

— ¿Qué tal estás, hijo? — resopló.

— Bien, bien...

— No será nada, porque Dios te quiere mucho y **no**

ha querido que sufrieras tú ningún mal. Dios tiene contigo una providencia especial.

Seguía oyendo el taconeo conciso de aquella absurda mujer pasillo adelante. La escuchaba hablar, tan desenvuelta, con Micaela y Apolonia. Ella daba consejos y ellas le daban la razón y se lamentaban. Por fin, aparecieron las dos en la puerta de la habitación.

— ¿Se ha ido? — les pregunté.

— Se fue, se fue — respondió Apolonia y suspiró de un modo que expresaba un gran alivio. Los ojos de Micaela más bien expresaban censura y condenación.

Don Roque tosía de rato en rato, pero sin ganas, como pretexto quizá para echar fuera un poco del aire que le sobraba. También cuando se lo proponía expulsaba aire por los caños de la nariz de un modo rítmico y vibrante, como si fuera una simple válvula de escape. Vi que tenía una gran curiosidad por verme el brazo y como me estaba poniendo nervioso con tanta vuelta y revuelta lo que hice fue poner el brazo liso encima de la cubierta.

— ¿No será un obstáculo para tu carrera militar?

— ¿El qué?

— La herida — aclaró.

Hice un gesto vano, de indiferencia y hastío. ¿Quién le había dicho a él que a mí me iba a interesar la milicia? Más que nada sentía aversión por don Roque por haberme cortado el diálogo con aquella mujer. No podía evitar mi malhumor.

— No creo que sea un bocado para tanto—repliqué.

Don Roque tenía una pechuga donde debían de alinearse, como en un escaparate, toda clase de mantecas y grasas. ¿Cómo se había podido pasar la guerra escondido un hombre tan increíblemente grueso? ¿Qué le habían dado de comer durante todo ese tiempo?, me preguntaba yo.

Don Roque ponía una cara tristona, como si le doliera atrozmente su resistente y tremendo hígado. Con un pañuelo grandísimo iba secándose las gotas de sudor que le corrían cuello abajo. La calva le brillaba como un queso manchego recién sacado de la tinaja de aceite. Daba la impresión de que iba desnudo bajo la sotana. No se le veían puños ni alzacuello.

— Don Roque, tan pronto como se enteró, mandó recado — dijo Micaela. Y después de sonarse las narices con el delantal, exclamó —: A don Roque, que quería tanto a tu madre y a todos vosotros, le ha faltado tiempo para venir a verte. Ya ves.

— Nosotros no le hemos visto la herida, pero lo que yo digo es que esta clase de heridas deben cuidarse. ¿Llevo razón o no, don Roque? — suspiró Apolonia.

— Pero ¿tú le hiciste algo a él? — aclaró don Roque.

— ¿Yo? Nada — contesté.

— Pero alguien le haría algo seguramente.

— Nadie le hizo nada.

— No me lo explico — respondió dando con el pie en el suelo.

— Ni yo tampoco.

— Pero el caso es que él está muerto.

— Muertos están muchos más, don Roque. Y muertos con menos derecho. Muertos están todos los que él mató.

— Nadie tiene derecho sobre la vida de los demás, sino Dios mismo, que es el que la da y el que puede arrebatarla.

— Eso debió de metérselo muy bien a él en la cabeza. A él, que mató a diestro y siniestro y que estaba dispuesto a seguir matando.

Encontraba cierto placer en mortificar a don Roque. Me gustaba contradecirle o discutirle, aunque por dentro estuviera conforme con lo que él estaba diciendo.

— Dios ha usado contigo de una bondad sin límites...

— No sé si contarle — le atajé — el chiste del pescador gallego que, naufragado en pleno océano, se aga-

rró a un tablón y, contra viento y marea, pudo salvarse.
Después el cura de la aldea le reiteraba una y otra vez
el cuidado que Dios había tenido con él hasta que un
día el pescador, aburrido, le atajó: "Mire, déjelo; lo
que son las intenciones de la Providencia ya se han visto
bien claras..."

— ¿Sabes cómo se llama eso en el Evangelio? Se
llama dar coces contra el aguijón.

En cierto modo a mí me halagaba en aquel instante
el temor y el sufrimiento que se reflejaba en la cara de
mis primas. Don Roque tamborileaba en el brazo del
sillón, con un nerviosismo que tenía algo de cómico.
Probablemente pensaba que yo no era el mismo a quien
él había catequizado y mimado en mis años de "tarsi-
cio". Probablemente recordaba en aquel momento aquellos días en los que fui para él tarea fácil vestirme de
monaguillo y sacarme al altar mayor balanceando tra-
viesamente el incensario.

Llegaban hasta el cuarto todos los ruidos del callejón, ruidos de carros y carretillas, que arrastraban cajo-
nes y latas; ruido de garrotes y cayados, que hurgaban
en el suelo como buscando bóvedas ocultas o caños misteriosos de agua; ruidos de mulos, burros y cabras que
en cuanto los dejaban libres se arrimaban a la pared
para rascarse cansinos y medio adormecidos. En Hécula
comenzaba a sentirse el calor y los pájaros, escondidos
bajo las tejas, daban a sus insistentes llamadas un tono
quejumbroso y torpón. Se me cerraban los ojos de nuevo.
Sentía, además, una dura opresión sobre el pecho.

Unas campanadas dieron la señal del *Angelus*. Don
Roque sacó un reloj de plata que parecía que hubiera
ido aumentando de volumen con estar metido en su
bolsillo. Le dio cuerda. Ellos tres, inmediatamente, rezaron las avemarías.

— Hasta otro rato — dijo, levantándose, don Roque.

— Adiós — exclamé, volviéndome hacia la pared.

Mis primas salieron a despedirlo y luego Apolonia

vino junto a la cama y se sentó a mi lado. Yo me hice el dormido y respiraba incluso de un modo profundo y regular. Ella usó de su ceguera como otras veces para descubrir, no sólo cómo me comportaba y me movía, sino también lo que pensaba y significaba con mis gestos. Desde aquellos días le tengo miedo a los ciegos por ese apabullante don de penetración y adivinación que tienen. Es evidente que Apolonia se daba cuenta por aquel entonces hasta del esfuerzo que me costaba creer.

— ¿Quieres una tacita de caldo? — dijo al cabo de un rato.

— Bueno.

— No deberías portarte así con don Roque — añadió al salir.

Me dormí profundamente y, entre sueños, pude darme cuenta de que en el patio se escuchaban voces muy diversas que murmuraban quedamente confidencias y partes respecto a mi estado. Iban llegando recados de distintos lugares de la ciudad, lo mismo de la vecindad que del cuartel, igual de los conventos que de los bares y hasta de la misma cárcel. Cada uno se interesaba por mi brazo como si de él dependiera la propia subsistencia. Sin embargo, mi pensamiento no estaba ni siquiera fijo en el preso del esparadrapo. Toda mi reflexión se concentraba en aquella desenvuelta muchacha que había venido hasta allí dentro a tratarme como a un niño.

— Micaela — grité.

— Voy, voy — vino diciendo por el pasillo.

Micaela llegó asustada. Vino secándose las manos con el delantal. Tenía el pelo muy revuelto, ella, que siempre lo llevaba tan requetepeinado.

— ¿Hubo antes una mujer aquí? — le pregunté.

— ¿Una mujer, dices?

— Sí; una muchacha muy bien vestida, que llevaba en las manos muchas pulseras.

— ¿Se puede? — gritaron en el pasillo las voces graves de varios hombres que pisaban fuerte.

Micaela se alarmó visiblemente y se santiguó. "¿Quién será ahora?", salió diciendo. Entonces yo probé a incorporarme. El brazo no me estorbaba nada, ni siquiera sentía dolor, pero la cabeza me pesaba atrozmente y cuando me puse de pie la habitación entera comenzó a darme vueltas. Terminé por acostarme de nuevo.

— Pasad, pero no le habléis demasiado — recomendó Micaela.

— Ha dicho el médico que lo que más le conviene es descansar — agregaba Apolonia.

Apareció Diógenes, muy erguido, acompañado de unos cuantos camaradas más. A algunos no los conocía, pero entre ellos no venía Miguel. Todos me examinaban con una seriedad irritante. Cuando quisieron mostrarse joviales, todavía me parecieron más fúnebres.

— ¡Si no es nada, hombre! — dijo Diógenes.

— Pues se pasó toda la noche delirando — añadió Micaela.

— Será la impresión — comentó uno de ellos, que tenía una cicatriz en la barbilla.

Diógenes deslió un paquete donde había magdalenas, sequillos y una botella de mistela.

— A cuidarse, amigo.

— ¡Qué mala pata! — suspiró Micaela.

— Es que ellos son así; ellos no perdonan. Y si pudieran, nos tragarían a mordiscos. ¿Qué no? — dijo uno del grupo.

— Se les trata demasiado bien y están cobrando humos — matizó otro.

— Y si nosotros estuviéramos en su lugar, ya no quedaba ni rabo.

— Me han dicho — cortó Diógenes — que ha venido a verte Marina.

— ¿Marina? ¿Quién es Marina?

— No bromees — exclamó Diógenes entre indignado y divertido —. ¡Si has estado hablando con ella!

— ¿Quién te lo ha dicho? — dije ya un poco fuera de mí.

— Ella misma, hombre.

Estaba hueco y vacilante como después de una gran borrachera, y me quedé repitiendo varias veces el nombre de Marina.

— Pero, chico, la que fue novia de Enrique, que en paz descanse — explicó Apolonia.

Me quedé de una pieza. Tenía los datos suficientes para poder identificarla: tanto había oído a mi madre y a todos hablar de ella. No podía ser otra. Pero contra todo lo que se había dicho de aquella mujer, yo había empezado a sentir por ella una comprensión profunda y generosa.

— Pues está guapa — añadí como quien hace un comentario para sí mismo, y todos, menos mis primas, rompieron a reír.

Después ellos se pusieron a comentar, con Apolonia, las últimas disposiciones del mando militar para la zona de Hécula, según las cuales determinado número de presos trabajaría en el castillo, en la basílica y demás iglesias incendiadas, reconstruyendo lo que habían derruido.

— ¿Ves? Eso sí que lo encuentro bien — intervino Apolonia.

— ¡Pero les darán de comer! — agregó Micaela.

— Nosotros no somos como ellos — fulminó Diógenes —. Si vuestro primo hubiera sido como ellos, anoche se los liquida a todos. Dos horas largas dale que te dale, sin hablar, para luego abrir el pico cuando ya el gallito había soltado su veneno. Y conste que yo sólo le di para quitártelo de encima. Parecía que al muy criminal le gustaba la sangre. Estaba más pegado que una sanguijuela.

Diógenes hablaba con un convencimiento y una sinceridad que no admitían disimulo. Le tremolaba la voz con una emoción inusitada.

— ¿Cuándo nos comemos unos gazpachos? — prosiguió Diógenes en tono francamente amistoso.

— Pronto, pronto — le contesté sonriendo.

Mis primas no sabían lo que hacerse. Querían comportarse amablemente. Se daban cuenta de lo importante que se hacía la casa con todo el movimiento de visitas y mensajes.

— ¿Y cuándo se arregla — dijo Micaela dirigiéndose expresamente a Diógenes — que haya cosas de comer bastantes? Porque yo esto lo estoy viendo cada día más tiznado.

— Hay que hacerse cargo de lo que ha sido la guerra y luego liberar de golpe tantas provincias — aclaró muy solemne Diógenes —. Paciencia, Micaela, paciencia; todo se andará.

— Lo peor de todo — prosiguió Apolonia — es lo caro que está todo. Yo no sé de dónde saca la gente el dinero. A nosotras la mitad de los billetes, de los pocos que teníamos, no nos han valido.

— Ahora — y Diógenes habló como hombre importante que está en el secreto de la cuestión — se va a hacer funcionar aquí un organismo que dará racionados los víveres. Y cada uno podrá sacarlos con su cartilla.

— Esto está bien — exclamó Apolonia.

— Se cortarán muchos abusos. Porque no hay derecho a que unos tengan de todo y otros nada — añadió Micaela.

— Claro, claro — y Diógenes se puso de pie. Los demás hicieron lo mismo.

Mis primas habían perdido las prisas y se pusieron a discutir con los demás del grupo sobre el precio desorbitado que tenían algunos alimentos de primera necesidad y de lo difícil que era encontrarlos.

— Como esto siga así — exclamó muy enérgica y lastimada Apolonia —, no nos va a quedar más remedio que encerrarnos aquí y morirnos de hambre.

— No tanto, no tanto — repetía Diógenes.

— No tanto porque él — dijo señalándome a mí — siempre nos trae cosas y podemos ir tirando.

— Porque tenemos paz, pero si no estaríamos peor que antes de la guerra — repuso Micaela.

— ¿Estabais acaso mejor con los rojos? — intervino, seco y tajante, Diógenes.

— ¿Queréis que vuelvan los rojos? — dijo uno.

— De ésta sí que os quedabais sin misa *in sempiternum* — añadió otro.

— Dios nos libre — dijo Micaela —. La tranquilidad vale mucho, pero es que ahora ya nada es lo mismo que antes.

— Las guerras, Micaela, las guerras son siempre así.

— No habléis de guerra — añadió Micaela —, que me pongo mala. Yo paso todo lo que haya que pasar porque no se repita lo que hemos pasado.

— No se preocupe, vieja — dijo el de la cicatriz en la mejilla —; repetirse no se repetirá jamás de los jamases.

— Para eso estamos nosotros aquí — agregó otro con la barba negra que parecía que le hubiera crecido en el rato que había estado sentado allí.

Diógenes me tendió la mano y los demás se pusieron en cola para irse despidiendo de mí, según cierta jerarquía.

Era mi mano izquierda la que apretaban.

— Y tú — dijo Diógenes desde la puerta sentencioso, pero como haciendo un chiste —, a ver si ahora te nos vas a volver zocato.

Los demás rieron. Salieron pasillo adelante hablando con mis primas.

— Todo cae sobre este pobre, que es enteramente un niño — murmuraba Apolonia —. Porque yo estoy segura de que él no le hizo nada.

— ¿Qué le iba a hacer, Apolonia? — exclamó Diógenes —. Nada. Lo mismo que le hizo su madre. Ellos son así y matan por matar. Si pudieran, no sólo nos mor-

derían las manos sino el corazón y el alma. Pero a todos.
A ustedes también.

— ¡Dulce nombre de Jesús! — dijo Apolonia como
quejándose de un fuerte dolor.

— Pero ¿es que son fieras y no tienen temor de Dios?

— ¿Fieras dice? Peor que fieras son — comentó uno.

— Si ahora vuestro primo se levantara y se fuera a
la cárcel de Turena y se quitara de en medio a los que
mataron a Enrique y luego se fuera a Pinilla y barriera
a los que dispararon sobre Pablo, no haría nada del
otro mundo. Además, todos terminarán cayendo. Tarde
o temprano, los barreremos.

El que así hablaba debía de ser el de la barba crecida y negra.

— Pero sería mejor que se arrepintieran — suplicó
Apolonia.

— Eso es imposible. Es la raíz mala lo que tienen.

— No tienen remedio.

Y se fueron alejando calle adelante entre carcajadas
y juramentos. Mis primas, suspirando, volvieron a mi
habitación una detrás de otra. Yo me hice el dormido.

— Habrá que dejarlo descansar — dijo Micaela.

— Sí, y todas estas visitas no le hacen ningún bien.
¿Qué tal si nosotras rezamos el rosario?

— Espera que traiga patatas y mientras las pelo lo
rezamos.

Rezaron con un murmullo siempre igual los cinco
misterios y la letanía. Al llegar al final rezaron un sin-
fín de padrenuestros por todos los míos. También se
acordaron de mi brazo y después del padrenuestro a
las Ánimas y de santiguarse, a Apolonia se le ocurrió
decir:

— ¿Qué tal si rezamos también por el preso muerto
que le mordió? — inquirió Apolonia, como arrepentida
de lo que acababa de ocurrírsele.

— Bueno — respondió Micaela —. De cristianos es
el perdonar. Eso es lo que nos enseñaron.

18

— Pero ¿tú crees que es posible que Dios los perdone después de todo lo que han hecho?

— ¿Nosotras qué sabemos? Nosotras rezamos y Dios después que haga su santa voluntad...

— Eso, eso. Y que Dios también se apiade de nosotras... también.

Apolonia y Micaela rezaron por el preso del esparadrapo, cuyo nombre no sabían. Después del *requiescat in pace,* las dos lanzaron un suspiro hondo, casi como de quejido de animales heridos. Luego sólo se escuchó el ruido del cuchillo cortando las patatas en palitos delgados. Vino entonces la luz eléctrica y Micaela se levantó veloz a apagarla.

— Hay que economizar — dijo.

Apolonia sacudió varias veces la cabeza afirmativamente. Por el estrecho callejón pasaron unos veteranos soldados de la Cuarta División Navarra.

El coro cantaba:

> *El vino de Hécula*
> *levanta la moral*
> *y mata el gusano.*

Inmediatamente el solista matizaba:

> *El vino heculano*
> *revoluciona el sayal*
> *y empina el gusano.*

Mis primas ni se enteraban de lo que los soldados querían decir. Parecían estar sólo atentas a las cadenas del reloj del pasillo que giraban y corrían de rato en rato como las tripas de un gitano famélico.

M E pasé la noche entera hundido en horrorosas pesadillas. Soñaba y me despertaba medio alucinado, bebía un poco de agua del vaso que tenía en la mesilla y daba la vuelta hacia el otro lado, procurando que la mano herida me quedara a la altura del pecho. Pero al instante seguía soñando. Y de nuevo soñaba escenas monstruosas, inconexas y acongojantes que se sucedían una detrás de otra con rapidez y confusión. Sabía, además, que estaba soñando, pero sufría.

Una vez era un río de barro negruzco y espeso que corría carretera adelante detrás de mí, pisándome los talones. Ya Hécula estaba cubierta por aquel extraño lodo, y lo único que se veía desde lejos era la cúpula de la Iglesia Nueva.

Era yo también, metido en la hornacina de un altar con un cristal delante y multitud de cirios que me hacían casi marearme. La gente pasaba por delante de mí meneando la cabeza. Aunque llevaban caretas, yo a la mayoría los reconocía. Mil veces se me cortaba la respiración del calor de los cirios encendidos.

A veces, varios amigos, para salvarme de no sé qué persecución, me dejaban caer muy despacio y atado de una cuerda a lo profundo de un pozo, por donde corría un hilo de agua clara. Pero al instante me sentía atacado por cientos de cangrejos de patas largas y peludas, que silbaban como serpientes. Todo mi cuidado consistía en no estarme quieto para que los cangrejos no pudieran comerme los dedos de los pies.

Al rato me encontraba en un nicho estrecho en el

que me habían metido dentro de una caja. Me creían
muerto, pero no lo estaba. A mi lado había otro con
una camiseta de color y un jersey con cremallera que,
aunque roncaba, despedía el olor dulzón de los difun-
tos. Con gran esfuerzo, y después de una combinación
de movimientos penosos, pude meter una mano por un
imperceptible resquicio y saltar la bisagra de la caja.
Pero con aquello apenas había logrado nada, porque
todavía me quedaba encima un techo abovedado y una
pared de cal y cemento. Rabiosamente, hasta verme saltar la sangre de los dedos, arañaba la pared para hacer
penetrar una chispa de luz.

También me vi rodeado de un grupo de amigos entre los que reconocía a falangistas y soldados del pueblo.
Bajábamos de prisa y corriendo a ver pasar por debajo
del Puente de los Siete Ojos, que siempre va seco, una
riada enorme que venía desde Turena y Pinilla, a pesar
de que estos pueblos estaban en dirección contraria. La
corriente, que era amarillenta, arrastraba troncos de olivos, higueras enteras, cepas, cañas y grandes hierbajos.
Pasó también un bulto negro enorme, que todos con-
fundimos con una ballena porque de la cabeza salía de
vez en cuando un salto de agua color de rosa. Aquel
bulto negro, que bien podía reventar y que si estallaba
podía hundir el puente, no era otra cosa sino don Roque
en persona. Al pasar el cura por debajo del puente me
echó una mirada especial y luego me bendijo. No sé por
qué esto me emocionó tanto que no pude menos de
echarme a llorar estruendosamente.

A todo esto a mis primas las tenía debajo de la cama
puestas de rodillas de una manera dolorosísima, y con
las manos juntas rezaban por mí con una serie de cla-
mores que hacía que todos los que pasaban por la calle
se pararan en la puerta y fueran entrando poco a poco
hasta asomarse a mi cuarto con grandes cuchicheos y
murmuraciones. Algunos parecían estar muy contentos.

Al despertarme tenía la boca seca y muy amarga.

Con gran cuidado cogí la toalla, la mojé y me la pasé por la cara. Me costaba bastante trabajo vestirme. Tenía el brazo muy hinchado. Quería salir a la calle cuanto antes.

No dejé que amaneciera. Eran las siete y ya estaba en la calle.

Aunque se me revolvían las tripas, me tomé en la Plaza un "carajillo". La mayoría de los vendedores y aposentadores lo tomaban mojando en el vaso un churro detrás de otro. Los labradores eran más partidarios de la "palomita". Yo tenía pegada a la garganta una fuerte carraspera y varias veces estuve a punto de vomitar.

Mujeres y hombres miraban mi brazo con misteriosa gravedad. Se veía claro que todos estaban enterados de lo ocurrido. No tenían ni siquiera necesidad de hacer comentarios; lo más que hacían era darse con el codo o chistarse.

Fui bajando hacia el Parque. Abrían en aquel momento algunos comercios. Muchachos con guardapolvos grises limpiaban con papel de periódico mojado los cristales de los escaparates, o sacudían con los zorros las descoloridas tablas de los anuncios.

De vez en cuando me encontraba con alguna mujer barriendo la calle. Se la veía envuelta en una nube de polvo. Acercábase a la puerta de la casa, cogía un cubo de agua y se ponía a rociar con la mano por en medio del carril. Las gotas, al caer sobre el suelo, sonaban como los palos sobre un tambor roto.

Las calles de Hécula se iban poblando de sombras negras que transitaban todas en la misma dirección. Caminaban como siguiendo el monótono y disperso repiqueteo de las campanas. ¿De dónde habían resurgido aquellas antiquísimas y conocidas campanas? De tarde en tarde sonaba alguna que no tenía nada que ver con las primeras impresiones de mi adolescencia. Eran cam-

panas nuevas, recién fundidas, y parecían las campanas
de otros pueblos. También muchas de aquellas beatas
parecían desenterradas. Entre las negras mantillas des-
tacaban la cara y las manos con un blancor como de
cera o escayola. Entre ellas distinguí a más de una,
a quienes le habían matado los rojos algún pariente.
Me parecía que exageraban el dolor. Al mismo tiempo
me dolía de mi falta de sensibilidad para medio olvidarme de la muerte de los míos. Viendo a aquellas
mujeres quise sentir un dolor físico, un dolor real e
inacabable, algo que me desgarrase por dentro. Pero
no podía. A muchas de aquellas mujeres las había oído
en casa de mis primas quejarse de la blandura de la
justicia y las había visto llorar con ansia terrible de
castigo. Para ellas no se podía hablar exactamente de liberación mientras no se devolvieran los golpes recibidos.
No estaba en la voluntad de uno, gritaban, el perdonar.

Sin embargo, yo sentía que cada hora que pasaba
perdía más fuerza moral ante mí mismo para exigir
la reparación que tantas veces me había imaginado, incluso cumplida por mi propia mano. Concretamente los
presos empezaban a inspirarme un respeto sagrado. La
muerte del preso del esparadrapo me pesaba atrozmente
sobre los hombros, y ni haciendo esfuerzos por recordar
el sufrimiento de los míos lograba nivelarme. Me empezaba a consolar con la idea de que los muertos ya estaban muertos y que acaso el martirio les había dado
posesión de una vida mejor. Una especie de alta e im-
penetrable sabiduría, iba liberando, sin apenas darme
cuenta, mi corazón.

Entré en la Iglesia Nueva por la puerta principal.
Como otras veces, no quería más que cruzarla de punta
a punta, saliendo por la puerta que da a la calle de
abajo. Estaban celebrando una misa en el altar mayor
y el sacristán, desde un reclinatorio, leía con grotesca
desgana una serie interminable de oraciones medio ador-
mecedoras que las mujeres de luto, desde sus silletas

sin respaldo, contestaban con voz de ultratumba lanzando profundos ayes. Todavía seguían rotos los amplios ventanales por los que entraban y salían parejas de palomos en celo. El techo seguía ahumado. Entonces pensé en el gran susto que se llevarían mis primas cuando se levantaran para llevarme el tazón de café con leche y vieran que, sin más, me había ido a la calle. Pensarían que había salido dispuesto a matar. Esta idea me hizo sonreír. No es tan fácil matar como parece. Por lo menos en tiempos de paz. En tiempos de guerra o revolución acaso lo que ocurra es que matar resulte demasiado fácil. Una mano se me posó en la espalda y me volví como una fiera. Tenía los nervios hechos harina.

Delante de mí la cara de don Roque era tan ancha que no me permitía ver ni columnas ni altares. Sólo veía su rostro, como una gran torta rociada de harina. De repente sonrió. Entonces el labio inferior se le dobló un poco y vi sus dientes, como los de un niño cuando los está mudando.

— Yo — dijo balanceando la cabeza — todos los días tengo un recuerdo en el *Memento* para los tuyos.

— Muchas gracias — le respondí.

— Y también, claro está, pido por ti.

Estaba como clavado en tierra. Quería moverme y no podía. Y era para mí casi motivo de risa pensar que aquella blanda muralla de carne hubiera podido pararme tan en seco. Al mismo tiempo estaba avergonzado y creía que todas las beatas que había repartidas por la iglesia estarían pendientes de nuestro diálogo.

— Es extraño — prosiguió — que no haya encargado misas ni novenarios por su madre.

— Cuando los junte a todos, lo haré. Se hará todo lo que sea en la capilla del cementerio.

— Esto está bien, pero sería también muy razonable que tratara de conocer al menos su voluntad.

— Su voluntad ahora soy yo.

— Por supuesto; pero acaso le interesara conocer lo

que ella hubiera pensado y determinado para este caso.

No entendía lo que quería decirme.

—No es que lo crea necesario, porque su madre, estoy convencido, está en el cielo.

—¿Y mis hermanos no? —dije alzando la voz.

—Eso sólo Dios lo sabe— y se puso el dedo en la boca para indicarme que hablara más suave.

Estábamos parados bajo una amplia rotonda y desde lejos las beatas nos miraban. Ahora ya podía distinguirlas claramente. Algunas juntaban las cabezas y murmuraban. Hasta el mismo sacerdote que estaba celebrando, al volver la cabeza hacia los fieles y vernos, me pareció que se quedaba mirándonos más tiempo del de la cuenta. Las campanas de la torre iban dejando caer, cornisas abajo, la fortaleza de sus distintos broncos. Retumbaban las bóvedas y las naves de la iglesia. La campana parecía retemblar también en la enorme barriga de don Roque.

Dejó su mano en el aire para que la besara. Y en seguida salí derecho hacia la puerta y me eché a la calle.

Por más que quería, no podía fijar la atención en nada. Caminaba en la más pura inercia, como bajo los efectos de una droga. De momento me pareció que las raíces que me sujetaban a la tierra y a la vida se me habían soltado y que iba a perder incluso la memoria de mi pasado y la conciencia de mi intimidad. "Así debe de comenzar uno a volverse loco", me dije.

Iban saliendo a la calle los ebanistas, los fragüeros, los obreros de las fábricas de alcoholes. Una fila de aguadores se dirigía hacia el Caño con sus carros en forma de tripa hinchada. Todos los empleados y oficinistas que aparecían por la calle llevaban un minúsculo paquetito en la mano. Era el almuerzo. En cierto modo, envidiaba a la gente sencilla y laboriosa que procuraba rehacer su vida sin dar apenas importancia a las cosas. ¿Será verdad que olvidar no es cobardía?

Dos mujeres con pañuelo a la cabeza y cada una de

ellas con una larga escoba en la mano permanecían ante una fachada hablando fuerte y pasando el mocho untado de cal de arriba abajo. De vez en cuando, sin mirar apenas, metían la larga escoba en el lebrillo.

— *Pué* con el tío — decía una.

— ¿Sabes lo que te digo? Que le den morcilla — decía la otra.

Me dirigí al Juzgado Militar. Por supuesto que el teniente no había llegado. El centinela de la puerta llamó al cabo y éste al sargento. Los soldados estaban colocados casi como si les fueran a pasar revista. Miraban el vendaje de mi mano con gran asombro.

— Mi alférez, pase y siéntese — dijo el sargento, que tenía cara de pirata de zarzuela —. ¿Quiere que llame al teniente?

— ¿Es que tardará mucho? — le pregunté.

— Por lo menos una hora — agregó —. Anoche nos fuimos muy tarde — y me dedicó una sonrisa de inteligencia.

— Quizás usted pueda informarme de lo que quiero.

— Usted dirá, mi alférez.

— Yo quisiera enterarme, si puede ser, de cómo marcha un sumario en particular.

— No creo que haya inconveniente alguno — y se alejó muy diligente sin esperar a más. Por el pasillo comenzó a silbar. No pude evitar que saliera corriendo. Al poco apareció con una carpeta bajo el brazo.

— Supongo que es esto lo que le interesa; precisamente estamos sobre ello.

De nuevo tenía en las manos el abultado sumario de todos los encartados en la muerte de mi madre.

— No, no es esto lo que quiero.

— ¿Quiere entonces el de su hermano?

— Tampoco.

— ¡Ah, ya sé! — y casi dio un brinco —. Usted lo que querrá ver será el pliego de diligencias que hemos enviado a Pinilla sobre su otro hermano.

— Tampoco es eso.

El sargento quiso responder algo, tartamudeó y se apoyó en la mesa como si estuviera mareado.

— ¿A usted le suena el nombre del *Lorito*? — le solté por fin.

— ¿El *Lorito* ha dicho?

— Sí; Rafael Ortega Muñoz, alias el *Lorito*.

Repitió varias veces el nombre y el apodo. Y añadió desconcertado:

— No me suena.

— Es un sepulturero al que mataron los rojos.

El sargento me hizo un ademán y se metió en la sala contigua. Allí estaba instalado el archivo. Oí claramente cómo el cabo le decía al sargento que, en efecto, el nombre del *Lorito* había figurado ya en varias declaraciones. Bajaron unos pliegos de papeles de lo alto de una estantería y consultaron varios índices. Después bajaron un poco el tono de voz hasta que se salieron al pasillo a discutir. El cabo insistía en que lo mejor era esperar a que llegara el teniente.

— Luego volveré — dije mientras abría la puerta con visible mal humor. El sargento y el cabo se quedaron pegados.

Caminaba por las calles aturdido por una sensación extraña de cansancio y de derrota. Por más que quería ponerme en el trance de vencedor, no lo conseguía. Algo tiraba de mi ser hacia una región de hastío y descontento absoluto. Mi mismo pueblo empezaba a inspirarme una repugnancia profunda e incomprensible. Señor, ¿era posible que yo hubiera luchado con tanto esfuerzo y sacrificio para encontrarme allí tan en ridículo y como de prestado? Estaba vencido.

Al cruzar la balsa del Parque me encontré con un vagabundo que llevaba entre las manos un bote mohoso y una cuchara de madera. Se dirigía al Cuartel a recoger sobras. El Cuartel estaba en el antiguo Colegio de los Escolapios. Al verme, el anciano levantó el brazo muy solemnemente y me hizo el saludo falangista. Por lo bajo murmuró unas palabras confusas. A la puerta del Cuartel había una larga fila de mujeres y niños que se peleaban por el puesto. El cabo les advirtió:

— Ya os lo he dicho: el que chiste, no come.

Los hombres de más edad permanecían sentados en los portales de las casas vecinas o daban vueltas hasta la esquina con la cabeza gacha, como exagerando la vergüenza que les producía aquello. A otros se les veía más indiferentes y tranquilos y se gastaban bromas pesadas. "Anda, si tú siempre tienes cagueta." "Y tú te comes la mierda buscando con un palillo."

Me metí en una peluquería. De momento no era fácil que yo pudiera afeitarme solo. Tenía los dedos de la mano tan juntos e hinchados, que los sentía dentro del vendaje como amasados con hormigón.

En cuanto me eché hacia atrás en el sillón peluquero me entró una extraña desazón. En el momento de colocarme el paño alrededor del cuello se apoderó de mí un vértigo que llegó a marearme por completo. Me incorporé rápidamente y me miré en el espejo. Me vi pálido y desencajado.

— Si se mueve le puedo cortar — amonestó el barbero, a quien la boca le olía terriblemente, y no a rosas. No tuve más remedio que torcer la cara hacia un lado.

— Por favor, estése quieto — repitió.

Quise inmovilizarme y no pude. Repentinamente me habían entrado unas prisas incontenibles para salir y moverme.

— Nada más que una pasada — le advertí.

Pero el peluquero quería a toda costa entablar diálogo conmigo. También los parroquianos esperaban que yo soltara alguna palabra. El peluquero se aburrió y los demás se cansaron de esperar y empezaron a hablar del tiempo. Poco a poco todos me iban dejando solo.

"¿Qué haré al salir de aquí?", me pregunté. Y al instante, me tracé un plan. Ya tenía adónde dirigirme.

Iría al cementerio. Era necesario que yo hablara claramente con el sepulturero, con su familia y con los obreros que trabajaban allí. Les pediría que me enseñaran de
nuevo mi nicho. Estaba dispuesto a soltar el dinero que
fuera necesario. Algo tenía que tener aquel esqueleto
que sirviera de base a mis pesquisas. Tenía que llevarlas
adelante. Estaba claro que no estaba allí metido de una
manera casual. Lo habían encerrado, si no clandestina-
mente, sí, por lo menos, de un modo precipitado. O estaba metido allí desde que el mundo era mundo.

Me puse en marcha dando un rodeo por no pasar
frente a casa de mis primas. Pero esto me llevó a pasar
justamente por la puerta de la Casa Cuartel de la Guardia Civil. En aquel crítico momento apareció fumando,
en la puerta, el brigada.

— Pero, ¡hombre, has madrugado! — exclamó radiante y guiñando un ojo.

— Aquí venía, precisamente — improvisé.

— Pasa, pasa.

Los guardias se pusieron de pie. Las mujeres de los
guardias que salían al mercado o a las tiendas se me
quedaban mirando.

— Quisiera pedirles un gran favor — supliqué.

— Si está en nuestra mano, hecho.

El brigada sacó la petaca y, sin acordarse del estado
de mi brazo, me ofreció tabaco. Cuando se dio cuenta
de su error, salió corriendo muy colorado. Regresó con
un purito muy delgado en alto. Él mismo me lo puso en
la boca y me lo encendió.

— Necesito saber qué muerto o muertos hay en
Hécula que no hayan aparecido.

— ¿Cuántos muertos hay en Hécula...? ¿Quiere decir gente asesinada cuyo cadáver no haya sido descubierto?

— Eso mismo.

— Yo creo que en Hécula ninguno. Yo diría que
aquí han sido encontrados todos los que mataron.

— ¿Está seguro? — insistí.

— Podemos informarnos mejor si lo quiere, pero yo casi garantizaría que no hay ningún heculano fusilado o *paseado* que no haya sido localizado. Sus mismos hermanos son una prueba.

— Pues es muy raro — y puse un gesto de desconfianza.

Habían acudido el sargento y un guardia, que me saludaron con enorme entusiasmo. El brigada les repitió mi pregunta y ellos pusieron una gran cara de asombro.

— Muertos que no hayan aparecido... — repetían muy extrañados, con unos ojos como platos.

— La cosa no tiene importancia — aclaré —. Era simple curiosidad.

Pero ellos se veía que habían empezado a intrigarse. Se les veía repasar mentalmente la larga lista de caídos.

— Aquí — intervino el sargento que había salido del campo de concentración más amarillo que un cirio — lo que sí ha pasado es que han aparecido muchos que no eran de este pueblo.

— Los que no se atrevían a matarlos en otros pueblos, los traían aquí y los liquidaban — aclaró el brigada.

— Más de treinta por lo menos — agregó el guardia — se han recogido de los pueblos de al lado. Algunos han quedado enterrados aquí en una fila de nichos que está entrando a la derecha.

— Pero ¿nadie ha reclamado un muerto — insistí — del que no se sepa lo más mínimo?

— ¿Por qué pregunta eso? — dijo el sargento.

— ¿Vosotros sabéis de alguna familia que no haya dado con sus cadáveres? — siguió el brigada dirigiéndose al sargento y al guardia.

— Yo creo que en el frente ese caso debe de haberse dado a miles — añadió el guardia por decir algo.

— Pero el alférez no se refiere al frente — y el brigada posó sobre mí unos ojos escrutadores que, aunque no dejaban de sonreír, querían como penetrar en mi

secreto. Al instante cambió la mirada y lo que le quedó
fijo en los ojos me pareció que fue como un destello de
conmiseración.

— ¿Cuándo trae, por fin, a su hermano? — preguntó el sargento.

— La semana que viene... o la otra — respondí.

En esto entró una pareja que venía de la calle. Acababan de prestar un servicio que era seguro que algo
tenía que ver conmigo. Al verme, se quedaron descon-
certados.

— ¿Todo normal? — preguntó el brigada.

— Todo se hizo como había ordenado — dijo uno
de ellos.

— En hora y media la cosa se terminó.

Estaba yo como el enfermo que espera un diagnós-
tico y no quiere preguntar. Al mismo tiempo estaba
deseando desaparecer. Seguramente el brigada se dio
cuenta de mi preocupación y murmuró, dirigiéndose
expresamente a mí:

— Es que esta mañana se ha enterrado al sujeto en
cuestión. Y se le ha puesto en el cementerio civil.

— Como si se hubiera suicidado — dijo el sargento.

Aunque era evidente que se referían al preso del
esparadrapo, yo no quise preguntar nada. Sobre aquel
individuo ya se había volcado una montaña de tierra,
y ahora resultaba que todavía hacía un rato estaba sobre la superficie del mundo. Muerto, pero estaba. Y para
mí que estuviera al aire libre, aunque estuviera muerto,
era como si me estuviera mordiendo todavía.

— Después de la autopsia no permitimos que se acer-
caran los familiares.

— Pero ¿es que le han hecho...? — y no llegué a
terminar la palabra.

— Eso es lo que nos ordenaron de puro trámite desde la capital — y el brigada, después de ponerme la
mano sobre el hombro, pasó al cuarto vecino seguido
de los dos guardias.

Me despedí y salí andando. Sentía un raro malestar. Cuando recordé que, si al levantarme me hubiera ido al cementerio, como había pensado, podía haberme encontrado con aquel cadáver encima de la mesa de mármol, me entraron unas náuseas enormes. Varias mujeres que pasaron cerca de mí se me quedaron mirando. Alguna de ellas se detuvo. Era como si yo mismo oliera a muerto.

Adivinaba en todos los rostros la misma mueca de miedo y el mismo gesto de horror mezclado con una compasión y unas lástimas que me hacían sentirme casi desdichado. Hombres y mujeres ofrecían una silueta rara porque a lo esquelético de sus figuras se unía el encorvamiento de los hombros y el extraño alargamiento de las manos. La guerra había dejado sobre Hécula un impacto profundo de desolación y tristeza.

En medio de mi soledad sólo una persona era capaz de inspirarme sentimientos humanos, y ésta era Miguel, el falangista que no tenía de momento ninguna cuenta que saldar, el amigo que me huía y me buscaba, llevando por delante siempre una bondad casi ofensiva.

Tenía la impresión de que hasta que no descubriera la personalidad de aquel difunto que se había mezclado fraudulentamente con los míos y que estaba como esperando mi propia llegada, toda mi permanencia en Hécula sería un suplicio. Me figuraba que ya siempre, hasta que no descubriera la clave del misterio, me acompañaría un dolor incitante y desagradable, como si del fondo de nuestra sepultura se hubiera levantado un polvillo fúnebre que me hacía insoportable el disfrute de la paz.

Sin saber por qué, aquel muerto me hacía sentir un odio indefinible contra muchas cosas. Pero contra quien más me desesperaba era contra mí mismo. A él y a nadie más culpaba de mi falta de resolución y valentía. Era la aparición de aquel muerto la que había puesto montañas de plomo en mis pulsos.

Pero también aquel inexplicable muerto iba depositando en mí la desazón de una duda que, sin saber cómo ni por qué, hacía que mi alma anhelara la seguridad y la tranquilidad a toda costa.

A veces llegaba a pensar si realmente sería cierto que yo había visto con mis propios ojos, revuelto entre los despojos de los míos, a un ser tan informe, atrabiliario y absurdo como aquél, que había ido al sepulcro no sólo sin mortaja, sino sin nombre y sin familia.

Todas las muertes vistas y buscadas en el frente, todo el cúmulo de dolores de los míos perdían relieve y hasta interés por la presencia enigmática de aquel sujeto sin historia y casi sin eternidad, cuyas cenizas presentía vagamente que podían contener para mí una revelación extraordinaria. Estaba seguro de que aun en su descomposición tenían un mensaje para mí.

No había más remedio que traer a Pablo y a Enrique so pena de que yo me fuera del pueblo como huido y renunciara para siempre a la pacificación interna. Y si los traía yo sabía muy bien que tendría que reconocer públicamente la presencia de aquellos huesos que habían emparentado con nosotros, más allá de las leyes de la vida. Y aquellos huesos tendrían que ir a parar al muladar hasta que alguien los reconociera como suyos.

Las más extrañas hipótesis y conjeturas se me agolpaban en la cabeza, llegando a producirme verdadero dolor físico. Continuamente tenía que pasarme la lengua por los labios, abultados por la fiebre. Pasaba de una calle a otra moviéndome de una manera mecánica y casi fantasmal. "Me voy a volver loco", pensé.

— ¿Está Miguel? — grité desde la puerta al llegar a su casa.

— Salió muy temprano — me respondió su madre desde lo alto de la escalera.

— ¿No sabe dónde está?

— Yo digo si no habrá subido al Castillo. ¿Quiere que le diga algo si viene?

— No, ya lo buscaré yo.

Tomé la ruta del Castillo atravesando callejones empinados y travesías tortuosas bajo arcos de piedra ruinosos y tapias encaladas. Ya apretaba el calor, y sudaba. De vez en cuando tenía que pararme para poder dar un ritmo sano a mis respiraciones.

El camino del Castillo estaba solitario y fragante. Habían desaparecido durante la guerra muchos pinos, pero los que quedaban se movían como abanicos rumorosos. Las lagartijas corrían entre las peñas. De los más duros peñascos, piedras con un tapete de pelusa amarillenta encima, colgaban tallos de romero y minúsculas florecillas moradas. Cogí un manojo de una mata que en Hécula llaman "uva" y la chupé. Me dejó la boca con un sabor áspero que me hizo apretar el paso.

Hécula, si no fuera porque se veían ennegrecidas las cúpulas de las iglesias y porque habían desaparecido varias ermitas, se diría que era la misma de antes de la guerra. Traté de localizar la cárcel y cuando la encontré hice cálculos sobre cuántos habrían caído. La guerra se había llevado y se llevaría por delante a más de mil heculanos. Este número, repetido varias veces, aminoró un poco el peso de mi pena. El dolor estaba muy repartido. Es más, el dolor todavía no había terminado.

Salían carros hacia los campos que se extendían sobre la cinta blanca de los caminos y de las carreteras, como un ejército de hormigas. Se veían mulas y arados entre los olivos y las viñas. Los surcos que se abrían daban a la tierra un color hondo y entrañable.

Sonaban cornetas y tambores por diferentes sitios. Por la carretera de Turena salían las centurias de las Organizaciones Juveniles en plan de marcha, y por la de Pinilla entraban las Milicias, que estaban ensayando sus desfiles. El monte olía a matorral reseco.

Brillaban algunos tejados como rampas de cristal.

Los demás conservaban su color pardusco, como de hábito franciscano. Por los empinados callejones podían verse sombras negras que salían de una casa y se metían en otra, o mulas o carros que ascendían penosamente por entre un laberinto de cruces y recodos. El paisaje estaba reseco y amarillento, pero a trechos reverdecían húmedas manchas. El agua saltaba en Hécula caprichosamente y por los lugares más inesperados. El pueblo bullía como la carroña de un cordero en medio del camino.

Recordé con gran congoja las veces en que había hecho aquel mismo recorrido cogido de la mano de mi madre, mientras a mis hermanos, por ser mayores, se les permitía correr por las peñas y subirse a los pinos. Miré hasta descubrir mi casa y me tapé los ojos, emocionado. Todo había muerto, todo había quedado atrás, muy lejos de mí, casi imposible de recordar siquiera.

El Santuario estaba medio en ruinas. Había sido incendiado. También el convento de los frailes estaba en el suelo y sólo se mantenía en pie la casa reservada al guarda. Revivía en aquel sitio mi infancia. Me acordé de las tardes de los sábados en que Miguel y mis hermanos volteaban las campanas, mientras yo los miraba asustado desde una escalerilla que temblaba como un junco.

Al llegar a la cumbre, en vez de meterme en la iglesia, como había hecho siempre, me dirigí a la peña de atrás, desde cuya base se contemplaba ampliamente la vista del cementerio. No se veía a nadie entre los cipreses. Ni siquiera a los obreros se les veía moverse por las rectísimas calles. Todo estaba en paz y en silencio.

Comencé a llorar sin poder contenerme. Pero, al mismo tiempo que quería reprimirme, notaba que el llorar fuerte me hacía un gran bien. Una corriente dulce y blanda me inundaba el alma. Casi podría decir que empezaba como a paladear una dicha inesperada.

Entonces recé un padrenuestro pasando revista a

todos los muertos de que me acordaba. No sólo a los míos, sino a los enemigos también. Recordé a todos los que había visto vacilar y caer disparando con la ametralladora y a los que había visto fusilar, a *Sergismundo* y al muchacho que mataron en mis propias narices mientras orinaba, y al comisario rojo a quien yo no tuve más remedio que rematar. Luego busqué ávidamente una huella reciente en el corralillo del cementerio civil, porque también tenía necesidad de tener presente a aquella fiera que me había dejado grabados los dientes en la muñeca y cuya señal acaso se me quedaría para toda la vida. Pero, sobre todo, de quién no pude desprenderme — y estuvo sobre mí con más fuerza casi que mi madre y mis propios hermanos — fue de aquel muerto que compartía el nicho con mis padres y con aquellos hermanitos míos que no llegué a conocer.

Volví al Santuario y lo recorrí despacio, gozándome incomprensiblemente en su soledad y en su ruina. Sentaba mejor a mi alma inclinarse al cielo ante aquella devastación que entre filigranas de lámparas y acordes de armónium. Aquel templo estaba justamente igual que mi espíritu, herido, destrozado, pero acaso no vencido del todo. Fui avanzando entre los escombros descubriendo pedazos de alas angélicas y trozos de aras.

Salí por la puerta de la sacristía y pasé al convento. Por el suelo se veían hojas sueltas de libros de coro y lápidas de sepulcros rotas. Una rata enorme salió corriendo de entre las piedras.

Atravesé las ruinas. Al pisar los cascotes me parecía ir pisando los despojos de mi propia existencia. Señor, ¿por qué había luchado yo? Para otros, que volvían a reunirse con su familia, la victoria tenía un sentido, pero para mí la victoria significaba sobre todas las cosas la soledad. Y para mayor desgracia, como fantasma de esta desastrosa soledad, se había quedado como pesando sobre mis espaldas una momia grandota y jorobada. Pisaba los montones de ladrillos y los trozos quemados de vigas con una pesadumbre mortal, y a ratos me oprimía el pecho como una manaza terrible. ¡Qué difícil, Dios mío, era para mí alcanzar la paz!

Al llegar a la parte trasera del Santuario, en donde los frailes tuvieron la cuadra, vi una figura que bajaba hacia el cementerio con un trotecillo que iba en aumento en los zigzags del camino y que a veces hacía por detenerse arrastrando los pies.

Era Miguel. Le di un grito, pero él no me oyó o hizo como que no me oía. Siguió corriendo. Entonces cogí una piedra y la lancé al aire. La piedra, después de trazar un círculo perfecto, fue a caer a unos metros de sus pies. Había caído sobre una piedra lisa y saltó hecha pedazos. Entonces Miguel se paró y volvió la cabeza.

— Soy yo, espera — le grité. Pero él no me hizo caso y continuó. Sin hacer caso del camino me lancé atajando por la pendiente. Las botas se me hundían en la tierra. A cada salto un fuerte dolor me agarrotaba la mano herida. Los matojos y los hoyos de los pinos plantados que no habían crecido aún, me servían para hacer descansos y evitar que me estrellara contra los peñascos.

Miguel me llevaba bastante delantera. Como poseído de un miedo absurdo que me irritaba y exasperaba, saltaba como un gamo loco, atravesando barbechos y pedregales. ¿Lo hacía por jugar, o huía de mí?

— Para, so tonto, para...

Era como cuando de pequeños nos perseguíamos alrededor de la ermita de San Pancracio. Aun corriendo era Miguel un tipo desgarbado e irrisorio. Aunque quería concentrar contra él mi indignación, no podía. Una de las veces, al saltar, creía que apoyaba el pie sobre una roca firme y la piedra salió rodando ladera abajo. Me caí con una pierna doblada y noté un gran rasguño en la rodilla. Pero la piedra había seguido botando en su descenso y cada vez sus saltos eran mayores. "Estaría bien que le diera", me dije. Pero la piedra pasó cerca de él, nada más.

Volví a la persecución de Miguel. Era lo mismo que cuando en el frente se brincaba el parapeto y se gritaba: "A ellos, a ellos." Recordé que muchas veces, mientras avanzaba pistola en mano seguido de los muchachos, no se me ocurrían más que frases estúpidas y cómicas como "caracoles en vinagre", "salmonetes a la plancha", "cuernos fritos", "sesos en conserva". Y aquellas palabras, que parecían una retahila de aperitivos, me iban despertando un ansia tremenda de dar golpes, hasta de matar. Era como sentir de repente un hambre canina.

Sin saber tampoco por qué lo hacía, saqué la pistola y disparé un tiro al aire. A cada salto que dábamos teníamos más cerca las tapias del cementerio. En cierto modo era lógico, fatalmente lógico, que Miguel y yo nos hubiéramos ido a topar cerca del cementerio. Allí estaba el enigma y sólo allí podía encontrarse la revelación. El caminillo moría justamente en las tapias.

Había disparado sin ira y sin objeto. En realidad, la figura de Miguel me conmovía. Miguel había sido infinidad de veces el mejor ayudante de mi madre para trasladar un mueble, colocar una persiana, arreglar la cadena de la cisterna, componer la plancha eléctrica. Y luego también que Miguel había sido para mis hermanos, sobre todo para Enrique, como un perrillo fiel. "Pero tiene que hablar — me decía —. Ahora hablará."

Iba a disparar de nuevo cuando vi que Miguel se tiraba al suelo. En vez de precipitarme sobre él, disminuí mi carrera. Un miedo casi animal se apoderó de mí. Pero no tenía más remedio que seguir andando.

— Estás loco — gritaba Miguel sentado en una piedra y con una voz temblorosa —. Estás loco y yo no tengo la culpa.

— Ya lo sé que estoy loco, pero tú me pones más.

— No deberías haber vuelto. No debiste volver nunca.

— No te preocupes, ya me iré. Pero antes tú dirás lo que sepas.

— Estás loco, estás loco — y rompió a llorar amargamente. Miguel hipaba como un niño pequeño.

Era media mañana. Por el resquicio de las piedras asomaban su cabecita las lagartijas. Las calandrias cantaban sobre los surcos calcinados. A lo lejos se escuchaba el ruido de un carro cuyo traqueteo repetía el eco por distintos lados.

Miguel tenía una piedra en la mano y con ella trazaba rayas y círculos en la arena.

— Me has querido matar. Desde que llegaste me tienes odio.

— Estás loco. No te he tirado a dar.

— Deberías haberme dado y estarías tranquilo. Pero ¿por qué no tiras contra Diógenes?

— Dispararía contra mi padre.

— ¡Estás loco!...

Me acerqué a él y, como pude, lo sujeté por el cuello de la camisa azul. Miguel volvió el rostro. La barbilla le temblaba. Se veía que evitaba mirarme de frente, pero esto lo hacía para mí más humilde y entrañable. Abusaba yo, en cierto modo, no de dominio ni de valor, sino de una superioridad muy antigua que se basaba en el respeto y en la admiración que Miguel sentía por mi familia.

— Tú sabes muy bien — dije en tono muy blando — a qué me refiero: quiero saber quién está enterrado en mi nicho. No digas que no lo sabes.

— Todo el mundo lo sabe.

Esta frase me desconcertó. Si algo es capaz de sacarme de mis casillas es la sensación de ridículo.

— Pues si todo el mundo lo sabe, yo no. Ya te estás explicando.

Miguel tragó saliva. En aquel momento tenía cara de santo. Me miraba ahora con una gran dignidad.

— Enrique no fue más culpable que ninguno de

nosotros. Tú mismo, si hubieras estado allí, habrías hecho igual. Fue cosa de todos. Fue el único modo de salir adelante. Aunque al contártelo rompo el juramento, lo hago porque el juramento también a ti te abarcará desde este momento. No se podía hacer otra cosa en aquellos instantes. O desaparecía él, o desaparecíamos nosotros.

Miguel hablaba a borbotones, pero su voz entrecortada, profunda, misteriosa, casi adormecía el paisaje. Se escuchaba dentro del cementerio el golpe continuo y grave de un azadón.

— Pero ¿quién, quién es...?

— Todo lo que puedo decirte es que llegó desde Madrid precedido de una carta en clave. Era el enlace que estábamos esperando hacía mucho tiempo. Nos traía instrucciones concretas, dinero y quizás armas. Lo más importante de aquel hombre era que probablemente nos traía la fecha exacta en que debíamos tirarnos a la calle.

Miguel se iba encendiendo. Aunque hablaba a saltos, casi tartamudeando, había en su voz un tono de pasión y de convencimiento que me sugestionaba. Sacó el pañuelo y se sonó un poco grotescamente. Luego prosiguió:

— Y cuando nos había conocido y tenía los nombres de todos, e incluso dónde teníamos escondidas las armas, recibimos un segundo mensaje de Madrid ordenándonos que nos deshiciéramos de él. Había resultado un confidente del Gobierno.

— Entonces, es un espía rojo.

— Un desertor que, en el momento crítico, por miedo, por dinero o por lo que fuese, se había vendido. Había que evitar que hablase, sabía demasiadas cosas. Al principio estuvimos dispuestos a matarlo. Íbamos a echar suertes a ver a quién le tocaba. Había que obrar, además, con rapidez. Podía sospechar que estaba descubierto y entonces estábamos perdidos.

— ¿Cómo lo hicisteis?

— La idea fue de Enrique. Lo citamos en el cementerio para que pudiera presenciar una reunión y ver el depósito de armas. El *Lorito* nos recibiría pasadas las doce.

Sonó el pitido del tren diminuto y al rato se escuchó el resoplido bufonesco de su máquina de vapor. Por momentos iba desapareciendo de mí toda la ira acumulada y estaba deseando que Miguel concluyera su relato. Era lo mismo que cuando el mayoral viene del campo y nos da noticia de un gran pedrisco que se ha llevado la cosecha.

—Llegó acompañado de Diógenes. Tú le tienes manía a Diógenes y todos sabemos que hay ciertas cosas y que no debería ser como es, pero conste que sin Diógenes muchos habríamos caído, empezando por Enrique.

—Enrique cayó.

—No es eso lo que quería decir. Una vez que cerramos las puertas, esperamos a que llegara tu hermano. Al entrar, lo primero que hizo fue soltárselo todo a bocajarro. Él se quedó helado. Ni siquiera intentó replicar. Se le quitó la pistola y confesó de cuajo. Entonces se le dio una pistola y se le encerró en una habitación. Se le dio un plazo de media hora para que se matara. Él sabía muy bien que si no se mataba éramos capaces de enterrarlo vivo. Había sido un traidor. Ya fue bastante que se le diera esa oportunidad. Recuerdo que nos dijo tu hermano: "Es la muerte que se merece." Faltaban cinco minutos cuando sonó el disparo. Cuando entramos, Diógenes le dió el tiro de gracia.

—Hubiera debido enterrarlo con los suyos — dije muy excitado, casi con náuseas.

—Fue también ocurrencia de Enrique enterrarlo con los tuyos. Era el nicho que había más próximo y más desocupado. Lo hicimos a media luz, ayudados por una linterna y procurando hacer poco ruido. Varios se quedaron por el camino vigilando. Cualquiera que hubiera pasado aquella noche por allí sin dar la contraseña habría caído acribillado.

Un peso se me quitaba de encima. Pero otra clase de pesadumbre me aplanaba hasta el alma.

— ¿Lo sabéis muchos?

— Sólo quedamos Diógenes y yo. Los demás han caído. Recuerdo que cuando abrimos vuestro nicho...

— Ya está bien, Miguel — y sin esperar más salí andando.

De momento no quería ni verlo. Sentía una gran necesidad de estar solo. Me dirigía hacia el pueblo; pero el rebaño de casas alrededor de la torre me produjo cierta repugnancia.

Entré en el cementerio y antes de llegar a nuestro nicho me volví. Todo daba ya igual. El sepulturero me vio desde lejos y se quedó mirándome. Al salir me encontré en la puerta a Miguel.

— Pero ¿es que no comprendes...?

— Comprendo, Miguel, pero no me hables de esto una palabra más.

Me encaminé hacia el pueblo. Miguel iba a varios pasos de mí como guardándome las espaldas. Varias veces estuve por pararme y darle la mano, pero me gustaba castigarlo. Acaso lo hacía por haberme tenido tanto tiempo pendiente de esta revelación. Sin embargo, su presencia me servía de alivio y me consolaba.

Llegué a casa de mis primas con la lengua fuera, como quien dice. Al verme entrar se tiraron a abrazarme con lágrimas en los ojos.

— Pero ¿por qué has salido? — gritaba Micaela.

— ¿Por qué te has ido? — repetía Apolonia —. ¿Es que no quieres nada con nosotras? Somos viejas, pero te queremos.

Pedí un ponche con mucho vino y me tumbé en la tarima. En oleadas me llegaba al corazón una alegría desconocida. Casi sentía ganas de gritar y salir corriendo. Pero al mismo tiempo necesitaba silencio y soledad para comprobar el río de bienestar que me iba llenando.

"¿Qué haré si entra Miguel: lo abrazaré o lo echaré a la calle?", me preguntaba. Pero Miguel no llegó.

Era inútil que buscara una explicación a aquella súbita transformación mía. Era algo en lo que apenas intervenía mi voluntad.

La voz de dentro no me ordenaba hacer nada ni me exigía ningún propósito heroico. La voz de dentro, una voz que era la voz de mi madre, robustecida por miles de voces indescifrables, pero amigas, me repetía con una gran suavidad y dulzura: "Estáte quieto, olvida. No te muevas, perdónalo todo."

Iban hundiéndose todas las escenas sangrientas que había presenciado en un abismo de inesperadas ternuras. Todo mi ser comenzaba como a renacer a la esperanza.

Para más aislarme fingía dormir profundamente, y de vez en cuando hasta improvisaba unos ronquidos. Mis primas andaban de puntillas por la casa. No querían despertarme. Luego las oí sacar del cajón de la máquina de coser el papelito de la novena de la Virgen de las Tres Avemarías. Recitaban la plegaria con un murmullo quedo y adormecedor.

Al final me quedé dormido de veras.

M E pasé dos días en una vieja hamaca que mis primas tenían en el piso de arriba. De rato en rato
me asomaba por un tragaluz y el pueblo se me aparecía
dorado, blanco y caliente, como un pan recién sacado
del horno.

Era como si estuviera escondido. Más de una vez
escuché la voz de Diógenes, que preguntaba por mí. Mis
primas, que tenían órdenes mías, replicaban:

— Está en la capital.

— Pero si he preguntado y me han dicho que no le
han visto por allí...

— Se habrá ido a otro sitio — contestaba una.

— Como él también recibía tantas cartas de sus jefes, a lo mejor es que se le ha acabado el permiso — añadía la otra.

— Pero no se irá a escapar así...

— Él volverá — afirmaba Apolonia.

— Claro que volverá — concluía Micaela.

También un día escuché una voz desconocida para
mí, una voz muy pastosa y redondeada.

— ¡Hola, Padre! — exclamó alborozada Micaela.

— Ya sabíamos que había venido y que estaba en el
Castillo — gritó Apolonia saliendo a su encuentro.

En seguida vino Micaela a preguntarme si quería
recibir al Padre Carmelo, que era muy amigo de mi madre. Le dije que no, que más adelante le iría a ver yo
mismo.

En Hécula apareció por aquellos días un periódico
local titulado *El Camarada*, y el primer número estaba
dedicado a mi hermano Enrique. También para Pablo
había unas palabras evocadoras. Publicaba una foto de

los tres hermanos, y a mí me añadieron el calificativo de "heroico soldado". Mis primas recibieron, cuando menos lo esperaban, un estupendo suministro.

Mis primas, que no se explicaban nada de aquello, me preguntaban:

— ¿Y cuándo piensas traerte a Enrique?

— Por ahora, no — respondía yo.

— Pero ¿por qué? — insistían.

— Hay una frase del Evangelio que creo que dice: "Dejad a los muertos que entierren a los muertos."

— ¿El Evangelio dice eso? — replicaba Micaela.

Después me empezaron a tachar de duro y de insensible. Pero yo no cesaba de sonreír de un modo nuevo.

Al tercer día de haber subido al Castillo y de haber escuchado la confesión de Miguel, me levanté muy temprano y me puse a escribirle una carta. En ella le decía que me ausentaba por un poco de tiempo y que mientras tanto le rogaba que se encargara de todas mis cosas. Él sería el encargado de trasladar los restos de mis dos hermanos — se lo decía asimismo — cuando llegara la ocasión. De momento era mejor dejar quieto el asunto. "Creo que mi madre y los míos no necesitan de este mundo ni de mí nada que no sean oraciones", le decía. Y la carta terminaba del siguiente modo: "Y ya sabes que tienes en mí el amigo de siempre."

Al coger el autovía camino de la capital, eché una última mirada al Castillo. El Santuario ya estaba rodeado de andamios. Por los peñascos se veían ir y venir soldados con fusiles. El tonto del pueblo, *Perra Gorda,* que algunas veces tenía salidas muy chuscas, me susurró al oído:

— Que se chinchen. Que no lo hubieran derribado. Ahora que lo levanten piedra a piedra — y soltó una risita.

El Castillo se había convertido en campo de concentración.

En Turena me detuve unas horas. Quería visitar la plazoleta donde cayó Enrique. Sobre el suelo había un manojo de rosas blancas y amarillas. Pensé si las habría puesto Marina.

El jefe local estuvo a verme con unos planos que representaban el trazado de la Cruz Monumental que se elevaría en aquel mismo lugar. Me bastó muy poco tiempo para decidir sobre la sepultura de Enrique. Seguiría de momento en tierra con una sencilla cruz encima con la fecha de su martirio. Al escucharme, el jefe local dijo:

— Esto no va a sentar aquí nada bien, y mucho menos en Hécula.

— Ahora es la hora de los vivos. Ya llegará la hora de los muertos — dije, por decir algo.

En Pinilla todo fue mucho más fácil. En la primera exhumación que hicieran en la fosa común deberían avisarme. Pablo estrenaría, en tanto no llegaba la hora propicia para el traslado, un nuevo nicho.

Una vez terminadas estas gestiones, me trasladé a la capital. En la Auditoría se extrañaron mucho de que pasara por alto el recuerdo de los sumarios que hasta entonces habían sido mi pesadilla.

Luego me encaminé al Gobierno Militar y le pedí audiencia al coronel Torrente, que era gran amigo de mi casa. Al verme entrar debió de creer por la cara que puso que iba a presentarle alguna grave papeleta y me mandó sentar en un amplio butacón mientras firmaba unos oficios.

— ¿Qué se le ofrece al alférez? — me preguntó levantándose y viniendo hacia mí.

— Nada, mi coronel; que le ruego que dé por terminado mi permiso.

— Hombre, no sabes lo que me alegro.

Debí de poner algún gesto de asombro. No pude contenerme y le dije:

— ¿Por qué?

— ¿Por qué iba a ser? Porque es necesario que te incorpores. Estás haciendo falta en tu Unidad.

— No sabía.

— Sí, no sé si habrá salido ya el oficio. Se te requiere para un servicio.

— A la orden — dije poniéndome de pie.

Pero como viera que él no se levantaba, me quedé esperando. Entonces el coronel me recomendó, como si me trasladara una amonestación de carácter grave:

— Y espero que cumplas bien.

— Pero ¿de qué se trata?

— Vete a Estado Mayor y te enterarás.

El coronel se puso de pie y me acompañó hasta la puerta. Allí me tendió la mano amigablemente. Yo salí caminando hacia atrás y diciendo:

— Gracias, gracias...

No hizo falta que llegara a Estado Mayor. En la escalera me encontré con el capitán Diego, de mi División. Al verme le faltó tiempo para decirme:

— ¿Estás enterado?

— ¿De qué?

— De que salimos en seguida.

— ¿Que salgo yo? ¿Para dónde?

— Para las montañas de Rixote.

— ¿Y para qué, si se puede saber?

— ¿Para qué va a ser? La orden dice escuetamente: "Operaciones de limpieza."

Me quedé tan tranquilo. La paz había entrado dentro de mí y no me importaba lo más mínimo coger de nuevo las armas.

Madrid, 1955.